VOLUPTÉ

www.damnes-lelivre.fr

Illustration de couverture : Fernanda Brussi Gonçalves

Ouvrage publié originellement par les éditions Delacorte Press,
une marque de Random House Children's Books,
une division de Random House, Inc. New York,
sous le titre :

Rapture

© 2012, Tinderbox Books, LLC et Lauren Kate
© Bayard Éditions, 2012, pour la traduction française

Éditions de Noyelles
123, boulevard de Grenelle, Paris
www.franceloisirs.com
Une édition du Club France Loisirs, Paris
réalisée avec l'autorisation des Éditions Bayard

ISBN : 978-2-298-05621-1
Dépôt légal : novembre 2012
N° éditeur : 69277
Première édition

Lauren Kate

VOLUPTÉ

Traduit de l'anglais (États-Unis)
par Danièle Darneau

ÉDITIONS DE NOYELLES

Pour Jason,
sans ton amour, rien n'est possible.

« Toute chose est en marche vers sa destruction
Seul notre amour ignore le déclin... »

❄

John Donne, *L'anniversaire*

PROLOGUE
La Chute

D'abord, il y eut le silence...

Dans l'espace qui séparait le Paradis et la Chute, au plus profond d'un lointain mystérieux, il y eut un moment où le glorieux murmure du Paradis disparut, remplacé par un silence si absolu que l'âme de Daniel lutta pour tenter de déceler un son.

Puis était arrivée la véritable sensation de chute... Un saut tellement vertigineux que ses ailes ne lui avaient plus servi à rien, comme bridées par la volonté du Trône. Elles ne battaient plus, ou si peu que cela n'avait aucune influence sur la trajectoire de sa chute.

Vers quoi se dirigeait-il? Il n'y avait rien devant lui, et rien derrière. Rien au-dessus, et rien au-dessous.

Seuls existaient une épaisse obscurité et les contours flous de ce qui restait de son âme.

Dans ce néant, son esprit prit le contrôle. Une préoccupation d'un autre ordre s'imposa à lui de façon implacable : les paroles obsédantes de la malédiction de Luce.

«Elle mourra... Elle ne sortira jamais de l'adolescence... Elle mourra encore et encore, et précisément au moment où elle se rappellera ton choix. Vous ne serez jamais vraiment ensemble.»

Telle était l'odieuse condamnation de Lucifer, le venin qu'il avait ajouté à la sentence prononcée par le Trône dans la Prairie céleste. La mort s'avançait vers sa bien-aimée. Daniel pourrait-il l'arrêter? Serait-il même capable de la reconnaître? Car que connaissait-il de la mort? Il l'avait parfois vue arriver paisiblement vers certains hommes, mais, en tant qu'ange, la mort ne le concernait pas. Or ni la mort ni l'adolescence n'avaient de signification pour lui. Il savait seulement qu'être séparé de Lucinda était une punition intolérable. Ils ne pouvaient vivre l'un sans l'autre.

– Lucinda! hurla-t-il.

Le simple fait de penser à elle aurait dû lui réchauffer l'âme, mais il n'y avait en lui que la douleur de son absence.

Pourquoi ne sentait-il pas la présence de ses frères autour de lui... : ceux qui avaient fait le mauvais choix, ou choisi trop tard; qui n'avaient pas choisi du tout et avaient été bannis à cause de leur indécision? Il savait qu'il n'était pas *réellement* seul, car ils avaient été plus de cent millions à avoir été projetés dans le vide quand le sol s'était ouvert sous eux.

Mais il ne voyait personne, ne sentait aucune présence, alors que, jusque-là, cela n'était jamais arrivé. Il avait l'impression d'être le dernier des anges, perdu dans l'immensité de tous les mondes.

«Cesse de penser ainsi, se dit-il, sinon tu vas te perdre.»

Il essaya de tenir bon... Lucinda, l'appel, Lucinda, le *choix*... mais à mesure qu'il tombait, il avait de plus en plus de mal à se souvenir. Par exemple, quels avaient été les derniers mots prononcés par le Trône...?

«Les Portes du Paradis...

Les Portes du Paradis sont...»

Impossible de se souvenir de la suite. Il se rappelait vaguement la grande lumière qui avait vacillé et le froid glacial qui avait balayé la Prairie, et les arbres du verger qui étaient tombés les uns sur les autres en provoquant des vagues de perturbations d'une violence inouïe qui s'étaient répercutées dans tout le cosmos, des tsunamis de nuages qui avaient aveuglé les anges et détruit leur splendeur. Et il s'était aussi passé autre chose, juste avant l'anéantissement de la Prairie, quelque chose qui ressemblait à un...

«Jumelage.»

Un ange fier, éclatant, avait surgi durant l'appel... Il avait déclaré qu'il était Daniel et qu'il revenait du futur. Il y avait dans ses yeux une tristesse qui paraissait si *ancienne*... Cet ange – cette version de l'âme de Daniel – avait-il réellement souffert? Et Lucinda aussi?

Daniel bouillait de rage. Il retrouverait Lucifer, l'ange qui vivait là où toute idée aboutissait dans une impasse. Daniel ne craignait pas le traître qui avait été l'Étoile du Matin. Quand il aurait touché le fond du néant, il prendrait sa revanche. N'importe quand, et n'importe où. Mais d'abord, il retrouverait Lucinda, car sans elle, sans son amour, rien ne serait possible.

Ils s'aimaient d'un amour qui rendait inconcevable l'idée de choisir Lucifer ou le Trône. Le seul côté qu'il pourrait jamais choisir était le sien. Aussi Daniel paierait-il pour son choix, mais il ignorait encore la forme que prendrait son châtiment.

Vive et brutale, la douleur d'avoir été séparé de son âme sœur foudroya soudain Daniel. Il poussa un gémissement, son esprit s'embruma et, à son grand effroi, il ne se rappela plus *pourquoi*.

Il bascula en avant et s'enfonça dans des ténèbres encore plus profondes. Il devint incapable de voir, de ressentir, ou de se rappeler pourquoi il avait échoué là, nulle part, pourquoi il était projeté dans le néant... pour aller vers où ? Pour combien de temps ? Sa mémoire s'embrouillait et s'effaçait. Il ne se souvenait déjà plus des mots prononcés dans la plaine blanche par l'ange qui ressemblait tant à...

À qui ressemblait-il ? Et qu'avait-il dit de si important ?

Daniel ne se le rappelait plus, ne savait plus rien. Il éprouvait le besoin urgent de retrouver quelque chose... quelqu'un, de se sentir de nouveau complet... Mais au cœur du néant, le silence absorbait ses pensées...

Daniel tombait.

I

LE LIVRE DES *OBSERVATEURS*

– Bonjour !

Une main chaude caressa la joue de Luce et rangea une mèche de cheveux derrière son oreille. La jeune fille roula sur le côté, bâilla et ouvrit les yeux. Elle avait dormi d'un sommeil très profond, et rêvé de Daniel.

– Oh ! souffla-t-elle.

Il était là ! Oui, Daniel était assis à côté d'elle. Vêtu d'un sweat-shirt noir et de son foulard rouge, celui qu'il portait noué autour du cou la première fois qu'elle l'avait vu à Sword & Cross. Il était plus beau que dans n'importe quel rêve. Le bord du lit de camp s'inclinait légèrement sous son poids. Luce allongea les jambes et se blottit tout contre lui.

– Tu n'es pas un rêve, dit-elle.

Les yeux de Daniel brillaient du même violet éclatant, et l'ange scrutait ses traits comme s'il la découvrait pour la première fois. Il se pencha et posa ses lèvres sur les siennes. Luce se serra contre lui, lui passa les bras autour du cou et lui rendit son baiser. Ils étaient tellement heureux d'être ensemble qu'ils ne pouvaient s'empêcher de sourire.

Puis tout revint d'un seul coup.

Des griffes aiguisées comme des rasoirs et des yeux rouges éteints. Une horrible odeur de pourriture et de mort. Du noir partout, une obscurité si complète que la lumière, l'amour et tout ce qu'il y avait de bien dans le monde semblaient inertes, brisés, anéantis.

Comment était-il possible de croire que Lucifer – Bill, la gargouille de pierre qu'elle avait prise pour un ami – avait été autrefois proche d'elle? C'était elle qui le lui avait permis. Mais voilà que, parce qu'elle n'avait pas obéi à ses désirs – c'est-à-dire choisi de ne pas tuer son âme dans l'ancienne Égypte –, il avait décidé de faire table rase en inversant le temps afin d'effacer tout ce qui s'était passé depuis la Chute.

Oui, Lucifer avait décrété sur un coup de tête que la vie, l'amour, chaque instant vécu par une âme mortelle ou angélique seraient détruits, éradiqués! Comme si l'univers était un jeu de société et lui, un enfant capricieux qui préférait tout arrêter quand il commençait à perdre. Quant à ce qu'il cherchait à gagner... Luce se demandait bien ce que c'était.

Elle sentit monter une bouffée d'angoisse au souvenir de sa fureur. Il l'avait ramenée à l'époque de la Chute et il avait *exigé* qu'elle voie son courroux de ses yeux, qu'elle tremble dans sa main. Ensuite, il l'avait jetée de côté, puis il avait lancé un Annonciateur, comme on lance un filet de pêche, pour capturer tous les anges déchus du Paradis.

Et au moment où Daniel la rattrapait, Lucifer s'était évaporé dans le néant, et le cycle avait recommencé.

C'était une véritable catastrophe.

Daniel avait expliqué à Luce que, pour guider les anges dans le futur, Lucifer devrait se jumeler avec sa version passée et renoncer à son pouvoir. Pendant toute la durée de la chute des anges, il lui serait impossible d'agir. Exactement comme les autres, il se retrouverait isolé et sans pouvoir, avec son double, mais séparé.

Et au moment de leur chute sur la Terre, il y aurait un hoquet dans le temps, et tout recommencerait du début. Comme si les six mille années passées entre l'avant et le maintenant n'avaient jamais existé.

Le monde entier était en danger – sauf si Luce, sept anges et deux Néphilim parvenaient à stopper Lucifer. Ils n'avaient que neuf jours et ne savaient pas par où commencer.

Luce était si fatiguée, la nuit précédente, qu'elle ne se souvenait même pas de s'être couchée sur ce lit de camp et d'avoir remonté cette mince couverture bleue sur ses épaules. Des toiles d'araignée s'étiraient sur les poutres de la petite cabane. La table pliante était encombrée de tasses encore à moitié pleines du chocolat chaud que Gabbe avait préparé pour tout le monde. Mais la scène lui semblait irréelle. Elle était tellement épuisée que le souvenir de l'arrivée en Annonciateur sur cette minuscule île de Tybee, une zone de sécurité pour les anges, disparaissait dans une sorte de brouillard.

Alors que les autres étaient encore en train de bavarder, elle s'était endormie, bercée par la voix de Daniel qui l'avait plongée dans un rêve. À présent, le silence régnait à l'intérieur de la cabane, et par la fenêtre, derrière la silhouette de son bien-aimé, le ciel était d'un gris annonçant l'aube.

Elle tendit la main vers sa joue, et il baisa le creux de sa paume. Luce serra fort les paupières pour empêcher ses larmes de monter. Pourquoi, après tout ce qu'ils avaient traversé, étaient-ils tous deux condamnés à vaincre le diable avant d'être libres de s'aimer?

– Daniel! appela Roland depuis le seuil de la cabane.

Leur ami avait les mains enfoncées dans les poches de son caban et un bonnet de laine couronnait ses dreadlocks. Il adressa à Luce un sourire las et lui déclara:

– Il est temps.

– Temps de quoi? s'étonna Luce en se redressant sur les coudes. On part? Déjà? Et mes parents? Ils doivent être paniqués!

– J'ai prévu de t'emmener chez eux, pour que tu puisses leur dire au revoir, répondit Daniel.

– Mais comment leur expliquer ma disparition après le repas de Thanksgiving?

Elle se souvint des paroles de Daniel, la veille au soir. Il lui avait expliqué qu'ils avaient l'impression d'avoir passé une éternité à l'intérieur des Annonciateurs, mais qu'en réalité il ne s'était écoulé que quelques heures.

– Peut-être, mais pour mes parents, passer des heures sans savoir où est leur fille, c'est une éternité ! s'exclama-t-elle.

Daniel et Roland échangèrent un regard.

– Nous nous en sommes occupés, ajouta Roland, en remettant des clés de voiture à Daniel.

– Et comment, exactement ? Tu sais, un jour, mon père a appelé la police parce que j'avais une petite demi-heure de retard après l'école...

– Ne t'en fais pas, répondit Roland. On t'a couverte. Il faut juste que tu te dépêches de te changer. (Il désigna un sac à dos posé sur un rocking-chair, près de la porte.) Gabbe t'a apporté tes affaires.

– Euh... merci, murmura-t-elle, sans vraiment comprendre.

Où était Gabbe, et les autres ? La veille au soir, la cabane était pleine de monde, illuminée par les ailes des anges qui scintillaient. Ce matin, elle était bien vide... Et la perspective d'aller dire au revoir à ses parents sans savoir où elle partait l'angoissait terriblement.

Elle posa ses pieds nus sur le plancher. Elle s'aperçut alors qu'elle portait toujours l'étroite robe blanche qu'elle avait en Égypte, au cours de la dernière vie qu'elle avait visitée à travers les Annonciateurs. C'était Bill qui la lui avait donnée.

Non, pas Bill. *Lucifer.* Il lui avait suggéré de tuer son âme, et quand il l'avait vue passer l'épée magique dans sa ceinture pour suivre son conseil, il l'avait contemplée d'un air très satisfait. *Jamais, jamais, jamais!* Luce avait trop de raisons de vivre.

Dans le vieux sac à dos vert qu'elle utilisait pour les vacances en camp d'été, Luce trouva son pyjama préféré – en flanelle rayée rouge et blanc – soigneusement plié, avec les pantoufles assorties.

– Mais c'est le matin, protesta-t-elle. Je ne vais quand même pas me balader en pyjama!

De nouveau, Daniel et Roland échangèrent un regard, et, cette fois, Luce eut l'impression qu'ils essayaient de ne pas éclater de rire.

– Fais-nous confiance, c'est tout, dit Roland.

Quand elle se fut changée, Luce suivit Daniel à l'extérieur, en marchant derrière lui sur le chemin caillouteux descendant au rivage.

La petite île de Tybee se trouvait à environ deux kilomètres de la côte de Savannah. Une voiture les attendait de l'autre côté du bras de mer.

Les ailes de Daniel étaient dissimulées, mais il avait dû sentir le regard de Luce fixé dans son dos, car il ajouta :

– Quand tout sera organisé, on volera pour aller arrêter Lucifer. Mais jusque-là, il vaut mieux rester sur la terre ferme.

– D'accord.

– On traverse à la nage? On fait la course? proposa-t-il.

– Tu sais bien que je te battrai! affirma-t-elle, son haleine formant un petit panache blanc dans l'air.

– C'est vrai, répondit-il en lui passant un bras autour de la taille. Il vaut peut-être mieux prendre le canot. Je n'ai pas envie que tu me couvres de honte.

Il détacha une petite embarcation amarrée sur l'unique ponton. La douce lumière qui jouait sur les vagues rappela à Luce le jour où ils avaient fait la course pour traverser le lac secret, à Sword & Cross. À mi-parcours, ils étaient sortis de l'eau pour se reposer sur un rocher plat, et elle l'avait trouvé terriblement beau, avec sa peau constellée de gouttes d'eau ! Ensuite, ils s'étaient couchés sur la pierre chauffée par le soleil pour se sécher. À l'époque, elle le connaissait à peine – elle ignorait qu'il était un ange – et, déjà, elle était dangereusement amoureuse de lui.

– Quand je vivais à Tahiti, on nageait souvent ensemble, non ? demanda-t-elle, surprise de se rappeler une époque où elle avait déjà vu Daniel ainsi, les cheveux luisants.

Il la dévisagea intensément, et elle comprit à quel point il était heureux de pouvoir enfin partager avec elle certains souvenirs de leur passé. Il avait l'air si ému que Luce crut qu'il allait se mettre à pleurer. Mais il lui posa juste un tendre baiser sur le front et dit :

– C'est vrai. Et là-bas aussi, tu me battais chaque fois, Lulu.

Ils parlèrent peu pendant la traversée. Luce se contentait d'admirer ses muscles puissants, d'écouter le clapotis de l'eau à chaque coup de rame, de humer l'odeur salée de la mer. Le soleil levant lui réchauffait la nuque, et elle s'abandonna à ce bien-être. Mais il fut de courte durée, car, alors qu'ils approchaient de la terre ferme, elle aperçut une forme qui la fit frissonner.

Une voiture. Elle reconnut aussitôt la Taurus blanche.

La barque accosta.

– Qu'est-ce que tu as ? s'inquiéta Daniel en voyant Luce se raidir. Oh, c'est pour ça ?

Sans plus accorder d'importance au véhicule, il sauta sur le rivage et lui tendit la main. Le sol était envahi d'algues sèches et odorantes qui rappelèrent à Luce son enfance.

– Ce n'est pas ce que tu crois, reprit-il. Quand Sophia s'est enfuie de Sword & Cross, après... (Luce attendit la suite, espérant que Daniel ne dirait pas «après avoir assassiné Penn»)... quand on a découvert qui elle était vraiment, les anges ont confisqué sa voiture. Elle nous devait bien ça, et plus encore, ajouta-t-il, les traits soudain tendus.

Luce revit le visage blanc de Penn, le sang qui s'écoulait.

– On sait où est Sophia, maintenant ?

Daniel eut un geste d'ignorance.

– Non, dit-il. Mais on le saura bientôt. Je sens qu'elle va trouver un moyen de se fourrer en travers de nos plans. (Il sortit les clés de sa poche et ouvrit la portière du passager.) Bon, ce n'est pas le moment de t'inquiéter de ça.

– OK, répondit Luce en se laissant tomber sur le siège recouvert de tissu gris. Mais est-ce qu'il y a autre chose dont je devrais m'inquiéter ?

Daniel mit le contact. Le moteur eut un soubresaut, puis se mit lentement à ronronner. La dernière fois qu'elle avait occupé ce siège, elle était restée sur ses gardes, parce qu'elle était seule dans la voiture avec lui. C'était ce soir-là qu'ils s'étaient embrassés pour la première fois... du moins, à sa connaissance.

Elle était en train de s'énerver avec la ceinture de sécurité lorsqu'elle sentit les doigts de son amoureux sur les siens.

– Rappelle-toi, il y a un truc, dit-il doucement en se penchant pour boucler sa ceinture, tout en laissant sa main sur la sienne.

Après lui avoir déposé un léger baiser sur la joue, il démarra et quitta les bois humides pour s'engager sur une étroite chaussée à deux voies. Ils étaient seuls sur la route.

Luce reposa sa question :

– Daniel, qu'est-ce qui devrait m'inquiéter ?

Il jeta un coup d'œil vers son pyjama.

– Tu sauras faire semblant d'être malade ? demanda-t-il.

Ils garèrent la Taurus blanche dans l'allée, derrière la maison de ses parents. Luce longea trois buissons d'azalées et se faufila jusqu'à la fenêtre de sa chambre. En été, des plants de tomates grimpantes mettaient des taches de couleurs vives, mais en hiver, cette partie du jardin était nue et désolée, et pas très accueillante. Quand s'était-elle trouvée là pour la dernière fois ? Elle ne s'en souvenait pas. Elle était déjà sortie en douce de trois lycées différents, mais jamais de chez elle. Aujourd'hui, elle *rentrait* en douce et ne savait même pas comment fonctionnait l'ouverture de sa fenêtre à guillotine. Elle parcourut des yeux son quartier endormi, le journal du matin déposé dans un sac en plastique humide à l'angle de la pelouse, le vieux panier de basket sans filet dans l'allée du garage des Johnson, de l'autre côté de la rue. Rien n'avait changé depuis son départ. Rien, sauf elle-même. Si Bill réussissait son coup, est-ce que son quartier disparaîtrait aussi ?

Elle fit un dernier signe d'adieu à Daniel qui l'observait depuis la voiture, inspira à fond et, des deux pouces, souleva le panneau du bas qui reposait sur le rebord recouvert d'une peinture bleue écaillée.

La vitre se souleva sans problème. Luce s'arrêta, interdite, en voyant les rideaux de mousseline blanche s'ouvrir et la tête mi-blonde, mi-brune, de son ancienne ennemie Molly Zaine apparaître dans l'ouverture.

– Super, Pâté de viande !

Luce se hérissa en l'entendant prononcer le surnom dont on l'avait affublée à son arrivée à Sword & Cross. C'était donc comme ça que Daniel et Roland s'étaient occupés de tout chez elle ?

– Qu'est-ce que tu fiches ici, Molly ?

– Allez, entre, je ne vais pas te mordre, répliqua cette dernière pour toute réponse.

Molly lui tendit la main. Ses ongles étaient vert émeraude, et tout écaillés. Luce l'attrapa et enjamba la fenêtre.

Sa chambre lui parut petite et démodée, pareille à une capsule temporelle abandonnée par une Luce d'autrefois. Il y avait le poster encadré de la tour Eiffel derrière la porte. Son tableau d'affichage rempli de rubans gagnés avec son équipe de natation de l'école primaire... Et là, sous la couette hawaïenne jaune et verte, sa meilleure amie, Callie.

Cette dernière émergea du lit et se précipita dans ses bras.

– Ils n'arrêtaient pas de me répéter que tu serais en pleine forme au retour, mais je voyais bien qu'ils me racontaient des salades et qu'ils mouraient de trouille. Je ne sais pas si tu te rends compte à quel point c'était flippant ! C'est comme si tu avais disparu physiquement de la surface de la Terre.

Luce la serra contre elle. Pour Callie, elle n'était partie que depuis la nuit précédente.

– Allez, ça va, vous deux, grommela Molly en séparant les deux amies, vous vous ferez des mamours plus tard. J'ai dû rester couchée toute la nuit avec cette perruque en polyester sur la tête pour faire croire que j'étais Luce et que j'avais une gastro. Alors ce n'est pas pour que vous fichiez notre plan en l'air ! (Elle leva les yeux au ciel.) Ah, on voit que vous n'êtes pas des pros !

– Attends ! Tu as fait quoi ? s'écria Luce.

– Quand tu as... disparu, intervint Callie d'une voix haletante, on a compris qu'on ne pourrait jamais expliquer la vérité à tes parents. Parce que, tu sais, j'ai eu moi-même du mal à comprendre ce que je voyais de mes propres yeux. Alors je leur ai dit que tu n'étais pas bien et que tu étais allée te coucher, et Molly a fait semblant d'être toi et...

– Heureusement que j'ai trouvé ça dans ton placard, déclara Molly en faisant tourner autour de son index une perruque noire aux cheveux ondulés. Un vestige d'Halloween ?

– Oui. Wonder Woman, confirma Luce avec une grimace.

Ce n'était pas la première fois que Luce regrettait d'avoir choisi ce déguisement au collège.

– En tout cas, ça a marché.

Ainsi, Molly venait à sa rescousse... C'était bizarre, car avant, elle était du côté de Lucifer. Mais tout comme Cam et Roland, Molly elle-même n'avait pas envie de retomber. Donc ils se serraient les coudes.

– Alors, tu m'as couverte... Merci.

– De rien.

Molly se tourna vers Callie.

– C'est elle qui a été le vrai Satan à la langue fourchue. C'est elle qu'il faut remercier.

Sur ce, sans plus s'attarder, elle passa une jambe par la fenêtre ouverte, avant de se retourner pour lancer :

– Je pense que vous allez pouvoir vous débrouiller seules maintenant. Moi, j'ai une rencontre au sommet à Waffle House pour une gaufres-partie.

Luce répondit en levant le pouce et se laissa tomber sur son lit.

– Oh, Luce ! murmura Callie, quand tu es partie, il s'est passé de drôles de choses. Le jardin a été complètement recouvert de poussière grise. Et ensuite, il a suffi que la fille blonde, là, Gabbe, lève la main pour que cette poussière *disparaisse.* Ensuite, on a fait croire à tes parents que tu étais malade, que tout le monde était reparti, et nous, on s'est tranquillement mises à faire la vaisselle avec eux. Au début, je trouvais cette Molly assez infecte, mais en fin de compte, elle est plutôt cool. (Elle plissa les yeux.) Dis, tu es partie où, en fait? Qu'est-ce qui t'est arrivé? Tu m'as fichu une de ces trouilles!

– Je ne sais même pas par où commencer, répondit Luce. Je suis désolée.

Soudain, on entendit un petit coup frappé contre le bois, suivi du grincement familier de la porte qui s'ouvrait.

La mère de Luce fit son entrée, les cheveux ébouriffés et retenus en arrière par une pince jaune, le visage sans maquillage, et très joli. Elle portait un plateau chargé de deux verres de jus d'orange, deux assiettes de toasts beurrés et une boîte d'Alka-Seltzer.

– Ah! J'ai l'impression que quelqu'un va mieux! se réjouit-elle.

Luce attendit que sa mère pose le plateau sur la table de chevet; puis elle l'enlaça et enfouit son visage dans son peignoir de bain rose. Les larmes lui montèrent aux yeux. Elle renifla.

– Ma petite fille, souffla sa mère en lui tâtant le front et les joues pour vérifier si elle avait de la fièvre.

Elle ne lui avait pas parlé de cette voix douce depuis des siècles. C'était si bon à entendre...

– Je t'aime, maman.

– Ne me dis pas qu'elle est trop malade pour nous accompagner aux soldes du Black Friday!

C'était le père de Luce qui venait d'apparaître sur le seuil, muni d'un arrosoir en plastique vert. Il souriait, mais derrière ses lunettes sans bordure, ses yeux étaient inquiets.

– Je me sens mieux, dit Luce, mais...

– Oh, Harry ! intervint Doreen, tu sais bien qu'elle n'était là que pour la journée. Il faut qu'elle retourne au lycée.

Elle se tourna vers sa fille.

– Daniel a appelé tout à l'heure, ma chérie. Il a proposé de venir te prendre pour te raccompagner à l'école. J'ai évidemment dit que ton père et moi nous serions heureux de le faire, mais...

– Non, l'interrompit Luce, se souvenant du plan que Daniel avait détaillé dans la voiture. Allez donc faire les soldes, tous les deux. C'est la tradition dans la famille Price. On ne rate pas les soldes du lendemain de Thanksgiving !

Il fut convenu que Luce rentrerait avec Daniel, et que ses parents emmèneraient Callie à l'aéroport.

Pendant que les filles prenaient leur petit déjeuner, les parents de Luce restèrent assis sur le lit en lui racontant la soirée de Thanksgiving (« Gabbe a lavé toute la vaisselle en porcelaine, quel ange ! »). Quand la conversation bifurqua sur les soldes (« Ton père n'est intéressé que par une chose, les outils »), Luce s'aperçut qu'elle n'avait rien dit, hormis des banalités destinées à remplir la conversation, comme « Ah bon ? » et « C'est bien ».

Quand ils se levèrent enfin pour emporter les assiettes à la cuisine, et que Callie commença à emballer ses affaires, Luce se rendit à la salle de bains et ferma la porte.

Elle était seule pour la première fois depuis ce qui lui semblait un million d'années. Elle s'assit et se regarda dans la glace. C'était bien elle, mais différente.

Il y avait aussi du Layla dans ses lèvres joliment ourlées, du Lulu dans les vagues épaisses de ses cheveux, l'intensité de Lu Xin dans la couleur noisette de ses yeux, la fossette espiègle de Lucia dans sa joue. Elle n'était pas seule. Peut-être ne le serait-elle plus jamais. Là, dans le miroir, se trouvaient toutes ses incarnations passées qui lui renvoyaient leurs interrogations : « Qu'est-il advenu de nous ? De notre histoire et de notre amour ? »

Elle prit une douche et mit un jean propre, ses bottes noires et un long sweat-shirt blanc.

Elle s'assit sur la valise de Callie pour aider son amie à la fermer. Un lourd silence s'était installé, qu'elle fut la première à rompre :

– Callie, tu es ma meilleure amie. Je vis en ce moment quelque chose que je ne comprends pas. Mais cela n'a rien à voir avec toi. Je suis désolée de ne pas être plus précise, mais tu m'as manqué. Tellement manqué !

Callie se raidit.

– D'habitude, tu me racontes tout.

Le regard qu'échangèrent les deux jeunes filles révélait qu'elles savaient que ce ne serait plus possible.

Une portière de voiture claqua dehors. À travers les stores ouverts, Luce vit Daniel s'avancer dans le chemin. Et alors qu'il ne l'avait quittée que depuis une petite heure, Luce sentit ses joues rougir de plaisir. Il marchait lentement, d'un pas aérien, et son foulard rouge flottait au vent derrière lui. Callie elle-même le dévora des yeux.

Les parents de Luce attendaient dans l'entrée. Elle les prit dans ses bras un long moment – d'abord son père, puis sa mère, et ensuite Callie qui la serra très fort et chuchota rapidement :

– Ce que je t'ai vue faire la nuit dernière était très beau. Je veux que tu le saches.

Luce sentit ses yeux s'embrumer une fois de plus. Elle rendit son étreinte à son amie en formant le mot « merci » avec ses lèvres.

Puis elle remonta le chemin, à la rencontre de Daniel, et de tout ce qu'il promettait.

– Ah ! voilà les tourtereaux, qui roucoulent, qui roucoulent, chanta Arriane en guise de bienvenue.

Sa tête jaillit à l'angle d'une longue bibliothèque derrière laquelle elle était assise en tailleur sur une chaise en bois, en train de jongler avec des balles aki. Elle portait une salopette et des rangers, et ses cheveux noirs étaient coiffés en une multitude de petites nattes.

Luce n'était pas vraiment enchantée de se retrouver dans la bibliothèque de Sword & Cross. La salle avait été rénovée depuis qu'elle avait subi l'incendie, mais il y flottait toujours une odeur désagréable. L'administration avait minimisé les faits en parlant d'un incendie accidentel, mais quelqu'un y avait laissé la vie – Todd, un étudiant silencieux que Luce n'avait pratiquement pas connu avant la nuit de sa mort. La jeune fille savait pourtant que quelque chose de bien plus sombre se cachait derrière toute cette histoire.

Quand elle pénétra dans la salle de lecture avec Daniel, elle constata qu'Arriane n'était pas seule. Ils étaient tous là : Gabbe, Roland, Cam, Molly, Annabelle – l'ange aux longues jambes et aux cheveux rose vif – et même Miles et Shelby, qui leur firent de grands signes. Ils ne ressemblaient décidément pas tout à fait aux autres anges, ni d'ailleurs aux adolescents mortels.

Miles et Shelby.... est-ce que... est-ce qu'ils ne se tenaient pas par la main? Mais quand elle voulut s'en assurer, elle s'aperçut que leurs mains avaient disparu sous la table où tous étaient assis.

Miles baissa sa casquette de base-ball encore un peu plus sur son front. Shelby se racla la gorge et se pencha sur un livre.

– C'est ton livre, fit remarquer Luce à Daniel dès qu'elle eut aperçu le dos du gros volume où une épaisse couche de colle brune s'effritait à la base. Sur la couverture passée, on pouvait lire: *Les Observateurs: le mythe dans l'Europe médiévale.*

Elle tendit machinalement la main vers la pâle couverture grise. Elle ferma les yeux, assaillie par le souvenir de Penn, qui n'aurait pas dû mourir. Elle se rappela aussi que la photo contrecollée à l'intérieur de la couverture était la première chose qui l'avait convaincue de la véracité de leur histoire, avec Daniel.

C'était une photo prise dans une autre vie, à Helston, en Angleterre. Et ce qui lui avait alors paru impensable devint une évidence: la jeune femme de la photo était bien Lucinda Price.

Shelby lança:

– Et qu'est-ce qu'il a de si spécial, ce vieux bouquin poussiéreux?

– Il est très précieux. C'est notre seule clé, maintenant, répondit Gabbe. Sophia a essayé de le faire brûler.

– Sophia? s'écria Luce en portant la main à son cœur. Mlle Sophia a essayé... le feu dans la bibliothèque? C'était elle?

Les autres opinèrent du chef.

– Elle a tué Todd, dit Luce d'une voix blanche.

Donc, ce n'était pas sa faute... Un mort de plus à mettre sur l'ardoise de Sophia.

– Et elle a failli tomber raide morte sous le choc, la nuit où tu le lui as montré, précisa Roland. Nous aussi, nous avons tous été choqués, d'autant plus que tu as survécu pour en parler.

– On parlait du fait que Daniel m'avait embrassée, se souvint Luce en rougissant. Et que j'avais survécu. C'est ça qui a surpris Mlle Sophia?

– En partie, confirma Roland. Mais dans ce livre, il y a plein d'autres choses qu'elle n'avait pas envie que tu apprennes.

– Pas terrible, pour une enseignante, hein? fit remarquer Cam.

– Et qu'est-ce qu'elle ne voulait pas que j'apprenne?

Tous les anges se tournèrent vers Daniel d'un même mouvement.

– La nuit dernière, nous t'avons dit qu'aucun des anges ne savait où nous avions atterri au moment de la Chute, déclara Daniel.

– Oui, c'est à peu près ça, confirma Shelby. On se demande comment c'est possible. Normalement, ce genre de choses aurait dû se graver pour toujours dans la mémoire de notre super-mémorisateur...

Cam réagit aussitôt devant l'attaque :

– Essaie donc de tomber dans un gouffre sans fond pendant neuf jours d'affilée en passant à travers toute une série de dimensions et des milliards de kilomètres, d'atterrir sur la tête, de te casser les ailes, de tourner en rond pendant je ne sais combien de temps, couvert de contusions, de vagabonder dans le désert pendant des décennies en te demandant qui ou quoi ou qu'est-ce que tu es... Après tout ça, tu pourras te moquer du super-mémorisateur !

– D'accord, tu as eu des problèmes, répondit Shelby en prenant sa plus belle voix de psy. Si je devais poser un diagnostic...

– Bon, au moins, tu te souviens qu'il y avait un désert, intervint Miles avec diplomatie, ce qui fit rire Shelby.

Daniel se tourna vers Luce.

– J'ai écrit ce livre après t'avoir perdue au Tibet, mais avant de te rencontrer en Prusse. Je sais que tu as visité cette vie au Tibet parce que je t'ai suivie là-bas ; le fait de te perdre sans arrêt comme ça m'a incité à faire des recherches pendant des années pour trouver le moyen de nous sortir de cette malédiction.

Luce baissa le nez. Cette mort-là avait conduit son amoureux à s'élancer tout droit d'une falaise. Elle avait très peur que cela ne se reproduise.

– Cam a raison, reprit Daniel. Aucun de nous ne se souvient de l'endroit où nous avons atterri. Nous avons parcouru le désert jusqu'à ce que ce ne soit plus un désert, nous avons parcouru les plaines et les vallées, et les mers, jusqu'à ce qu'ils *deviennent* un désert. Ce n'est que lorsque nous

nous sommes enfin retrouvés les uns et les autres, et que nous avons commencé à assembler les pièces de l'histoire, que nous nous sommes souvenus d'avoir été des anges.

Mais il y a eu des vestiges de notre chute, des souvenirs que les humains ont trouvés et gardés en croyant qu'il s'agissait de trésors, de cadeaux d'un dieu, et qu'ils ne comprenaient pas. Pendant longtemps, ces reliques sont restées cachées dans un temple de Jérusalem, mais elles ont été volées et éparpillées en différents endroits au cours des croisades. Personne ne savait où.

Quand j'ai fait mes recherches, je me suis concentré sur l'époque médiévale et je me suis tourné vers toutes les sources possibles, dans une sorte de chasse au trésor théologique. Ce que j'en ai retiré, c'est que si ces trois objets peuvent être retrouvés et rassemblés au mont Sinaï...

– Pourquoi au mont Sinaï ? s'enquit Shelby.

– C'est là que les canaux qui relient le Trône et la Terre sont les plus proches, expliqua Gabbe. C'est là que Moïse a reçu les dix commandements, c'est par là qu'entrent les anges quand ils délivrent les messages du Trône.

– Tu n'as qu'à penser que c'est par là que Dieu plonge, ajouta Arriane sans cesser de jouer avec sa balle aki, laquelle atterrit malencontreusement sur une lampe.

– Mais avant que tu poses la question, dit Cam en s'adressant à Shelby, le mont Sinaï n'est pas le site d'origine de la Chute.

– Ce serait beaucoup trop facile, ironisa Annabelle.

– Si on arrive à rassembler les reliques au mont Sinaï, précisa Daniel, en théorie, le lieu de la Chute sera révélé.

– En théorie, répéta Cam d'un ton railleur. Est-ce que vous me permettez de dire qu'on peut se poser des questions sur la validité des recherches de Daniel?

Daniel serra les mâchoires, puis demanda sèchement :

– Tu as une meilleure idée?

Cam, piqué au vif, éleva le ton :

– Tu ne crois pas que ta théorie renforce plutôt l'idée que ces histoires au sujet des reliques ne sont que des rumeurs? Comment savoir si elles pourront agir comme nous l'espérons?

Luce regarda le groupe d'anges et de démons... ses seuls alliés dans cette quête pour son salut, celui de Daniel... et celui du monde.

– Donc, ce lieu inconnu est l'endroit où il faut que nous nous trouvions dans neuf jours à partir de maintenant, dit-elle.

– *Moins* de neuf jours à partir de maintenant, rectifia Daniel. Dans neuf jours à partir de maintenant, ce sera trop tard. Lucifer et la multitude d'anges bannis du Paradis seront déjà arrivés.

– Mais si on peut arriver avant Lucifer sur le site de la Chute, objecta Luce, qu'est-ce qui se passera?

Daniel eut un geste d'ignorance.

– On l'ignore. Je n'ai jamais parlé de ce livre ni de mes recherches à personne parce que je ne savais pas à quoi ça nous mènerait, et si tu n'y étais pas pour jouer ton rôle...

– Mon rôle? s'étonna Luce.

– Oui, on ne le comprend pas encore vraiment...

Gabbe donna un coup de coude à Daniel pour lui couper la parole.

– Ce qu'il veut dire, c'est que tout sera révélé à temps.

Molly se frappa le front.

– Ah bon? s'exclama-t-elle. Tout sera révélé? C'est tout ce que vous savez, les gars? C'est *ça* qui vous fait courir?

– Oui, ça, et *ton* importance, dit Cam à Luce. C'est toi la pièce maîtresse pour laquelle nous nous battons tous ici.

– Quoi? murmura Luce.

– Boucle-la, intima Daniel à Cam.

Puis, s'adressant à Luce:

– Ne l'écoute pas.

Cam poussa un grognement, mais personne n'en tint compte. Son mépris continua à planer dans l'atmosphère comme un hôte indésirable. Ni les anges ni les démons ne lâchèrent un mot de plus sur le rôle que jouait Luce et sur sa capacité à stopper la Chute.

– Alors, toutes les informations sur la chasse aux reliques se trouvent dans ton livre? demanda la jeune fille.

– Plus ou moins, répondit Daniel. Il me reste juste à passer un peu de temps à vérifier le texte pour savoir par où commencer.

Les autres quittèrent la table afin de lui laisser le champ libre. Luce sentit la main de Miles caresser son bras. Ils avaient à peine échangé un mot depuis qu'elle était rentrée par l'Annonciateur.

– Luce, je peux te parler? chuchota le jeune homme.

Son expression tendue rappela à la jeune fille les derniers moments qu'elle avait passés avec lui dans le jardin, chez ses parents.

Ils n'avaient jamais vraiment reparlé du baiser qu'ils avaient échangé à Shoreline, sur le toit du dortoir. Miles avait sans doute conscience que c'était une erreur... Mais pourquoi Luce avait-elle l'impression de l'encourager, chaque fois qu'elle était gentille avec lui?

Au même instant, Gabbe vint les rejoindre.

– Luce, dit-elle... Si tu as envie d'aller au cimetière rendre visite à Penn, c'est le moment.

– Bonne idée, approuva Luce, merci.

Elle lança un regard d'excuse à Miles. Ce dernier se contenta de baisser sa casquette de base-ball sur ses yeux et de se retourner pour murmurer quelque chose à Shelby qui se tenait derrière Daniel en essayant de lire le livre par-dessus son épaule. Elle toussota pour manifester son indignation:

– Hum hum! Et que devenons-nous, Miles et moi?

– Vous, vous rentrez à Shoreline, répondit Gabbe, d'un ton professoral que Luce ne lui connaissait pas. Vous allez avertir Steven et Francesca. Nous aurons peut-être besoin de leur aide... et de la vôtre aussi. Dites-leur (elle prit une profonde inspiration)... dites-leur que ça y est. Que la partie finale est engagée, mais pas comme nous nous y attendions. Racontez-leur tout. Ils sauront quoi faire.

– Très bien, répondit Shelby, l'air renfrogné. C'est toi le chef.

– Hé ho! cria Arriane en mettant ses mains en porte-voix. Si Luce a envie de sortir, faudra que quelqu'un l'aide à descendre par la fenêtre!

Puis elle ajouta:

– J'ai mis une barricade de livres devant l'entrée au cas où un curieux aurait la mauvaise idée de venir nous déranger.

– Prems!

C'était Cam qui, déjà, passait son bras sous le coude de Luce. Elle voulut protester, mais les autres anges ne semblèrent pas y voir d'objection. Daniel ne le remarqua même pas.

Quand elle passa près d'eux, Shelby et Miles soufflèrent à voix basse: «Fais attention.»

Cam la conduisit près de la fenêtre, un sourire aux lèvres. Il souleva le panneau de verre et, ensemble, ils parcoururent des yeux le campus où ils s'étaient rencontrés, où ils étaient devenus proches, où il avait rusé pour lui arracher un baiser. Il n'y avait pas que de mauvais souvenirs...

Il franchit la fenêtre le premier, atterrit souplement sur le rebord, et lui tendit la main.

– Si mademoiselle veut bien se donner la peine...

Il la tenait solidement, et elle se sentit toute petite et légère, quand il la souleva et la fit descendre de deux étages en quelques secondes. Ils se posèrent doucement sur l'herbe humide de rosée.

– Je sens que tu ne veux pas de ma compagnie au cimetière... et même, en général.

– C'est vrai. Non, merci.

Il détourna les yeux et enfouit la main dans sa poche pour en sortir une clochette ancienne en argent, avec des inscriptions en caractères hébraïques.

Il la lui tendit :

– Sonne quand tu voudras remonter.

– Cam, demanda Luce, quel est mon rôle dans tout ça ?

Il tendit la main pour lui toucher la joue, puis se ravisa, laissant sa main en suspens dans l'air.

– Daniel a raison, répondit-il. Ce n'est pas à nous de te le dire.

Il n'attendit pas sa réponse. Il plia les genoux et se détacha du sol, sans un regard en arrière.

Pendant quelques instants, Luce regarda autour d'elle, l'humidité familière de Sword & Cross lui collait à la peau. Elle se demanda si ce lycée sinistre, avec ses bâtiments néogothiques mastoc et sévères, son environnement sombre et désolé, lui semblait toujours pareil ou non.

Elle traversa le campus, l'herbe aplatie des communs, passa devant le sinistre dortoir, et arriva à un portail de fer. Là, elle s'arrêta et sentit la chair de poule recouvrir ses bras.

Le cimetière avait encore un cratère creusé au milieu du terrain et sentait toujours aussi mauvais. La poussière soulevée par le combat des anges avait disparu. À cette heure, la plupart des élèves dormaient encore, et de toute façon, il y avait peu de risques d'en rencontrer au cimetière, sauf si quelqu'un avait été puni.

Elle franchit le portail et déambula entre les pierres tombales et les tombes recouvertes de terre. Tout au bout, à l'autre extrémité, se trouvait la dernière demeure de Penn.

Luce s'assit au pied de la tombe de son amie. Elle n'avait pas de fleurs et ne connaissait aucune prière, aussi posa-t-elle les mains sur l'herbe froide et humide, ferma les yeux et envoya un message à Penn en se demandant avec inquiétude s'il lui parviendrait.

De retour sous les fenêtres de la bibliothèque, Luce repensa à Cam et à sa clochette. Elle n'avait pas besoin de son aide ! Elle arriverait bien à grimper là-haut toute seule !

La partie inférieure du toit en pente fut assez facile à escalader. De là, elle parvint à se hisser jusque sous le rebord étroit qui longeait les fenêtres. Il faisait à peu près soixante centimètres de large. Elle avança prudemment, et c'est alors qu'elle entendit des éclats de voix : Cam et Daniel se chamaillaient.

– Et si jamais l'un de nous était intercepté ? criait Cam, d'un ton pressant. Tu sais très bien que nous sommes plus forts quand nous sommes unis, Daniel.

– À quoi nous servira notre force si nous n'arrivons pas à temps ? On sera purement et simplement *effacés*.

Elle les imaginait de l'autre côté du mur : Cam, les poings serrés, des éclairs plein ses yeux verts, et Daniel, stoïque, les bras croisés sur la poitrine.

– Je ne te fais pas confiance. Tu vas agir en ton propre nom ! lança Cam d'un ton dur.

– Il n'y a rien à discuter, répondit Daniel, inébranlable. Il faut se séparer, c'est la seule solution.

Les autres restaient silencieux. Sans doute pensaient-ils la même chose que Luce.

Arrivée à la fenêtre, elle vit que les deux anges étaient face à face. Ils se comportaient beaucoup trop comme deux frères pour que quiconque se risque à s'interposer.

La jeune fille s'agrippa au rebord de la fenêtre. Elle sentit une petite bouffée de fierté – ce qu'elle n'aurait jamais avoué – à l'idée d'avoir réussi à se débrouiller toute seule pour remonter. Sans doute qu'aucun des deux anges ne le remarquerait. Mais lorsqu'elle passa une jambe à l'intérieur, le cadre de la fenêtre se mit à trembler.

Le verre vibra et le bord de la fenêtre tournoya dans ses mains, si violemment qu'elle fut presque éjectée. Elle se cramponna de toutes ses forces, mais ressentit dans son corps des vibrations telles qu'elle eut l'impression que son cœur et son âme tressaillaient à l'unisson.

– Un tremblement de terre, murmura-t-elle.

Sa main faiblit sur le bord de la fenêtre et son pied racla le rebord de pierre.

– Lucinda !

Daniel se précipita à son secours. Cam était là, lui aussi, une main sous les épaules de Luce, l'autre sur l'arrière de sa tête. Dans la pièce, les étagères bougeaient et les lumières vacillaient. Les deux anges lui firent franchir la fenêtre qui tanguait follement juste avant que la vitre s'échappe de son cadre et se brise en mille morceaux.

Luce dévisagea Daniel, hébétée. Il la tenait par les poignets, mais il avait les yeux fixés sur l'extérieur. Il regardait le ciel, devenu gris, furieux.

Le plus insupportable était cette vibration *à l'intérieur* de son corps, qui lui donnait l'impression d'avoir été électrocutée. Cela lui parut une éternité, mais ça ne dura que cinq secondes, peut-être dix... Luce, Cam et Daniel s'étaient aussitôt jetés lourdement sur le plancher poussiéreux.

Puis le tremblement cessa et un silence mortel s'abattit.

– Ah ben, ça alors! s'écria Arriane en se relevant. On nous aurait déposés en Californie sans que je m'en aperçoive? On ne m'a jamais dit qu'il y avait des lignes de faille en Géorgie!

Cam retira de son bras un long débris de verre. Luce poussa un son étouffé à la vue du sang rouge vif qui s'écoulait de son coude, mais l'ange n'avait pas l'air de souffrir.

– Ce n'était pas un tremblement de terre, déclara-t-il. C'était un déplacement sismique dans le temps.

– Un quoi? demanda Luce.

– C'est le premier d'une longue série, répondit Daniel.

Par la fenêtre brisée, il observa un cumulus blanc qui traversait le ciel devenu bleu.

– Plus Lucifer se rapproche, plus leur violence va augmenter, ajouta-t-il.

Il échangea un coup d'œil avec Cam, qui approuva d'un signe de tête.

– Tic, tac, tic, tac, dit ce dernier. Nous n'avons plus beaucoup de temps. Il faut partir.

II

LES CHEMINS SE SÉPARENT

Gabbe prit alors la parole.

– Cam a raison, déclara-t-elle en tirant sur les manches de son gilet comme si elle mourait de froid. J'ai entendu l'Échelle parler de ces déplacements. On appelle ça des tremblements de temps. Ce sont des ondes qui interfèrent dans notre réalité.

– Et plus elles se rapprochent, ajouta Roland, plus nous nous acheminons vers le terminus de sa chute, et plus il y en aura, et plus ils seront graves. C'est comme si le temps avait des ratés avant de se réécrire entièrement.

– Comme un ordinateur qui n'arrête pas de bugger, et qui rend l'âme en effaçant tes vingt pages de dissertation? interrogea Miles.

Ses amis le regardèrent sans comprendre.

– Quoi? Les anges et les démons n'ont pas de devoirs à faire? s'étonna le Néphilim.

Luce s'assit à une table. Elle se sentait vidée, comme si les secousses avaient fait disparaître une partie d'elle-même. Elle entendait les anges discuter avec animation, sans aboutir à une décision concrète. Il fallait stopper Lucifer, c'était établi, mais ni les uns ni les autres ne semblaient savoir exactement comment s'y prendre.

La voix claire de Daniel surmonta le brouhaha:

– Venise, Vienne et Avignon.

Il prit place à côté d'elle et caressa ses épaules du bout des doigts. Puis il souleva *Le livre des Observateurs* de manière que chacun puisse bien le voir. Le silence s'installa et tous les yeux se braquèrent sur lui.

Daniel montra un paragraphe écrit en latin. Luce reconnut quelques mots qu'elle avait appris en cours à Dover. Plusieurs d'entre eux étaient soulignés et encerclés, et quelques annotations figuraient dans les marges, mais le temps avait rendu la plupart des pages illisibles.

– Ça m'a l'air bien compliqué, ces gribouillis! commenta Arriane en se penchant dessus.

Pourtant, Daniel semblait parfaitement à l'aise avec le texte. Il ajouta deux ou trois remarques. Luce se rendit compte avec bonheur que ce n'était pas la première fois qu'elle reconnaissait son écriture élégante. Tous les petits détails qui lui revenaient en mémoire lui rappelaient combien leur histoire d'amour était ancienne, et profonde.

– Les anges non alliés, bannis du Paradis, ont fait le récit de ce qui s'est passé les premiers jours après la Chute, expliqua Daniel. Mais cette histoire a été complètement éparpillée.

– Une histoire ? répéta Miles. Ça veut donc dire qu'il nous suffira de retrouver quelques livres et de les lire, pour savoir où chercher ?

– Ce n'est pas aussi simple. Il ne s'agit pas de livres au sens où nous l'entendons. Cela se passait tout au commencement. Nos histoires ont été racontées par d'autres moyens.

– Si je comprends bien, c'est là que les choses se corsent, en déduisit Arriane en souriant.

– Le témoignage est fait par l'intermédiaire de reliques... beaucoup de reliques... qui ont été dispersées pendant des millénaires. Mais il y en a trois en particulier qui peuvent nous aider dans notre quête. Elles contiennent peut-être un indice sur l'endroit où les anges sont tombés sur la Terre. Nous ignorons quelles sont ces reliques, mais nous savons où elles ont été signalées pour la dernière fois : à Venise, à Vienne et à Avignon. C'est dans ces trois villes qu'elles se trouvaient au moment des recherches que j'ai faites pour l'écriture de ce livre. Mais c'était il y a si longtemps que déjà, à cette époque, on ignorait si ces mystérieux objets n'avaient pas été déplacés.

– Donc, tu voudrais qu'on se lance dans une chasse au trésor divin, mais sans munitions, et à l'aveuglette, fit observer Cam avec un soupir. Super !... Tout ça, pour essayer de mettre la main sur des reliques qui nous diront, ou pas, ce que nous avons besoin de savoir... et qui sont cachées dans des endroits où elles seraient restées, sans qu'on en soit sûrs, pendant des siècles...

– En résumé, c'est ça, oui, répondit Daniel en haussant les épaules.

– Trois reliques... Neuf jours..., réfléchit Annabelle. Ça ne nous laisse pas beaucoup de temps.

– Daniel a raison, il faut se séparer, lança Gabbe en dévisageant ses compagnons tour à tour.

C'était justement à ce sujet que Cam et Daniel se disputaient au moment où la pièce s'était mise à trembler.

Cam opina de la tête à contrecœur, et Gabbe reprit :

– Dans ce cas, c'est d'accord. Daniel et Luce, vous prenez la première ville.

Elle jeta un coup d'œil aux notes de Daniel. Avec un sourire d'encouragement à Luce, elle précisa :

– Venise ! C'est là que se trouve la première relique.

– Mais qu'est-ce qu'on cherche exactement ? demanda Luce en se penchant sur une page où un dessin figurait dans la marge.

Daniel étudia le croquis qu'il avait fait des centaines d'années plus tôt et secoua légèrement la tête en signe d'ignorance. L'objet ressemblait à un plateau de service, comme on en trouve dans les brocantes.

– Je me suis basé sur ce que j'ai pu glaner en étudiant les écrits qui ont été réalisés dans les premiers temps de l'Église, et qui ont été rejetés ensuite.

La relique était de forme oblongue, avec un fond en verre, et semblait munie de petites poignées de part et d'autre. Selon l'échelle que Daniel avait pris le soin d'esquisser en dessous, l'objet était assez grand.

– Je ne me souviens pas du tout de ce dessin, poursuivit-il, déçu. Je suis comme vous, je n'ai aucune idée de ce que c'est.

– Je suis sûre que quand vous serez sur place, vous comprendrez, affirma Gabbe en s'efforçant de prendre un ton persuasif.

– Oui, renchérit Luce, pas de doute.

Gabbe sourit et dit d'un ton décidé :

– Roland, Annabelle et Arriane... Vous irez à Vienne. Et il reste...

Elle fit la grimace, puis arbora une mine déterminée avant de lancer :

– Avignon.

Cam déploya alors ses monumentales ailes dorées. Dans ce mouvement, il gifla sa voisine Molly avec la pointe de son aile droite et l'expédia au sol à deux mètres de là.

Celle-ci se releva, folle de colère, en crachant :

– Ne recommence pas ou je te démolis !

Constatant qu'elle avait une écorchure au coude, elle s'avança vers son assaillant, le poing levé. Mais Gabbe intervint à temps.

– Je ne voudrais pas avoir à démolir moi-même le prochain de vous deux qui provoquera l'autre, déclara-t-elle en adressant un doux sourire à ses deux frères démons. Mais comptez sur moi, je le ferai parce que nous avons neuf très longues journées devant nous.

– Oui, espérons qu'elles seront longues, marmonna Daniel.

Luce avait appris tout ce qu'elle savait de Venise dans un guide touristique. Elle y avait vu une quantité d'images de carte postale : des gondoles qui se bousculaient sur des canaux, des couchers de soleil sur des clochers, des filles brunes dégustant des glaces... Mais ce n'était pas ce genre de voyage qui les attendait...

Elle se tourna vers Daniel.

– Qu'est-ce qui se passera quand nous aurons retrouvé les trois reliques ?

– Nous nous rejoindrons au mont Sinaï, et nous les réunirons.

– Nous ferons aussi une petite prière pour qu'elles nous guident jusqu'à l'endroit où nous avons atterri au moment de notre chute, murmura Cam, l'air sombre. Et là, il ne nous restera plus qu'à persuader le monstre infernal qui tient notre existence entre ses griffes de renoncer à la domination du monde. Rien de plus simple ! Vous ne trouvez pas que nous avons toutes les raisons d'être optimistes ?

Par la fenêtre ouverte, le soleil brillait au-dessus des toits.

– Allons-y maintenant, il est temps de partir, lança Daniel à ses compagnons.

– OK, dit Luce. Il faut que je passe par chez moi, pour préparer mon sac, prendre mon passeport...

L'esprit en ébullition, elle dressa mentalement la liste de tout ce qu'elle avait à faire. Ses parents seraient au centre commercial pendant au moins deux heures encore, assez longtemps pour lui permettre de préparer ses bagages en douce...

Annabelle vint se poser à côté d'elle en riant, ses ailes couleur de ciel d'orage jaillissant des fentes invisibles de son T-shirt rose.

– Comme tu es naïve ! dit-elle. On voit bien que tu n'as jamais voyagé avec un ange, toi !

Bien sûr que si ! Luce avait déjà fendu les airs avec Daniel, blottie au creux de ses ailes. Jamais très longtemps, mais tout de même ! C'était dans ces moments-là qu'elle se sentait vraiment proche de lui. Avec ses bras autour de sa taille, son cœur qui battait contre le sien, ses ailes blanches qui la protégeaient. Elle se sentait aimée d'un amour incommensurable.

En réalité, cela ne s'était produit qu'à trois reprises : d'abord au-dessus du lac caché derrière Sword & Cross ; ensuite, le long de la côte, à Shoreline ; et enfin, la nuit précédente, quand il l'avait transportée jusqu'à la cabane.

– Nous n'avons jamais volé aussi loin ensemble, admit-elle.

Cam ne put s'empêcher de jouer les oiseaux de mauvais augure :

– Rien que pour atteindre la première base, vous risquez d'avoir des problèmes.

Daniel ne prit pas la peine de lui répondre.

– Dans des circonstances normales, je pense que ce voyage te plairait, dit-il à Luce, mais il n'y aura rien de normal pendant les neuf jours qui nous attendent.

La jeune fille sentit qu'il soulevait ses longs cheveux noirs. Il déposa un baiser sur sa nuque et plaça ses bras autour de sa taille. Elle ferma les yeux et attendit.

Dans un déploiement élégant accompagné du plus beau bruissement du monde, l'amour de sa vie fit jaillir ses ailes blanches comme neige, et Luce sentit alors une douce chaleur envahir son cœur.

Les ailes de Daniel étaient plus belles que jamais. L'ange se tourna vers la fenêtre et déclara à leurs compagnons :

– On se revoit bientôt. Bonne chance !

À chaque battement d'ailes, ils s'élevaient d'une centaine de mètres. Au fur et à mesure, l'air chargé d'humidité de la Géorgie se refroidissait et se raréfiait. Le vent sifflait aux oreilles de Luce, faisant pleurer ses yeux. La terre, en bas, devint de plus en plus petite, et Sword & Cross se réduisit bientôt à la taille d'une empreinte digitale. Puis disparut.

Prise d'un délicieux vertige, Luce se laissa emporter avec bonheur. Elle ne se souvenait pas que voler avec Daniel était si excitant et elle se sentait en harmonie avec lui. Leurs deux corps bougeaient à l'unisson, répondant au mouvement régulier des ailes, qui s'arquaient au-dessus de leurs têtes en cachant le soleil, avant de repartir en arrière pour donner une nouvelle et puissante impulsion.

Ils franchirent la ligne des nuages et disparurent dans la brume cotonneuse et blanche. Luce ne se posait pas de questions. Elle était avec Daniel. Elle était bien.

Bientôt, Daniel cessa de monter, et avança parallèlement au sol. Le grondement du vent diminua et le monde alentour se réduisit à une blancheur éclatante, incroyablement silencieuse et paisible.

Daniel l'enveloppait amoureusement. Elle leva la tête pour le regarder. Son visage était calme, et un léger sourire flottait sur ses lèvres. Ses yeux violets brillaient.

– Tu as froid, lui murmura-t-il à l'oreille, en lui caressant les doigts pour les réchauffer.

Luce sentit des ondes de chaleur la parcourir, et elle se sentit mieux.

Ils transpercèrent la couverture de nuages gris uni et découvrirent une infinie palette de couleurs. Il y avait des roses nacrés, à l'est, et l'indigo cru du ciel de haute altitude. En dessous, le paysage des nuages se présenta, étrange et saisissant. C'était un autre monde, un univers de hauteurs célestes qu'ils étaient seuls à habiter.

Combien de fois Luce n'avait-elle pas rêvé de se trouver dans le ciel, à zigzaguer à travers l'or pâle d'un nuage gonflé de pluie et éclairé par le soleil ? À présent, son vœu se réalisait, et elle était subjuguée par la splendeur de ces contrées lointaines qu'elle sentait à même sa peau.

Mais ils n'étaient pas là pour s'amuser ou en profiter. Ils avaient neuf jours pour réaliser leur objectif.

– Dans combien de temps serons-nous à Venise ? demanda-t-elle à Daniel.

– Ça ne devrait plus être long.

– On croirait entendre un pilote d'avion qui cherche à rassurer ses passagers !

Daniel ne répondit pas. Elle vit qu'il fronçait les sourcils, comme s'il ne comprenait pas la signification de ses paroles.

– Évidemment, tu ne sais pas de quoi je parle ! Tu n'as pas besoin de prendre l'avion, toi !

– Ça ne me dérangerait pas, tu sais, si j'étais avec toi. On pourrait peut-être faire un voyage en avion ensemble, un jour. Aux Bahamas, pourquoi pas?

– Oui, répondit Luce. Ça serait bien.

Elle ne put s'empêcher de penser à toutes les choses impossibles qui devraient absolument bien se passer pour qu'ils puissent un jour voyager ensemble comme un couple normal. Pour l'heure, ce n'était pas la peine de faire des projets. L'avenir était aussi flou et aussi lointain que le sol au-dessous d'eux...

– Il nous faudra encore quatre ou cinq heures, à cette vitesse, précisa Daniel.

– Mais tu n'auras pas besoin de te reposer? Tes bras... ne vont pas se fatiguer?

Daniel répondit par un petit rire.

– Oh là là! fit-il. Jamais mes bras ne seront fatigués de te porter, mon amour.

Comme pour le prouver, Daniel courba le dos, déploya ses ailes très haut au-dessus de ses épaules, leur imprima une légère impulsion, et ils s'élevèrent avec majesté. Pour lui montrer qu'il était en pleine possession de ses moyens, il s'amusa à la tenir avec un seul bras, puis à faire un grand looping. Cette sensation de liberté était si enivrante que Luce exultait et n'avait pas peur du tout.

Daniel remit ses mains en place autour de sa taille et elle posa les siennes par-dessus.

– On dirait qu'on est faits pour voler ensemble! s'exclama-t-elle.

Quand ils survolèrent l'océan, les nuages se raréfièrent. Luce sentait s'élever jusqu'à elle l'odeur qui remontait de ses profondeurs insondables, ni crayeuse comme à Shoreline, ni saumâtre comme chez elle ; c'était le parfum d'une autre planète.

– Luce, reprit Daniel, comment te sentais-tu, ce matin, chez tes parents ?

La jeune fille suivit des yeux les contours d'une paire d'îles isolées au milieu de l'eau.

– C'était dur, avoua-t-elle. J'avais l'impression d'être loin de ceux que j'aimais, parce que je ne pouvais pas être sincère avec eux.

– Oui, c'est bien ce que je craignais...

– D'une certaine façon, je me sens mieux avec toi et les autres anges qu'avec mes propres parents et ma meilleure amie.

– Je regrette d'avoir à te faire vivre ça. Ça ne devrait pas être ainsi. Je n'ai toujours voulu qu'une seule chose : t'aimer, tout simplement.

– Moi aussi. C'est la seule chose qui m'importe.

Pourtant, les yeux perdus dans le ciel qui pâlissait à l'est, Luce ne pouvait s'empêcher de revivre les dernières minutes qu'elle avait passées chez elle. Elle aurait dû réagir différemment. Elle aurait pu serrer son père un peu plus fort contre elle. Elle aurait pu écouter, vraiment écouter, les conseils de sa mère sur le seuil de la porte. Consacrer plus de temps à Callie, lui poser des questions sur sa vie à Dover. Elle n'aurait pas dû être aussi égoïste. À présent, chaque seconde qui l'éloignait un peu plus de

Thunderbolt, de ses parents et de son amie la renvoyait au fait qu'elle pourrait ne plus jamais les revoir.

Luce croyait de tout son cœur en la cause qu'elle défendait avec Daniel et les autres anges. Mais ce n'était pas la première fois qu'elle abandonnait par amour les gens auxquels elle tenait. Elle pensa à l'enterrement dont elle avait été témoin en Prusse, aux manteaux de laine noire et aux yeux rouges de ses proches, brouillés par le chagrin, lors de sa mort prématurée et brutale. Elle pensa à cette belle femme qui était sa mère en Angleterre médiévale, là où elle avait fêté la Saint-Valentin ; à sa sœur Helen ; et à ses bonnes amies Laura et Eleanor. C'était la seule de ses vies passées où elle n'avait pas fait l'expérience de sa propre mort. Mais elle en avait vu assez pour savoir que c'étaient des personnes bonnes qui auraient été dévastées par son décès inévitable. À cette pensée, elle sentit son estomac se contracter. Puis elle pensa à Lucia, la fille qu'elle avait été en Italie, qui avait perdu toute sa famille pendant la guerre, et qui n'avait personne, à part Daniel. Sa vie – même courte – avait valu d'être vécue à cause de son amour.

Elle se serra plus fort contre Daniel. Il lui répondit par une caresse, et lui demanda :

– Raconte-moi les meilleurs moments de ta vie.

Elle eut envie de répondre : « Ceux où je te retrouvais. » Mais ce n'était pas aussi simple. Ses vies passées se mirent à tourbillonner dans sa mémoire et à clignoter comme les images d'un kaléidoscope. Il y avait eu ce beau moment, à Tahiti, où Lulu avait tatoué la poitrine de Daniel. Et ce jour où, en Chine antique, ils avaient quitté un champ de bataille parce que leur amour était plus important que la guerre. Elle aurait pu énumérer une dizaine d'échanges amoureux, une dizaine de baisers merveilleux, doux-amers. Mais le meilleur moment, c'était encore l'instant présent. Parce qu'ils étaient ensemble. Qu'il était tout pour elle, et qu'elle était tout pour lui. Voilà le souvenir qu'elle garderait de ses voyages à travers les siècles. Et si c'était nécessaire, Luce savait qu'elle et Daniel n'hésiteraient pas à prendre tous les risques pour sauver leur amour.

– Ça a été un long apprentissage, répondit-elle finalement. La première fois que j'ai franchi l'Annonciateur seule, j'étais déjà déterminée à rompre la malédiction. Mais j'ai été dépassée, jusqu'au moment où j'ai compris que chaque visite à une de mes vies m'apprenait quelque chose d'important sur moi-même.

– Quoi, par exemple ?

Ils étaient arrivés à une telle altitude que l'arrondi de la Terre se dessinait au loin.

– J'ai saisi que ce n'était pas le fait de t'embrasser qui me tuait. Je mourais parce que je prenais conscience de certaines choses à ce moment-là ; sur moi-même et mon histoire...

Elle sentit Daniel acquiescer.

– Pour moi aussi, c'était une énigme, avoua-t-il.

– J'ai découvert que mes incarnations passées n'étaient pas toujours des filles très bien, poursuivit-elle, mais que tu aimais quand même leur âme. Et en suivant ton exemple, j'ai appris à reconnaître la tienne. Tu as... une aura unique, et même quand tu changeais d'apparence physique, je pouvais entrer dans une autre vie et être sûre de te reconnaître. Chaque fois, je voyais pratiquement ton âme se superposer à ton visage, quel qu'il soit. Tu étais ton incarnation égyptienne, *et* le Daniel dont je me languissais et que j'aimais.

Daniel lui baisa la tempe.

– Tu ne le sais peut-être pas, mais tu as toujours eu le pouvoir de reconnaître mon âme.

– Non... ce n'est pas vrai – je n'étais pas capable de...

– Si, mais tu l'ignorais. Tu te croyais folle. Tu voyais les Annonciateurs, et tu les prenais pour des ombres. Et quand tu m'as rencontré à Sword & Cross, ou, peut-être, quand tu as compris que je comptais pour toi, tu as vu quelque chose que tu ne parvenais pas à expliquer, que tu essayais de nier.

Luce baissa les paupières pour mieux se souvenir.

– Tu laissais un halo violet derrière toi quand tu passais. Et il suffisait que je cligne des yeux pour qu'il disparaisse.

Daniel sourit.

– Ah? fit-il. Je ne le savais pas...

– Mais tu viens de dire...

– J'imaginais que tu voyais *quelque chose,* mais quoi? je l'ignorais. Le pouvoir d'attraction de mon âme pouvait se manifester différemment. Il dépendait de la manière dont tu avais besoin de le voir. C'est comme ça que ton âme entre en symbiose avec la mienne. Une lueur violette, c'est joli!

– Et toi, comment vois-tu mon âme?

– Je ne pourrais pas la décrire, mais elle est d'une beauté sans égale.

De vastes galaxies d'étoiles scintillaient autour d'eux. La lune, à demi voilée de pâles nuages gris, était énorme. Luce était bien au chaud dans les bras de celui qu'elle aimait ; ce bonheur lui avait tant manqué au cours de sa quête à travers les Annonciateurs ! Elle soupira et en fermant les yeux... elle vit Bill !

Cette vision l'agressa, investit son esprit. Il ne s'agissait pas de la bête immonde et bouillante de rage qui lui était apparue la dernière fois, mais de Bill, la gargouille de pierre qui l'avait prise par la main pour la transporter au bas du mât de l'épave où elle avait atterri en sortant de l'Annonciateur à Tahiti. Elle se demanda pourquoi ce souvenir l'avait assaillie alors qu'elle était tranquillement dans les bras de Daniel. Mais elle sentait toujours sa petite main dure dans la sienne. Elle se rappela son étonnement devant sa force et sa grâce, l'impression de sécurité qu'elle avait aussi eue avec lui.

Elle frissonna et se tortilla contre Daniel, mal à l'aise.

– Qu'est-ce qui se passe ?

– Bill.

Le goût de ce nom dans sa bouche était amer.

– Lucifer, tu veux dire.

– Je sais que c'est Lucifer. Mais pendant un certain temps, il a été quelqu'un d'autre pour moi. J'ai cru que c'était un ami. Je lui ai permis de devenir trop proche de moi. Ça me hante et j'en ai honte.

– Il ne faut pas, la réconforta Daniel en la serrant plus étroitement. Si on l'appelait l'Étoile du Matin, c'est qu'il y a une raison. Lucifer était très beau. Certains disent que c'était le plus beau.

Luce crut déceler un soupçon de jalousie dans son ton.

Il reprit :

– C'était aussi le plus aimé, non seulement du Trône, mais aussi de beaucoup d'entre nous. Pense à la domination qu'il exerce sur les mortels. Il les séduit de la même façon. C'est de là que vient son pouvoir.

Puis il déclara d'une voix d'abord un peu tremblante, avant de se ressaisir :

– N'aie pas honte d'avoir succombé à son charme, Luce...

Et, alors qu'il avait semblé sur le point d'ajouter quelque chose, il stoppa net.

– Les choses s'étaient tendues entre nous, reconnut-elle, mais jamais je n'aurais imaginé qu'il puisse devenir un monstre pareil.

– Il n'y a rien de plus sombre qu'une grande lumière corrompue. Regarde !

Pour appuyer sa démonstration, Daniel tourna autour d'un nuage qui montait à la verticale. Sur un côté, il était d'un superbe rose doré éclairé par les derniers rayons du soleil couchant. Sur l'autre, il était noir et gonflé de pluie.

– Le côté brillant et le côté sombre se sont enroulés pour s'élever, dit-il. Ces deux facettes le constituent. C'est la même chose pour Lucifer.

– Pour Cam aussi ? s'enquit Luce, alors que Daniel remettait le cap à l'est.

– Tu as tort de ne pas lui faire confiance. Il est d'une noirceur légendaire, mais ce n'est qu'un versant de sa personnalité.

– Dans ce cas, pourquoi est-il avec Lucifer ? Pourquoi certains anges ont-ils choisi son parti ?

– Ce n'est pas ce qu'a fait Cam. Pas au début. La période était d'une instabilité inouïe, sans précédent... Au moment de la Chute, certains anges se sont rangés aussitôt du côté de Lucifer, et d'autres, comme Cam, ont été bannis par le Trône parce qu'ils ne s'étaient pas décidés assez vite. Au cours du temps, les anges ont choisi peu à peu leur camp ; certains sont retournés dans le giron du Paradis, d'autres ont grossi les rangs de l'Enfer, jusqu'à ce qu'il ne reste plus que quelques déchus non ralliés.

– Et c'est à ce stade que nous en sommes aujourd'hui ? insista Luce, alors qu'elle savait que Daniel faisait partie de ces derniers et n'aimait pas aborder cette question.

Il répondit sans tenir compte de sa remarque.

– Avant, tu aimais beaucoup Cam, dit-il. À différentes périodes de notre vie sur terre, nous avons été très proches, tous les trois. Ce n'est que bien plus tard, quand il a eu un chagrin d'amour, qu'il a rejoint Lucifer.

– Ah bon ? De qui était-il amoureux ?

– Nous n'aimons pas parler d'elle. Personne ne doit savoir que je te l'ai dit. Je n'étais pas d'accord avec son choix, à l'époque, mais je ne peux pas prétendre que je ne le comprends pas. Si je devais te perdre pour de bon, je ne sais pas ce que je ferais. C'est mon univers tout entier qui s'écroulerait.

– Ne t'inquiète pas, ça n'arrivera pas, s'empressa d'affirmer Luce.

Elle savait que cette vie était sa dernière chance. Si elle mourait maintenant, elle ne reviendrait pas.

Elle avait un millier de questions à poser sur la femme que Cam avait perdue, sur l'étrange tremblement dans la voix de Daniel quand il avait parlé de la séduction de Lucifer, sur l'endroit où elle se trouvait quand il était tombé. Mais ses paupières étaient lourdes et son corps rompu de fatigue.

– Repose-toi, lui chuchota Daniel à l'oreille. Je te réveillerai quand nous arriverons à Venise.

Il n'en fallut pas plus pour qu'elle s'abandonne au sommeil. Ses paupières se fermèrent sur les vagues phosphorescentes qui s'écrasaient, des milliers de mètres plus bas, et son esprit s'envola dans un monde de rêves où *neuf jours* ne signifiaient rien, où elle pouvait plonger, remonter et se prélasser dans la splendeur des nuages, où elle pouvait voler librement, dans l'infini, sans courir le moindre risque.

III

LE SANCTUAIRE ENGLOUTI

Daniel cognait contre cette vieille porte depuis au moins une demi-heure. Il était certain que celui qui vivait dans cette maison vénitienne de trois étages, l'un de ses amis professeurs, leur offrirait l'hospitalité pour la nuit. En effet, ils avaient été très liés «des années plus tôt», ce qui, pour lui, pouvait couvrir une bonne période.

Luce bâilla. S'il ne dormait pas, le professeur pouvait très bien se trouver dans un café ouvert jour et nuit, à boire du vin, penché sur un livre truffé de termes incompréhensibles.

Quand ils s'étaient posés sur le bord du canal, au milieu de l'entrelacs argenté des canaux de Venise, Daniel avait promis à Luce un bon lit et une boisson chaude qui la reposeraient du vent épuisant contre lequel ils avaient lutté pendant des heures. Mais le réconfort se faisait attendre...

Il était trois heures du matin. Ils avaient été accueillis par le carillon d'un campanile qui sonnait, quelque part dans le lointain. Luce était exténuée. Elle s'appuya contre la boîte à lettres métallique qui tomba. La jeune fille chancela, et faillit se retrouver dans le canal dont les eaux glauques venaient lécher le perron moussu.

L'extérieur de la maison était dans un état de décrépitude avancé. La pourriture s'étendait des rebords de fenêtres en bois bleu vermoulu, aux briques de la façade envahies de moisissure vert foncé, jusqu'au ciment humide du perron qui s'effritait sous leurs pieds.

Enfin, Luce, transie de froid, décela du bruit à l'intérieur. Quelqu'un descendait un escalier à pas lents. Daniel cessa de frapper. Il poussa un soupir et ferma les yeux de soulagement.

La poignée de cuivre tourna. Les gonds grincèrent et la porte s'ouvrit.

– Qui diable...

Un vieil Italien apparut sur le seuil. Les cheveux blancs hirsutes qui se dressaient sur sa tête, ses sourcils, extraordinairement embroussaillés, et sa moustache fournie étaient assortis à l'épaisse toison blanche qui sortait du col en V de son peignoir gris.

Daniel eut l'air surpris, comme s'il craignait de s'être trompé d'adresse. Puis les yeux bruns du vieil homme s'éclairèrent. Il s'avança et serra son visiteur contre lui.

– Je me demandais si tu viendrais me saluer avant que la faucheuse me prenne, chuchota-t-il d'une voix rauque.

Il sourit comme s'il les attendait depuis des mois.

– Après toutes ces années, tu m'as enfin amené Lucinda!

Son nom était Mazotta. Daniel et lui avaient été étudiants en histoire à l'université de Bologne dans les années 1930. Le professeur n'était pas surpris par l'aspect juvénile de son ancien condisciple: il connaissait sa vraie nature. Il semblait ravi de retrouver son vieil ami, d'autant plus qu'il avait le plaisir de faire la connaissance de sa dulcinée.

Il les escorta jusqu'à son bureau. Cette pièce, elle aussi, était arrivée à un stade avancé de délabrement. Les étagères de la bibliothèque s'affaissaient au milieu; des documents jaunis s'empilaient sur sa table de travail; le tapis était usé jusqu'à la corde et parsemé de taches de café.

Mazotta s'employa aussitôt à leur préparer une tasse d'un épais chocolat chaud. «Une mauvaise habitude de vieux garçon!», confia-t-il à Luce avec un coup de coude complice. Mais Daniel n'y toucha pas avant d'avoir remis son livre, ouvert sur la description de la première relique, entre les mains du professeur.

Ce dernier mit des lunettes cerclées de fer et étudia la page, les yeux plissés, tout en marmonnant en italien. Il se leva, marcha jusqu'à la bibliothèque, se gratta la tête, retourna à son bureau, fit les cent pas, but son chocolat à petites gorgées, puis revint à ses rangées de livres pour en extraire un ouvrage épais relié de cuir. Luce retint un bâillement. Elle avait le plus grand mal à garder les yeux ouverts. Elle luttait pour ne pas s'endormir, et avait l'impression d'entendre les voix des deux amis comme s'ils étaient perdus dans un brouillard lointain. Ils réfutaient leurs propositions respectives.

– Ça ne peut pas être un vitrail de l'église Saint-Ignace, disait Mazotta en se tordant les mains. À Saint-Ignace, ils sont légèrement hexagonaux, alors que cette illustration montre un objet de forme oblongue.

– Mais alors, qu'est-ce qu'on fait là? s'exclama soudain Daniel. C'est évident, il faut aller à la bibliothèque de Bologne! Tu as toujours les clés? Dans ton bureau, tu as dû avoir...

– Daniel, il y a trente ans que je suis émérite. Et nous n'allons pas faire deux cents kilomètres en pleine nuit pour compulser... (Il s'interrompit.) Regarde! Lucinda dort debout!

Cette dernière faisait la grimace et s'astreignait à rester éveillée, de peur de se laisser emporter dans un rêve où elle rencontrerait Bill. Ces derniers temps, celui-ci avait tendance à lui apparaître dès qu'elle fermait les yeux. Et elle voulait absolument participer à la conversation sur la relique. Mais le sommeil était là qui la menaçait.

Était-ce quelques secondes ou quelques heures plus tard? Daniel la souleva du sol et l'emporta dans ses bras, dans un escalier étroit.

– Je suis désolé, Luce, crut-elle l'entendre dire. J'aurais dû t'envoyer te reposer avant. C'est que j'ai si peur que le temps nous file entre les doigts...

Luce cligna des yeux, surprise de se trouver dans un lit, et plus encore en découvrant une pivoine blanche dans un petit vase posé près d'elle.

Elle prit la fleur et la fit tourner entre ses doigts. Quelques gouttes d'eau tombèrent sur la couette rose. Le sommier grinça quand elle appuya l'oreiller contre la tête de lit métallique.

Pendant quelque temps, elle resta désorientée par ce lieu inconnu. De vagues souvenirs de voyages à travers les Annonciateurs se bousculèrent dans son esprit, puis s'effacèrent progressivement. Bill n'était plus là pour lui dire où elle avait atterri. Il n'était plus présent que dans ses rêves, et pendant la nuit, il s'était transformé en Lucifer, un monstre qui ricanait à l'idée qu'elle et Daniel réussissent à l'arrêter.

Une enveloppe blanche était posée sur la table de chevet, contre le vase.

Daniel.

Elle se souvenait juste d'avoir été déposée dans un lit après avoir reçu un doux baiser.

Où était-il parti ensuite ?

Elle ouvrit l'enveloppe et en sortit une carte blanche, sur laquelle figuraient trois mots :

Sur le balcon.

Elle sourit. Rejetant les couvertures, elle se leva et traversa l'immense tapis, la pivoine blanche à la main. Les hautes fenêtres de la chambre partaient à la rencontre du plafond voûté. Derrière un rideau marron épais, une porte donnait sur une terrasse. Elle l'ouvrit et sortit, s'attendant à y trouver Daniel, prête à se jeter dans ses bras.

Mais il n'y avait personne sur la terrasse terminée par une petite balustrade en pierre qui surplombait les eaux vertes du canal. La matinée était splendide. L'air sentait un peu la vase mais il était vif, agréable. D'étroites gondoles d'un noir brillant glissaient sur l'eau, élégantes comme des cygnes. Un couple de grives pépiait sur une corde à linge à l'étage supérieur. L'autre côté du canal était bordé d'habitations délabrées, couleur pastel. Le spectacle était très joli, bien sûr. C'était la Venise des cartes postales, mais Luce se dit qu'elle n'était pas venue faire du tourisme. Elle était là, avec Daniel, pour sauver leur histoire et celle du monde. Or l'heure tournait, et Daniel avait disparu !

C'est alors que, sur la table, elle remarqua une nouvelle enveloppe blanche appuyée contre un petit sac en papier. Là encore, seuls trois mots étaient écrits sur une carte :

Attends-moi ici.

« Contrariant, mais romantique », dit-elle à voix haute. Elle s'assit sur une chaise de toile installée sur la terrasse et examina le contenu du sachet. Le parfum de minuscules beignets à la confiture saupoudrés de cannelle et de sucre vint lui chatouiller les narines. Elle en mit un dans sa bouche et but une gorgée de ce qui s'avéra être un *espresso* délicieux.

– Alors, comment tu trouves les *bomboloni* ? cria Daniel, d'en bas.

Luce se leva précipitamment et se pencha au-dessus de la balustrade. Elle le vit arriver, debout à l'arrière d'une gondole sur laquelle étaient peints des anges. Il portait un canotier entouré d'un large ruban rouge et il ramait à sa rencontre.

Son cœur bondit comme chaque fois qu'elle le voyait. Il était là. Bien à elle. Et cela se passait maintenant.

– Trempe-les dans le café, tu vas voir: c'est divin! lui lança-t-il en souriant.

– Je fais comment, pour descendre? s'enquit-elle.

Il désigna du doigt un minuscule escalier en colimaçon, à droite de la balustrade. Elle attrapa son petit déjeuner, glissa la fleur derrière son oreille et se dirigea vers les marches.

Elle descendit, sous le regard de Daniel braqué sur elle. À chaque tournant, elle saisissait l'éclair amusé de ses yeux violets. Quand elle fut arrivée en bas, il tendit la main pour l'aider à monter dans l'embarcation.

Enfin! Comme elle avait attendu ce moment! Depuis qu'elle s'était réveillée, elle attendait de ressentir l'électricité qui lui picotait la peau... l'étincelle qui passait entre eux chaque fois qu'ils se touchaient. Daniel lui enlaça la taille et l'attira contre lui pour un long baiser, si passionné que la tête lui tourna.

– Voilà la meilleure façon de commencer une journée, déclara-t-il en suivant du doigt les pétales de la pivoine qui ornait son oreille.

Elle sentit alors sur sa nuque une fine chaînette terminée par un médaillon en argent sur lequel était gravée une rose rouge.

Son médaillon! C'était celui que Daniel lui avait offert au cours de leur dernière nuit à Sword & Cross. Elle l'avait glissé dans la couverture du livre des *Observateurs* pendant le court moment qu'elle avait passé dans la cabane, mais les détails de ces journées-là étaient flous. Elle se souvenait seulement que M. Cole s'était dépêché de l'emmener à l'aéroport pour lui permettre d'attraper son vol vers la Californie. Elle avait oublié le médaillon et le livre. Elle ne pensait pas les retrouver un jour.

Sans doute Daniel lui avait-il attaché la chaîne pendant son sommeil.

– Où as-tu...

– Ouvre-le, lui dit-il en souriant.

Elle s'exécuta. Aussitôt, elle reconnut les personnages visibles sur la minuscule photo. Daniel portait un nœud papillon et elle-même, une coiffe posée sur ses cheveux courts.

– Lucia, murmura-t-elle.

C'était la jeune infirmière qu'elle avait rencontrée à Milan, en franchissant l'Annonciateur, pendant la Grande Guerre. La jeune fille était beaucoup plus jeune quand Luce avait fait sa connaissance, douce et un peu culottée, mais si franche, si authentique, qu'elle l'avait admirée aussitôt.

Elle sourit au souvenir des yeux ronds de Lucia devant sa coupe de cheveux moderne. La jeune infirmière plaisantait aussi en disant que tous les soldats avaient le béguin pour Luce. Si elle était restée un peu plus longtemps à l'hôpital italien et si les circonstances avaient été... différentes, elles auraient pu devenir très amies, toutes les deux.

Elle regarda Daniel, rayonnante, et s'assombrit d'un coup. Il la dévisageait comme s'il était sous le choc.

Elle lâcha le médaillon et lui mit les bras autour du cou.

– Qu'est-ce qui se passe ? demanda-t-elle.

– Rien. C'est simplement que je n'ai pas l'habitude...
Ton expression, quand tu as reconnu cette photo, c'est... je
n'ai jamais rien vu de plus beau.

Luce rougit et sourit, incapable de parler, tant sa gorge
était nouée.

– Pardon de t'avoir abandonnée comme ça, s'excusa-
t-il. Il fallait que j'aille vérifier un détail dans l'un des livres
de Mazotta à Bologne. Tu avais besoin de te reposer, et tu
étais si jolie quand tu dormais que je n'ai pas eu le courage
de te réveiller.

– Tu as trouvé ce que tu cherchais ?

– Peut-être. Mazotta m'a donné un indice. Une place de
la ville. Il est surtout historien d'art, mais il connaît sa théo-
logie comme personne.

Luce se glissa sur le banc de velours rouge de la gondole, doté d'un coussin de cuir noir et d'un haut dossier
sculpté.

Daniel saisit la rame et l'embarcation fendit bientôt les
eaux miroitantes, vert pastel, où se reflétait la ville entière.

– La bonne nouvelle, annonça Daniel en la regardant
par-dessous le bord de son chapeau, c'est que Mazotta croit
savoir où se trouve l'objet. Nous avons discuté pendant toute
la nuit, et à la fin, nous sommes tombés d'accord : mon
dessin correspond à une photo ancienne très intéressante.

Avant de poursuivre, il fit tourner la gondole avec grâce
avant de s'engager sous un pont.

– En fait, le plateau est une auréole, annonça-t-il enfin.

– Je pensais que les anges ne portaient d'auréole que sur les images. (Elle pencha la tête et le scruta attentivement.) Et toi, tu en as une ?

Sa question le fit sourire.

– Non, je ne crois pas. Pas sous la forme du cercle doré avec lequel les humains représentent la lumière qui émane de nous. En revanche, j'ai apparemment un halo violet. Est-ce que Gabbe t'a déjà raconté qu'elle avait posé pour Léonard de Vinci ?

Luce faillit s'étouffer avec son beignet.

– Pardon ?

– Léonard ignorait qu'elle était un ange, bien sûr, mais il lui avait dit qu'elle semblait entourée de lumière. Voilà pourquoi il l'a peinte avec une auréole autour de la tête.

Pourtant, l'idée n'est pas venue de lui. La plupart des peintres représentent les anges de cette façon depuis que nous sommes tombés sur la Terre.

– Et comment est l'auréole que nous devons retrouver aujourd'hui ?

Le visage de Daniel s'assombrit.

– C'est l'œuvre d'un autre artiste, répondit-il. Elle fait partie de la statue d'un ange sculpté en Anatolie bien avant l'époque de Vinci, pendant l'ère préclassique. Elle est si ancienne qu'on ne connaît pas l'identité de son créateur. Comme les autres reliques, elle a été volée au cours de la deuxième croisade.

– Il nous suffit donc de retrouver la sculpture dans une église ou un musée, d'enlever l'auréole de la tête de l'ange et de nous précipiter au mont Sinaï ?

– Oui, c'est à peu près l'idée, affirma Daniel, dont le regard se troubla une fraction de seconde.

– Ça paraît trop simple..., murmura Luce.

Elle contempla les maisons qui bordaient le canal, parfois dotées de hautes fenêtres en ogive, ou ornées de plantes verdoyantes. Toutes les constructions semblaient se noyer dans les eaux scintillantes, acceptant leur sort avec sérénité.

Soudain, Daniel plissa les yeux pour déchiffrer un panneau de bois planté un peu plus loin et se dirigea vers la berge. Il s'arrêta le long d'un mur de briques recouvert de plantes grimpantes. Il enroula la corde de la gondole à un poteau d'amarrage.

– C'est l'adresse que m'a donnée Mazotta, expliqua-t-il en désignant un vieux pont de pierre, à la fois romantique et décrépit. Il faut prendre ces escaliers pour arriver au palais. Ça ne doit pas être loin.

Il sauta sur le quai et aida Luce à descendre. Ils traversèrent le pont, main dans la main. En passant devant les étalages serrés, la jeune fille ne put s'empêcher d'observer les couples qui les entouraient. Ils étaient heureux, ils s'embrassaient, ils riaient. Elle ôta la pivoine de son oreille et la mit dans son sac. Daniel et elle étaient en mission, pas en lune de miel, et s'ils échouaient, il n'y aurait plus jamais de voyages romantiques nulle part, et pour personne. Ils pressèrent le pas et s'engagèrent dans une étroite ruelle qui débouchait sur une grande place, quand Daniel s'arrêta.

– Normalement, c'est ici, sur la place, mais Mazotta ne m'a pas parlé de ça, fit-il, incrédule.

Il désigna l'église, dotée d'une haute flèche et de vitraux roses disposés en triangle. C'était un bâtiment imposant, de couleur orangée. Les vitraux et le dôme étaient entourés de blanc.

– L'auréole doit être à l'intérieur, poursuivit-il.

Luce fit un pas en avant, mais il ne bougea pas. Il avait pâli.

– Je ne peux pas, Luce...

– Pourquoi?

Daniel resta immobile, visiblement très nerveux. C'était la première fois qu'elle le voyait manquer d'assurance...

– Tu n'es pas au courant? lui demanda-t-il.

Elle fit non de la tête, et il soupira.

– Je pensais qu'on te l'avait dit, à Shoreline... Le problème, c'est qu'il ne faut absolument pas qu'un ange déchu pénètre dans un sanctuaire consacré. Sinon le bâtiment prend feu, avec tous ceux qui se trouvent à l'intérieur.

Au moment où il finissait sa phrase, un groupe d'écolières allemandes passa, se dirigeant vers l'église. Quelques-unes se retournèrent pour le regarder, en chuchotant et en gloussant, visiblement éblouies par sa beauté.

Mais, trop anxieux pour s'en apercevoir, il ajouta:

– Cela fait partie de notre châtiment. Si un ange déchu souhaite demander sa grâce à Dieu, il doit d'abord s'adresser au Trône. Il n'y a pas de raccourcis.

– Tu n'as donc jamais mis les pieds dans une église, au cours des milliers d'années que tu as passées sur la Terre?

Il confirma d'un hochement de tête.

– C'est vrai. Ni dans un temple, ni dans une synagogue, ni dans une mosquée. Jamais. J'ai pu pénétrer dans la salle de gym de Sword & Cross parce qu'elle était désaffectée. (Il ferma les yeux.) Un jour, Arriane l'a fait par mégarde, avant de s'être ralliée au Paradis. Elle a donné une description terrible de...

– C'est pour ça qu'elle a des cicatrices dans le cou?

Luce toucha instinctivement sa propre nuque. Elle revit la scène où, peu après son arrivée à Sword & Cross, leur amie lui avait tendu un couteau suisse volé en réclamant qu'elle lui coupe les cheveux. Elle avait été incapable de détourner les yeux des étranges traces marbrées qui marquaient sa peau.

– Non, se contenta de répondre Daniel, mal à l'aise. Ce n'est pas pour ça.

Devant l'entrée, un groupe de touristes était en train de poser pour une photo avec son guide. Pendant leur conversation, une dizaine de personnes étaient entrées et ressorties de l'église sans paraître apprécier la beauté ou l'importance de cet édifice... dans lequel Daniel, Arriane et tous les anges n'étaient pas autorisés à pénétrer.

Luce, elle, pouvait entrer.

– J'y vais, décida-t-elle. D'après ton dessin, je sais à quoi ressemble l'auréole. Si elle y est, je la trouverai et...

– Oui, il n'y a pas d'autre moyen.

– Pas de problème! lança-t-elle, faussement désinvolte.

– Je t'attends ici.

Daniel semblait ennuyé et soulagé en même temps. Il lui donna une pression de la main et s'assit sur le bord d'une fontaine, au centre de la place, devant un chérubin qui crachait un filet d'eau. Il lui expliqua comment l'auréole se présenterait sans doute, et comment l'enlever.

– Mais fais attention ! Elle a plus de mille ans, elle est fragile ! Si jamais quelque chose te semble un tant soit peu suspect, dépêche-toi de ressortir et viens me voir.

L'église, sombre et fraîche, était construite en forme de croix et dégageait une forte odeur d'encens. La jeune fille prit un dépliant en anglais à l'entrée, et s'aperçut alors qu'elle ignorait le nom de la sculpture. Contrariée de ne pas avoir posé la question à Daniel, elle remonta la nef en suivant des yeux les stations du chemin de croix qui longeaient les vitraux.

Alors que, dehors, la place était remplie de monde, l'intérieur de l'édifice était relativement silencieux. Luce entendait ses talons marteler le sol de marbre. Elle passa devant une statue de la Vierge qui se dressait dans l'une des petites chapelles qui bordaient les deux côtés. Les yeux de la Madone étaient démesurément grands, et ses doigts joints pour une prière, longs et très fins. Nulle part, elle ne vit d'auréole...

Arrivée au bout de la nef, elle s'arrêta au centre de l'église, sous le grand dôme qui laissait passer l'éclat tamisé du soleil matinal à travers les vitraux. Un homme en longue robe grise était agenouillé devant un autel. Il récitait tout bas des paroles en latin dont elle ne comprit pas la signification.

À son approche, l'homme s'interrompit et leva la tête, comme si sa présence avait contrarié sa prière. Jamais elle n'avait vu de peau aussi pâle, de lèvres aussi décolorées. Il la regarda en fronçant les sourcils. Elle détourna les yeux et, pour ne pas le déranger, s'engagea à gauche, dans le transept qui donnait à l'église sa forme en croix. Alors, elle se retrouva devant un ange impressionnant.

C'était une statue en marbre rose pâle, qui ne ressemblait pas du tout aux êtres que Luce connaissait si bien, désormais. Elle n'y décela ni la vitalité qui caractérisait Cam, ni l'infinie complexité qu'elle adorait chez Daniel. Cette sculpture avait été créée par un croyant dénué de passion, et pour des croyants semblables à lui. L'ange paraissait vide. Son regard était tourné vers le ciel, et la pierre apparaissait, brillante, sous les plis du tissu drapé autour de sa poitrine et de sa taille. Son visage qui s'élevait à trois mètres au-dessus de Luce avait été délicatement ouvragé par un artiste qui avait apporté beaucoup de soin aux détails, des ailes du nez aux minuscules mèches de cheveux bouclant au-dessus de ses oreilles. Ses mains étaient tournées vers le ciel, comme s'il demandait le pardon divin pour un péché commis il y avait bien longtemps.

– *Buon giorno!*

Luce sursauta, surprise par l'apparition d'un prêtre en longue robe noire. Mal à l'aise, elle s'efforça de sourire et recula d'un pas. Comment faire pour dérober une relique dans un endroit public comme celui-là? Pourquoi n'y avait-elle pas réfléchi avant? Elle ne parlait même pas... Mais si! Elle parlait italien! Elle avait appris cette langue – plus ou moins – instantanément quand l'Annonciateur l'avait déposée sur la ligne de front, lors de la bataille du Piave.

– C'est une belle sculpture, dit-elle au religieux.

Son italien n'était pas parfait – elle le parlait comme quelqu'un qui ne l'avait plus pratiqué depuis longtemps –, mais son accent était assez bon pour qu'il la comprenne.

En effet, son interlocuteur acquiesça :

– C'est vrai.

– Le sculpteur a travaillé au... ciseau, dit-elle en faisant semblant d'examiner l'œuvre d'un œil critique. C'est comme s'il avait libéré l'ange emprisonné dans la pierre.

Prenant son air le plus innocent, elle fit le tour de la statue en ouvrant grand les yeux. La tête était entourée d'une auréole de verre doré. Hélas ! elle n'était pas ébréchée aux endroits désignés par le dessin de Daniel. Peut-être avait-elle été restaurée...

Le prêtre opina du chef, l'air grave, et déclara :

– Un ange qui a commis le péché de la Chute n'a plus jamais été libre. Un œil averti est capable de voir cela.

Daniel lui avait expliqué comment s'y prendre pour enlever l'auréole : il fallait la saisir comme un volant et la tourner doucement mais fermement deux fois dans le sens des aiguilles d'une montre. « Comme elles sont fabriquées en verre et en or, avait-il dit, on les rajoute aux statues une fois finies. On sculpte un socle dans la pierre, et on fait un creux correspondant dans l'auréole. Il suffit donc de deux tours fermes, mais prudents ! »

Elle leva la tête vers la statue qui la dominait de toute sa hauteur. Le prêtre vint se placer à côté d'elle et commenta :

– C'est Raphaël, le Guérisseur.

Luce n'avait jamais entendu parler de cet ange. Elle se demanda s'il existait vraiment ou si c'était une invention de la religion catholique.

– Je... j'ai lu dans un guide que cette statue datait d'avant l'époque classique, dit-elle tout en scrutant le mince morceau de marbre qui reliait l'auréole à la tête. N'est-ce pas une sculpture qui a été rapportée des croisades?

Le religieux croisa les bras sur sa poitrine.

– Vous parlez de l'original, répondit-il. Il se trouvait dans l'église dei Piccoli Miracoli, au sud de Dorsoduro, sur l'île aux Phoques. Mais il a disparu avec l'église quand l'île a été engloutie dans la mer, il y a des siècles de cela.

– Je ne savais pas, murmura Luce en enregistrant l'information.

L'homme la dévisagea de ses yeux bruns.

– Vous venez sans doute d'arriver à Venise, dit-il. Sinon vous sauriez qu'ici tout finit par s'écrouler et se retrouver au fond de la mer. Finalement, ce n'est pas si grave que ça. Cela nous a permis de passer maîtres dans l'art de la reproduction. (Il passa ses longs doigts hâlés sur le socle de marbre.) Celle-ci a été créée sur commission pour à peine cinquante mille euros. N'est-ce pas incroyable?

Ce n'était pas incroyable, mais épouvantable! La véritable auréole avait disparu au fond de la mer! Jamais ils ne la retrouveraient ni ne connaîtraient l'endroit de la Chute. Jamais ils ne pourraient empêcher Lucifer de détruire le monde... Ils venaient tout juste de commencer et, déjà, tout semblait perdu!

Luce chancela et eut le plus grand mal à remercier le prêtre pour ses renseignements. Dans son désarroi, elle trébucha et faillit s'écrouler sur l'homme pâle en prière, qui lui jeta un regard furibond. Puis elle sortit à grands pas et courut rejoindre Daniel devant la fontaine.

– Qu'est-ce qui se passe ? s'inquiéta-t-il.

Elle lui raconta sa conversation, de plus en plus découragée à mesure qu'elle parlait. Quand elle eut fini, elle essuya une larme sur sa joue.

– Tu es sûre que l'église s'appelle dei Piccoli Miracoli, sur l'île aux Phoques ?

– Oui. Elle est sous l'eau.

– Nous allons la retrouver.

– Comment ?

Déjà, il l'avait prise par la main et, après un regard en arrière vers les portes de l'église, l'entraîna au pas de course à travers la place.

– Daniel...

– Tu sais nager, non ?

– Ce n'est pas drôle.

Il s'arrêta et lui prit le menton. Le cœur de Luce battait à tout rompre, mais les yeux doux de Daniel parvinrent à la calmer.

– Ce n'est pas l'idéal, souffla-t-il doucement, mais si c'est la seule manière d'obtenir la relique, nous le ferons. Rien ne peut nous arrêter. Tu le sais. Nous ne pouvons pas nous le permettre.

Un peu plus tard, la gondole mettait le cap sur la mer. Ils filèrent à toute allure, dépassant les autres bateaux, zigzaguant sur l'eau et aspergeant tout le monde.

Daniel ramait sans le moindre effort. Il expliqua à Luce :

– Je la connais, cette île. Elle se trouvait autrefois à mi-chemin entre Saint-Marc et La Giudecca. Mais il n'y a aucun moyen d'accoster avec cette gondole. Il faudra nager.

Luce regarda l'eau verdâtre. Elle n'avait pas de maillot de bain. En cette saison, elle était bonne pour l'hypothermie... sans parler des étranges poissons italiens tapis au fond de la vase. De plus l'eau sentait les égouts... Mais alors elle croisa le regard de Daniel, et toutes ses peurs disparurent.

Il avait besoin d'elle. Elle était à ses côtés, il n'y avait pas à discuter.

Quand ils atteignirent le chenal où se déversaient les canaux, entre les îles, ils tombèrent sur une véritable flotte de bateaux en tout genre. Les vaporetti pleins à ras bord de touristes chargés de bagages, en route vers leurs hôtels, les yachts loués par de riches voyageurs, les kayaks aérodynamiques transportant des Américains à sac à dos et lunettes de soleil panoramiques, sillonnaient le chenal parmi les gondoles, les péniches et les vedettes de police se croisant à toute allure.

Daniel manœuvrait sans effort. Il pointa le doigt au loin.

– Tu vois les clochers ?

Par-delà les bateaux multicolores, Luce suivit des yeux la direction qu'il indiquait. L'horizon n'était qu'une ligne pâle où le bleu-gris du ciel touchait celui, plus sombre, de la lagune.

Au bout d'un moment, elle distingua deux petites flèches verdâtres. Jamais elle n'aurait pensé qu'elle pourrait voir aussi loin.

– Oh, là-bas !

– C'est tout ce qui reste de l'église. J'espère que notre auréole n'a pas été volée par des plongeurs...

La vitesse à laquelle Daniel ramait augmentait à mesure que la circulation diminuait. L'eau devint plus agitée, d'un vert plus profond, et commença à dégager une odeur de mer plus caractéristique que celle des canaux pollués de Venise. Le vent aussi se rafraîchit.

Daniel lui tendit un petit sac de plastique rose qu'il avait acheté juste avant leur départ en gondole. Luce en sortit une paire de lunettes de natation. C'était un modèle de luxe, pas vraiment fonctionnel, mauve et noir, pourvu d'adorables ailes d'ange sur les côtés.

– Alors comme ça, tu m'as acheté des lunettes, mais pas de maillot de bain ? demanda-t-elle à Daniel.

Ce dernier rougit.

– C'est vrai, c'est idiot, admit-il. Mais j'étais pressé, et je n'ai pensé qu'à ce qui te serait vraiment utile pour arriver jusqu'à l'auréole. Tu pourras nager en sous-vêtements, non ?

Cette fois, ce fut elle qui rougit. Dans d'autres circonstances, sa question aurait eu un petit côté excitant. Ils auraient plaisanté, ri de cette aventure. Mais ces neuf jours – huit désormais – n'avaient rien de drôle... Daniel n'avait visiblement pas le cœur à rire.

Elle se contenta de hocher la tête en signe d'assentiment.

Les deux flèches vert-de-gris grandirent et leurs détails se précisèrent. Quand ils furent arrivés à leur hauteur, la jeune fille constata qu'elles étaient hautes, coniques, et constituées de plaques de cuivre rouillé. Elles avaient été surmontées autrefois de deux petits drapeaux de cuivre en forme de goutte d'eau qui devaient leur donner l'air d'onduler au vent, mais l'un d'eux était parsemé de trous, et l'autre était cassé. Ces flèches qui sortaient de l'eau, suggérant la présence d'une immense cathédrale dans les profondeurs, produisaient un effet étrange. Luce se demanda depuis quand cette église était là, et à quelle distance de la surface elle se trouvait. L'idée de plonger avec ces lunettes ridicules et en sous-vêtements la fit frissonner.

– Cette église doit être énorme..., souffla-t-elle, découragée.

En réalité, elle voulait dire : « Je ne sais pas si je suis capable d'y arriver. Je ne peux pas respirer sous l'eau. Comment faire pour retrouver une petite auréole engloutie au milieu de la mer ? »

– Je pourrai te faire descendre jusqu'à la cathédrale, mais pas plus loin, expliqua Daniel en l'aidant à se lever. Il ne faudra pas lâcher ma main. Tu n'auras pas de problème pour respirer. Mais l'église est toujours consacrée, et je ne pourrai pas y entrer non plus.

Sur ce, il commença à se déshabiller. Luce le regarda faire, puis se rappela qu'elle aussi devait se dévêtir. Elle le fit aussi pudiquement que possible, tandis que Daniel l'aidait à conserver son équilibre. Elle se retrouva bientôt presque nue et grelottante... Daniel l'examina d'un œil inquiet et lui frotta les bras pour chasser la chair de poule qui les couvrait.

Luce eut un nouveau frisson, sous l'effet du froid, de la peur, et d'un sentiment indéfinissable. Mais, tout en passant ses lunettes, elle déclara d'une voix ferme :

– OK, on y va.

Ils se prirent par la main, et quand ses pieds quittèrent le fond de la gondole, Daniel la souleva très haut, beaucoup plus haut qu'elle n'en était capable... et ils plongèrent.

L'eau n'était pas aussi froide que Luce l'avait redouté. Elle constata même que, plus elle nageait près de Daniel, plus les flots, autour d'eux, se réchauffaient.

Son ange était nimbé de lumière.

Elle n'avait pas eu besoin de lui avouer qu'elle avait peur de ce qui l'attendait, qu'elle craignait de se retrouver dans le noir, à l'intérieur de cette église engloutie. Il l'avait deviné tout seul et, comme toujours, il la protégeait. Il lui éclairerait la route grâce à son incandescence naturelle.

Tel un joli arc-en-ciel s'arrondissant dans un ciel noir, le halo lumineux faisait barrage à l'opacité de l'eau glauque et la guidait. Ils nageaient, main dans la main, baignés de lumière violette, entourés d'un silence sépulcral. Bientôt, la façade de l'église fut en vue.

C'était un édifice magnifique. Les deux flèches qui émergeaient à la surface ponctuaient un toit plat bordé de statues de saints. Luce aperçut des vestiges de mosaïques représentant Jésus et ses apôtres. L'ensemble était envahi d'algues et grouillait de vie sous-marine : de minuscules poissons argentés entraient et sortaient des niches, des anémones de mer jaillissaient des représentations des miracles, des congres ondulaient dans les fentes des tombeaux des personnalités vénitiennes...

Luce longea le côté droit de l'édifice, essayant de distinguer l'intérieur par les vitraux cassés, tout en restant attentive à la distance qui la séparait de la surface et de l'air. Elle commençait à ressentir une brûlure dans les poumons. Mais ce n'était pas encore le moment de remonter. Ils venaient à peine de descendre au niveau où ils pouvaient voir ce qui ressemblait à l'autel. Elle serra les dents, décidée à supporter la douleur un peu plus longtemps.

Sa main dans celle de Daniel, elle passa la tête et les épaules par le trou béant d'une fenêtre, près du transept, tandis qu'il s'aplatissait contre le mur du mieux qu'il pouvait pour éclairer l'intérieur.

Elle ne distingua rien, hormis des bancs et un autel de pierre cassé. Le reste était plongé dans l'ombre. Ses poumons se contractèrent, et elle fut prise de panique. Puis la contracture se calma, et elle eut l'impression soudaine qu'elle disposait d'un long moment avant le prochain palier de respiration. Il hocha la tête, comme s'il comprenait qu'elle pouvait continuer encore un peu.

Elle se rapprocha d'une nouvelle fenêtre, et là, elle perçut un éclat doré dans un recoin. Daniel le vit également. Il se rapprocha d'elle, toujours attentif à ne pas pénétrer dans l'église, la prit par la main et lui montra l'objet du doigt. C'était l'auréole. Ils n'en apercevaient que le sommet, car la statue semblait avoir disparu dans le sol. Mais Luce sentit qu'elle ne pouvait pas continuer. Elle avait les poumons en feu. Elle fit signe à Daniel qu'elle devait remonter.

Il fit non de la tête, l'attira hors de la ruine, puis la prit dans ses bras et l'embrassa.

Elle se rendit compte qu'il ne se contentait pas de l'embrasser : elle sentit un air pur affluer en elle, lui remplir les poumons au moment où elle pensait qu'ils allaient éclater. Il paraissait en avoir des réserves inépuisables. Luce se perdait dans ce baiser en souhaitant qu'il ne s'arrête jamais. Ils s'embrassaient et se cherchaient des mains, comme s'il ne s'agissait pas uniquement de survie. Quand elle lui fit signe qu'elle était rassasiée, Daniel sourit et s'écarta d'elle.

Ils retournèrent alors jusqu'à la petite ouverture de l'ancien vitrail. Daniel s'arrêta devant, de manière à l'éclairer, et elle s'engagea à l'intérieur. Aussitôt, elle fut saisie par une sensation de claustrophobie inexplicable. L'édifice était immense et les plafonds s'élevaient à trente mètres de hauteur !

Et Daniel lui semblait trop loin. Malgré tout, elle arrivait à distinguer son objectif... à la lumière de l'ange. Surmontant son malaise, elle nagea jusqu'à l'auréole dorée et la saisit entre ses mains. Puis elle appliqua les instructions de Daniel et essaya de la faire tourner comme un volant. L'auréole ne bougea pas d'un pouce. Elle la serra plus fermement et tenta un mouvement dans les deux sens en y mettant toutes ses forces. Le disque bougea tout doucement et se déplaça de un centimètre sur la gauche. Luce poursuivit ses efforts avec acharnement. Au moment où elle sentait le découragement l'envahir, elle réussit. Elle échangea un regard avec Daniel, et vit à quel point il était fier d'elle. Elle descella la relique, et l'eut bientôt entre les mains. Victorieuse, elle la souleva pour la montrer à Daniel. Mais il ne la regardait plus. Ses yeux étaient dirigés au loin, vers la surface.

Une seconde plus tard, il avait disparu.

IV

NÉGOCIATION À L'AVEUGLETTE

Seule dans le noir, Luce battit des jambes. Il fallait qu'elle s'en sorte.

Où était-il passé ?

Elle se rapprocha du trou par lequel elle était entrée... Là où, quelques secondes auparavant, la lumière de Daniel l'éclairait.

Monter. C'était la seule solution.

Dans ses poumons, la pression augmentait à toute vitesse, sa tête bourdonnait. La surface était loin, et l'air que Daniel lui avait donné était épuisé. Elle ne voyait même pas sa propre main... Et pourtant, il ne fallait pas qu'elle panique !

Elle nagea dans la direction de la fenêtre par laquelle elle était arrivée. D'une main tremblante, elle tâta les murs recouverts de bernacles pour détecter l'étroite ouverture.

Là !

Elle passa la main à travers et sentit que l'eau était moins froide de l'autre côté. Le passage semblait plus petit que tout à l'heure et impossible à franchir. Mais c'était la seule issue.

L'auréole coincée tant bien que mal sous le menton, Luce s'élança en avant, et tenta de se faufiler. D'abord les épaules, puis le torse. Soudain une vive douleur lui poignarda la hanche.

Son pied gauche était coincé, emprisonné dans un étau invisible. Elle poussa un cri de douleur et vit monter les bulles qui étaient sorties de sa bouche, emportant avec elles ses derniers restes d'énergie.

Elle était prisonnière, paralysée par la terreur. Elle se dit fugitivement : « Si seulement Daniel était là... »

Mais il n'était pas là. Il fallait qu'elle s'en sorte seule.

Tenant l'auréole d'une main, elle tenta d'atteindre son pied avec l'autre. Ses doigts rencontrèrent une surface froide, rugueuse, impossible à définir, dont un bout se détacha dans ses doigts, puis s'émietta. Elle redoubla d'efforts, se râpant la peau de la cheville au passage. Elle allait abandonner lorsque, brusquement, elle parvint à se dégager.

Elle projeta sa jambe en avant, s'écorchant le genou contre le mur, et se glissa dehors. Elle tenait l'auréole, et elle était libre !

Hélas! elle n'avait plus assez d'air pour remonter à la surface... Ses jambes répondaient à peine aux ordres de son cerveau, elle voyait danser des taches rouges devant ses yeux et se sentait lourde comme si elle pataugeait dans la mélasse...

Alors, il se passa une chose incroyable : les eaux noires qui l'entouraient se mirent à briller et elle fut enveloppée de chaleur et de clarté. Une main se tendit vers elle. Daniel! Elle glissa ses doigts dans sa paume. Son précieux butin serré contre elle, elle ferma les yeux et s'envola vers la surface avec son ange.

Lorsqu'ils jaillirent à l'air libre, Luce prit une longue inspiration, la plus profonde de toute sa vie, avec un grondement rauque qui la surprit elle-même. Pourtant, bizarrement, son corps ne semblait pas avoir besoin d'autant d'air qu'elle pensait. N'était-elle pas restée en bas aussi longtemps qu'elle le croyait? Elle était étourdie et sonnée par l'éclatante lumière du soleil, mais elle était vaillante. Elle s'était tirée de ce mauvais pas et avait aussi accompli une belle performance athlétique! Elle pouvait être fière d'elle!

Daniel lui demanda avec inquiétude :

– Ça va?

Une subite colère s'empara de Luce et elle rétorqua :

– Qu'est-ce qui t'a pris de me laisser tomber? J'ai failli...

Aussitôt, il lui fit signe de se taire.

Sans un mot, il la débarrassa de la relique, ce qui la soulagea d'un poids qu'elle n'avait pas mesuré. Mais pourquoi agissait-il de façon si bizarre, en la lui enlevant des mains comme un voleur, comme s'il avait quelque chose à cacher ?

Il lui suffit de suivre la direction de son regard pour avoir la réponse à sa question.

Ils n'étaient pas remontés à la surface à l'endroit exact où ils avaient plongé. Au lieu de se trouver à l'avant de la cathédrale, là où seules émergeaient les flèches vert-de-gris des clochers engloutis, ils étaient ressortis au-dessus de la nef. Ils étaient à présent flanqués de part et d'autre de deux longues rangées d'arcs-boutants qui, autrefois, soutenaient les murs de pierre. Leurs sommets crevaient la surface de la mer... ce qui en faisait des bancs parfaits pour le groupe de vingt Bannis qui les attendait.

En reconnaissant leurs ennemis – à leurs trench-coats élimés, à leurs peaux pâles et à leurs yeux morts –, la jeune fille émit un son étouffé.

– Salut ! dit l'un d'eux.

Ce n'était pas Phil, le Banni prétentieux qui s'était fait passer pour le petit ami de Shelby. Mais il y avait plein d'autres créatures aux visages blafards et apathiques dont elle n'avait aucune envie de faire la connaissance.

Les Bannis, des anges déchus incapables de faire un choix, étaient d'une certaine manière le contraire de Daniel qui, lui, refusait de se mettre d'un autre côté que celui de Luce. Rejetés du Paradis en raison de leur indécision, châtiés par l'Enfer qui les avait rendus aveugles en ne leur permettant d'entrevoir que la lueur tamisée des âmes, c'étaient des êtres répugnants. Ils dévisageaient Luce comme ils l'avaient déjà fait, avec des yeux vitreux et vides, qui ne voyaient en elle que sa valeur.

Devant leur expression méprisante, Luce se sentit vulnérable, prise au piège. Daniel se rapprocha d'elle, et déploya ses ailes.

– Tu serais mal inspiré de vouloir t'enfuir, gronda un Banni derrière lui. Nous sommes nombreux ! Sans compter qu'il nous suffirait de ça...

Il ouvrit son trench-coat pour montrer un fourreau de flèche d'argent.

Leurs ennemis les toisaient, avec leurs manteaux noués à la taille qui dissimulaient leurs ailes sales et fines comme du papier. Luce se souvint qu'au cours de la dernière bataille les femelles s'étaient montrées aussi inhumaines que les mâles. Cela lui paraissait déjà remonter à des siècles.

– Mais si tu préfères essayer..., poursuivit celui qui avait pris la parole.

Il tapota paresseusement une flèche, et Daniel ne put réprimer un frisson.

– Silence ! s'écria un autre en se redressant sur un arc-boutant.

Celui-là portait une longue robe grise. Luce ouvrit la bouche de surprise en le voyant rabattre sa capuche et dévoiler son visage blafard. C'était l'homme qu'elle avait vu prier dans la cathédrale de la place. Il avait dû la surveiller du début à la fin et entendre tout ce qu'elle avait dit au prêtre. Il l'avait sûrement suivie. Ses lèvres décolorées grimacèrent et il gronda :

– Bon, elle a trouvé son auréole.

– Mêlez-vous de ce qui vous regarde ! lança Daniel, d'une voix teintée de désespoir.

Elle n'avait toujours pas compris pourquoi, mais les Bannis agissaient comme si elle était d'une importance capitale pour eux. Ils étaient persuadés qu'elle représentait une chance de rédemption pour leur retour au Paradis. Leur logique lui échappait.

– Tu nous prends pour des imbéciles ! tonna le Banni en robe. Nous savons ce que vous recherchez, et toi, tu sais que notre mission est de vous arrêter.

– Vous avez mal compris, rétorqua Daniel. Vous faites une mauvaise interprétation de la situation. Même vous, vous ne pouvez pas souhaiter...

– Que Lucifer réécrive l'histoire ? interrompit le Banni. Oh si ! nous aimerions beaucoup.

– Comment peux-tu dire ça ? S'il réussit, il n'y aura plus rien. Le monde, les êtres que nous sommes maintenant... tout être vivant, l'univers entier, tout cela disparaîtra.

– Tu crois vraiment que la vie que nous menons depuis six mille ans vaut le coup d'être préservée ? Je préfère honnêtement être éliminé ! En finir avec cette existence aveugle ! La prochaine fois...

De nouveau, il tourna en direction de Luce ses yeux vides, qui tournoyèrent dans leurs orbites et se plantèrent dans son âme. Elle en sentit la brûlure.

– La prochaine fois, poursuivit-il, nous ne nous exposerons pas aussi bêtement à la colère du Paradis. Nous serons accueillis par le Trône. Nous abattrons nos cartes de manière plus sage. (Son regard aveugle s'attarda sur l'âme de Luce, et il sourit.) La prochaine fois, nous aurons... de l'aide.

– Vous n'obtiendrez rien de plus qu'aujourd'hui ! Pousse-toi, Banni ! Tu ne comprends rien à cette guerre ! s'exclama Daniel

Le garçon en robe grise caressa une flèche magique et son sourire s'élargit.

– Je pourrais parfaitement vous tuer, là, tout de suite !

– Il y a une foule d'anges qui se battent pour Lucinda. Nous arrêterons Lucifer, et quand ce sera terminé, et que le temps sera venu de négocier avec les minables que vous êtes, vous regretterez cet instant et tout le mal que vous avez causé depuis la Chute.

– Au prochain tour, les Bannis auront cette fille à l'œil dès le commencement. Nous la séduirons, comme tu l'as séduite. Elle croira tout ce que nous lui dirons, comme elle te croit. Nous avons étudié ta façon de faire. Nous savons comment nous y prendre.

– Imbéciles ! s'emporta Daniel. Vous vous imaginez que vous serez plus intelligents ou plus courageux ? Que vous vous souviendrez de ce moment, de cette conversation, de ce plan brillant ? Pauvres fous ! Vous commettrez les mêmes erreurs ! Comme tout le monde, comme nous tous ! Lucifer sera le seul à pouvoir se rappeler ses erreurs passées. Et lui, il ne cherche qu'à assouvir ses bas instincts. Vous vous souvenez sûrement de son âme, vous voyez à quoi elle res-semble, même si vous êtes aveugles ?

Les Bannis se redressèrent sur leur perchoir.

Luce entendit l'un d'eux murmurer :

– Oui, je m'en souviens.

– Lucifer était le plus resplendissant des anges, se rappela un autre avec nostalgie. Si resplendissant que ça nous a aveuglés.

– Assez tergiversé ! brailla le meneur. Les Bannis retrouveront la vue quand tout reprendra du début. La vision les conduira à la sagesse, et celle-ci leur fera refranchir les portes du Paradis. La Lucinda Price nous trouvera séduisants, et elle nous guidera.

Luce frissonna contre Daniel.

– Nous aurons peut-être tous une seconde chance de rédemption, argumenta Daniel. Si nous arrivons à stopper les desseins de Lucifer... il n'y a aucune raison pour que votre espèce ne puisse pas, elle aussi...

– Non !

Le Banni en robe grise s'élança sur Daniel en écartant largement ses ailes, qui émirent un craquement suspect.

Aussitôt, Daniel jaillit de l'eau, lâchant Luce, laquelle eut tout juste le temps de rattraper l'auréole au vol. Le Banni ne faisait pas le poids en face de l'ange, qui lui décocha un crochet du droit. Il partit en arrière, faisant des ricochets sur l'eau, comme une pierre. Il parvint à se redresser à grand-peine, puis reprit sa place sur le contrefort. Sur un geste de sa part, ses troupes se mirent à planer en cercle au-dessus du couple.

– Vous savez qui elle est ! cria Daniel. Vous savez ce que cela signifie pour nous tous. Pour une fois, soyez courageux et faites quelque chose d'utile au lieu d'agir comme des lâches!

– Quoi par exemple? le défia le meneur.

Daniel regardait Luce et l'auréole dorée qui brillait à travers l'eau. Un instant, elle vit un soupçon de panique dans ses yeux violets. Puis il fit la dernière chose qu'elle attendait de lui.

Il plongea son regard dans les yeux morts de son interlocuteur, leva la main, et lança:

– Joignez-vous à nous.

L'aveugle partit d'un long rire rauque, puis déclara:

– Les Bannis ne travaillent que pour eux-mêmes.

– Très bien, répondit Daniel, imperturbable. Personne ne vous demande de vous inféoder. Mais ne travaillez pas contre la seule cause juste. Saisissez l'occasion que je vous offre de participer à la survie du monde, y compris la vôtre. Rejoignez-nous dans notre combat contre Lucifer.

Quelques cris retentirent:

– C'est un piège!

– Il essaie de te tromper pour s'échapper!

– Emparez-vous de la fille!

Luce vit avec horreur le meneur planer au-dessus d'elle, se rapprocher en écarquillant les yeux, et tendre vers elle ses mains blanchâtres... plus près... encore plus près. Elle se mit à hurler...

Mais personne ne l'entendit, car au même moment, le monde commença à *onduler*. L'air, la lumière et jusqu'à la moindre particule de l'atmosphère parurent vibrer, puis se réunirent dans un grondement de tonnerre.

Cela recommençait.

Le ciel était devenu trouble et gris comme la dernière fois, à Sword & Cross. Ce nouveau tremblement de temps signifiait que Lucifer se rapprochait.

Une énorme vague s'abattit soudain sur la tête de Luce. Elle chancela, se cramponna à l'auréole, remua frénétiquement les jambes pour garder la tête hors de l'eau. Un fort craquement résonna sur sa gauche. Elle vit le visage de Daniel, ses ailes blanches se rapprocher, mais pas assez vite... puis, comme au ralenti, la flèche vert-de-gris de l'église s'inclina tout doucement dans sa direction. Alors, une ombre s'élargit progressivement... Puis il y eut un bruit sourd et Luce s'enfonça dans les ténèbres.

La jeune fille se réveilla, bercée par une vague. Elle se trouvait dans un lit flottant.

Des rideaux de dentelle rouge étaient tirés devant les fenêtres, laissant filtrer une lumière grise, crépusculaire. Elle avait mal à la tête et sentait des élancements dans sa cheville. Elle se roula dans des draps de soie noire... et se retrouva face à une fille aux épais cheveux blonds qui la regardait avec des yeux ensommeillés.

L'inconnue gémit et battit des paupières lourdement maquillées d'un fard argenté et s'étira en levant un poing au-dessus de sa tête. Elle ne paraissait pas surprise de se trouver à côté de Luce.

– Oh! marmonna-t-elle en italien. Je me demande à quelle heure nous sommes rentrées. Cette soirée était *incroyable*!

Luce se leva et ses pieds foulèrent un tapis blanc. La pièce était sombre, froide et malodorante, tapissée d'un papier peint gris foncé, et meublée d'un énorme lit qui trônait au centre.

Comment était-elle arrivée là, à qui appartenait le peignoir qu'elle portait, qui était la fille, et quelle était la soirée où cette dernière pensait l'avoir accompagnée la veille au soir? Était-elle tombée dans un Annonciateur? Il y avait un tabouret près du lit. Ses vêtements étaient posés dessus, soigneusement pliés: le sweat-shirt blanc qu'elle avait mis deux jours plus tôt chez ses parents, et son jean élimé, à côté de ses bottes. Le médaillon en argent qu'elle avait glissé dans l'une d'elles juste avant de plonger reposait sur la table de chevet.

Luce l'attacha autour de son cou et passa son pantalon. La fille s'était rendormie, la tête cachée sous un oreiller de soie noire qui laissait échapper ses cheveux blonds emmêlés. À l'autre bout de la pièce, deux fauteuils inclinables faisaient face à une cheminée où brûlait un feu.

Où était Daniel?

Elle était en train de remonter la fermeture de sa seconde botte lorsqu'elle entendit une voix traverser les portes.

– Tu ne le regretteras pas, Daniel.

Elle bondit sur la poignée... et découvrit son ange, assis dans une causeuse recouverte d'un tissu design, en face de Philip le Banni.

À sa vue, Daniel se leva d'un bond et se précipita à sa rencontre. Phil abandonna son fauteuil à son tour, mais resta planté à côté, raide comme un piquet.

– Comment te sens-tu ? demanda Daniel en caressant le front de Luce.

– Bien. Et l'auréole... ?

– Nous l'avons ! la rassura-t-il avec un geste vers le disque de verre doré, posé sur la grande table en bois qu'elle distinguait dans la pièce voisine.

Un Banni y était installé ; il mangeait un yaourt. Un autre garçon aveugle était appuyé contre le chambranle de la porte voisine, les bras croisés sur la poitrine. Les deux faisaient face à Luce, mais il était impossible de savoir si c'était calculé. Elle ne se sentait pas rassurée, car l'atmosphère était tendue, mais elle faisait confiance à Daniel.

– Qu'est devenu le Banni contre lequel tu t'es battu ? lui demanda-t-elle, en cherchant des yeux le pseudo-prêtre en robe.

– Oh, oublie-le ! C'est pour toi que je me fais du souci, répondit-il, aussi tendrement que s'ils étaient seuls.

Elle revit la flèche de la cathédrale se pencher sur elle, l'église engloutie s'écrouler, et l'ombre des ailes de Daniel fondre sur elle.

– Tu as reçu un vilain coup sur la tête. Les Bannis m'ont aidé à te sortir de l'eau et nous ont conduits ici pour que tu puisses te reposer.

– Il y a longtemps que je dors ? demanda-t-elle, car la nuit tombait déjà. Il nous reste combien de jours ?

– Sept, répondit Daniel doucement.

Elle entendit à sa voix qu'il était également préoccupé par la fuite du temps.

– Il ne faut pas s'attarder ici! dit-elle.

Elle regarda Phil qui remplissait de Campari son verre et celui de Daniel.

– Tu n'aimes pas mon appartement, Lucinda Price? interrogea leur hôte embrassant d'un regard satisfait la pièce aux murs recouverts de tableaux abstraits à la Jackson Pollock.

Mais ces peintures n'intéressaient pas Luce, effrayée par ce Banni à la peau terreuse, aux yeux vides entourés de grands cernes violets. Elle se rappelait la fois où il l'avait soulevée dans son jardin, prêt à la transporter dans quelque endroit sombre et inconnu.

– Il paraît que les dames apprécient ce genre de décoration, poursuivit-il. Si quelqu'un m'avait dit que je me mettrais à aimer la chair des mortelles après avoir fréquenté ton amie Shelby, la Néphilim, jamais je ne l'aurais cru. Tu as fait la connaissance de mon amie, dans la chambre? C'est une gentille fille. Elles sont toutes tellement gentilles!

Sans lui répondre, Luce tira Daniel par la manche et le pressa:

– Partons!

Ses paroles et son attitude parurent éveiller l'attention des autres Bannis.

– Tu es sûre de ne pas avoir le temps de prendre un verre? insista Phil en remplissant un troisième verre de Campari.

Daniel l'arrêta aussitôt et remplit lui-même le verre de jus de fruit.

– Assieds-toi, Luce, dit-il en lui tendant la boisson. Nous ne sommes pas encore prêts à partir.

Elle s'exécuta, imitée par les deux autres garçons qui semblaient monter la garde dans la pièce voisine.

– Ton petit ami est très raisonnable, déclara Phil en posant ses rangers pleines de boue sur la table basse en marbre. Nous nous sommes mis d'accord : les Bannis vont se joindre à vous pour essayer d'arrêter l'Étoile du Matin.

Luce se pencha vers Daniel.

– On pourrait se parler seule à seul ?

– Oui, bien sûr, répondit leur hôte à sa place, en se relevant.

Il fit signe à son compère de sortir avec lui. Les deux autres les suivirent et tous disparurent aussitôt.

Dès qu'ils furent tous les deux, Daniel lui posa une main apaisante sur les genoux.

– Écoute, je sais que ce ne sont pas tes amis...

– Ils ont essayé de me kidnapper ! protesta-t-elle.

– Oui, c'est vrai, mais c'était quand ils croyaient... quand ils s'imaginaient que, s'ils te présentaient au Trône, cela compenserait leur trahison. Mais maintenant, les règles du jeu ont changé, en partie à cause de Lucifer, et en partie parce que tu es en train de rompre la malédiction plus vite qu'ils ne le pensaient.

– Quoi ? s'écria Luce. Tu penses que je vais bientôt rompre la malédiction ?

– Disons que tu n'as jamais été aussi près de le faire. Si les Bannis nous aident à repousser nos ennemis, tu pourras te concentrer sur la tâche qui t'attend.

– Nous aider ? Quand ils viennent de nous tendre une embuscade !

– J'ai discuté avec Phil. Nous avons conclu un accord.

Daniel la prit par le bras et poursuivit sur le ton de la confidence :

– Écoute, Luce, il vaut mieux que les Bannis soient avec nous, plutôt que contre nous. Mais ils sont incapables de mentir. Avec eux, nous saurons toujours où nous en serons.

– Qu'est-ce qui nous oblige à être avec eux ?

– Ils sont armés. Mieux équipés, et bien plus nombreux que toutes les autres factions que nous aurons à affronter. Le moment viendra peut-être où nous aurons besoin de leurs flèches d'argent et de leur force. Personne ne te demande d'être leur amie, mais ce sont d'excellents gardes du corps, et ils n'ont aucun état d'âme envers leurs ennemis...

Daniel s'interrompit. Il recula dans son siège et regarda par la fenêtre, comme s'il venait de voir une chose désagréable de l'autre côté de la vitre. Puis il reprit :

– Et comme de toute façon ils ont besoin d'un cheval sur lequel miser dans cette course, autant que ce soit nous.

– Et s'ils continuent à croire que je suis le prix à payer ?

– Ils en sont sûrement persuadés, répondit-il en souriant. Mais tu es la seule à pouvoir choisir la manière dont tu rempliras ton rôle dans cette histoire millénaire. Ce qui s'est éveillé en toi la première fois que nous nous sommes embrassés, à Sword & Cross, n'a été que le premier pas. Tu as puisé des armes dans toutes les leçons que tu as tirées de tes séjours dans les Annonciateurs. Les Bannis ne peuvent pas t'enlever ça. Ni eux, ni personne d'autre. Et je suis là pour te protéger !

Malgré son ton rassurant, elle éprouvait une certaine inquiétude. Pour se revigorer, elle but une gorgée de jus de pamplemousse. Puis elle s'enquit :

– Daniel, comment vais-je remplir mon rôle «dans cette histoire millénaire», comme tu dis ?

– Je n'en sais rien, mais je meurs d'impatience de le savoir.

– Moi aussi !

La porte s'ouvrit et le visage pâle, presque joli, d'une fille aux cheveux ramassés en queue-de-cheval apparut sur le seuil.

– Les Bannis commencent à se fatiguer d'attendre, psalmodia la nouvelle venue comme un robot.

Daniel scruta Luce, qui se força à acquiescer d'un signe de tête.

– Tu peux les envoyer, répondit-il à la fille.

Leurs alliés de fraîche date pénétrèrent dans la pièce à la queue leu leu, mécaniquement, et reprirent la même position qu'auparavant, à l'exception de Phil, qui se rapprocha de Luce.

– Alors, il t'a convaincue ? demanda Phil en s'adressant à cette dernière.

– Si Daniel vous fait confiance, je...

– C'est ce que je pensais. Sache que maintenant, quand les Bannis font un serment, ils sont d'une loyauté sans reproche. C'est parce qu'ils ont conscience de ce qui est en jeu qu'ils font ce... choix.

Il mit l'accent sur ce dernier mot en hochant la tête vers la jeune fille d'une manière qui l'agaça.

– Il est très important de choisir son côté, tu ne trouves pas, Lucinda Price ?

– Tu peux me dire de quoi il parle, Daniel ? s'énerva Luce, même si elle connaissait la réponse.

– De ce qui intéresse tout le monde en ce moment, répondit celui-ci d'un ton las. De l'équilibre qu'il y aura bientôt entre le Paradis et l'Enfer.

– Après tous ces millénaires, c'est presque fait ! dit Phil.

Il prit place en face d'eux, dans la causeuse. C'était la première fois que Luce le voyait aussi animé.

– Désormais, presque tous les anges ont choisi leur camp, poursuivit-il. Les ténèbres ou la lumière. Il en reste un dernier qui n'a pas choisi...

Qui cela pouvait-il bien être ?

Un souvenir surgit soudain : elle avait franchi un Annonciateur qui l'avait déposée à Las Vegas avec Shelby et Miles. Ils étaient partis ensuite pour retrouver sa sœur d'une vie antérieure, Vera, et avaient rejoint Arriane dans un fast-food. Celle-ci leur avait annoncé qu'il y aurait une minute de vérité. Qu'à la fin, quand toutes les âmes des autres anges seraient au complet, tout dépendrait du côté que choisirait un ange essentiel.

Cela ne pouvait être que Daniel, lequel, contrarié, semblait attendre que Phil finisse son discours.

– Et, évidemment, il y a encore les Bannis, ajoutait justement ce dernier.

— Qu'est-ce que tu veux dire ? s'étonna Luce. Les Bannis n'ont pas fixé leur choix ? J'ai toujours cru que vous étiez du côté de Lucifer.

— Ça, c'est uniquement parce que tu ne nous aimes pas, répondit son interlocuteur, pince-sans-rire. Hélas ! non, on ne demande pas aux Bannis de choisir. (Il poussa un profond soupir.) C'est terrible de se sentir rejeté comme ça...

— Tu prêches des convaincus ! l'interrompit Daniel.

— Je ne vois pas pourquoi on ne nous inclut pas ! insista Phil. Tout ce que nous demandons, c'est qu'on tienne compte de nous dans l'équilibre cosmique.

— Pourquoi ne vous demande-t-on pas de choisir ? répéta Luce. Pour vous punir de votre indécision ?

Le Banni confirma d'un signe de tête, et compléta :

— Le résultat, expliqua-t-il, est que notre existence n'a aucune importance dans l'équilibre cosmique. Notre mort non plus.

Sur ces mots, il baissa piteusement la tête.

— Tu sais bien que ce n'est pas de mon ressort, dit Daniel. Ni de celui de Luce. Nous sommes en train de perdre du temps...

— Ne sois pas si méprisant, Daniel Grigori ! Nous avons tous nos objectifs. Que tu l'admettes ou non, tu as besoin de nous pour atteindre le tien. Nous aurions pu nous joindre aux Aînés de Zhsmaelim. Celle qui s'appelle Mlle Sophia Bliss vous a toujours dans le collimateur. Elle se fourvoie, bien sûr, mais qui sait ? Et si elle réussissait, là où vous, vous échoueriez ?

– Dans ce cas, pourquoi ne fais-tu pas équipe avec elle? le coupa Luce sèchement. Tu n'as pas hésité à coopérer avec Sophia la fois où tu as kidnappé mon amie Dawn.

– C'était une erreur. À ce moment-là, nous ignorions que les Aînés avaient tué l'autre fille.

– Penn..., murmura Luce d'une voix étranglée.

Le visage blafard de Phil se contracta.

– C'était une faute impardonnable. Les Bannis n'auraient jamais fait du mal à une innocente. Et encore moins à quelqu'un d'aussi bien, à l'esprit aussi fin...

Luce jeta à Daniel un regard signifiant qu'elle regrettait d'avoir peut-être été trop prompte à juger les Bannis. Or au lieu d'abonder dans son sens, ce dernier jeta:

– Ça ne t'a pas empêché de rencontrer Mlle Sophia hier!

Phil se contenta de nier d'un geste de la tête.

– Cam m'a montré son invitation! insista Daniel. Tu l'as retrouvée à l'hippodrome Churchill-Downs pour discuter de la manière dont vous alliez traquer Luce.

– Faux! protesta l'accusé en se redressant de toute sa taille, ce qui ne diminua pas son aspect frêle et maladif. C'est Lucifer que nous avons rencontré hier. On ne refuse pas une invitation de l'Étoile du Matin. Mlle Sophia et ses complices étaient aussi présents, je le sais parce que les Bannis ont senti leurs vilaines âmes, mais ils ne travaillent pas avec eux.

– Attends, intervint Luce. Vous avez rencontré Lucifer *hier*?

Cela voulait dire vendredi, le lendemain du jour où ils étaient tous réunis à Sword & Cross, pour mettre au point leur dispositif afin de retrouver les reliques.

– Mais nous étions sortis des Annonciateurs ! Lucifer aurait déjà été à l'intérieur de la Chute ! en déduisit-elle.

– Pas nécessairement, expliqua Daniel. Même si cette rencontre a eu lieu après ta sortie des Annonciateurs, c'était dans le *passé* de Lucifer. Quand il t'a suivie en se déguisant en gargouille, son point de départ était une demi-journée plus tard, à des centaines de kilomètres de ton point de départ à toi.

Luce comprenait mal cette logique, mais une chose était sûre : elle ne faisait pas confiance à Phil. Elle se tourna vers lui.

– Donc, tu sais depuis le début que le plan de Lucifer est d'effacer le passé et tu t'apprêtais à l'aider, comme tu promets de le faire pour nous ?

– Nous l'avons rencontré parce que nous sommes obligés d'obéir à son appel. Tout le monde est dans le même cas, sauf le Trône et...

Il s'interrompit un instant et pencha la tête, un fin sourire aux lèvres.

– ... Je ne connais personne au monde qui puisse résister à l'appel de Lucifer, reprit-il. Toi-même, as-tu pu t'y opposer ?

– Assez bien, oui, répondit Daniel à sa place.

– De plus, il n'a pas voulu de notre aide. L'Étoile du Matin nous a exclus. Il a dit qu'il ne pouvait laisser personne d'autre essayer, qu'il était temps pour lui de prendre les choses en main. La rencontre s'est terminée brutalement.

– Ce doit être le moment où Lucifer t'a poursuivie dans les Annonciateurs, murmura Daniel à Luce.

L'estomac noué, elle se rappela l'épisode où Bill l'avait retrouvée dans le tunnel, alors qu'elle était dans un état de désarroi total... Elle avait été soulagée de le retrouver là. Il l'avait aidée dans sa quête. Il avait même paru éprouver un certain plaisir en sa compagnie.

Les yeux aveugles de Phil se posèrent sur elle, comme s'il pouvait voir le changement qui s'était opéré en elle. Sentait-il qu'elle rougissait en pensant à tout le temps qu'elle avait passé seule avec Lucifer ? Et Daniel s'en rendait-il compte ?

Leur nouvel allié ne lui souriait pas vraiment, mais il ne semblait pas aussi morne que d'ordinaire.

– Les Bannis te protégeront, déclara-t-il. Nous savons que tes ennemis sont nombreux.

Et se tournant vers Daniel, il précisa :

– L'Échelle est en route, elle aussi.

– L'Échelle ? lança Luce à Daniel.

– Oui. Ils travaillent pour le Paradis. Ils sont gênants, mais ils ne constituent pas une menace.

À nouveau, Phil baissa la tête.

– Les Bannis pensent que les membres de l'Échelle sont descendus du Paradis... avec l'esprit dérangé.

– Quoi ? s'écria Daniel, abasourdi.

– Ils sont rongés par un mal qui se propage à toute vitesse. Vous avez dit que vous avez des amis à Vienne ?

– Arriane ! souffla Luce. Et Gabbe, et Roland... sont-ils en danger ?

– Oui, certains de nos amis se trouvent à Vienne, précisa Daniel. À Avignon aussi.

– L'Échelle est en train de se répandre dans Vienne...

Daniel écarta les ailes, emplissant la pièce de leur lumière. Phil ne sembla pas s'en apercevoir, car il but tranquillement une gorgée de Campari. Les autres Bannis dirigèrent leurs regards vides vers ces ailes magnifiques, avec une envie issue du fond de leur mémoire.

Les portes battantes donnant sur la chambre s'ouvrirent. La fille qui avait partagé le lit de Luce en surgit et entra en titubant sur ses pieds nus. À la vue de Daniel, elle se frotta les yeux. « Waouh ! Super rêve ! », marmonna-t-elle en italien, avant de disparaître dans la salle de bains.

– Assez parlé, décida Daniel. Si ton armée est aussi puissante que tu le dis, prends un tiers de tes troupes et fonce vers Vienne pour protéger les trois anges déchus qui y sont. Envoie un autre tiers à Avignon, où se trouvent Cam et deux autres déchus.

Son interlocuteur acquiesça et deux Bannis soulevèrent leurs ailes miteuses, puis s'élancèrent par la fenêtre comme une paire d'énormes mouches.

– Le dernier tiers de nos forces tombe sous mon commandement, poursuivit Phil. Nous vous accompagnerons au mont Sinaï dans cette formation. Partons maintenant ; je rassemblerai les autres en cours de route.

– Oui, approuva Daniel. Prête, Luce ?

Elle acquiesça et se plaqua contre les épaules de Daniel. Il l'enveloppa dans ses bras, franchit la fenêtre et s'éleva à l'assaut du ciel sombre de Venise.

V

DANS LES PROFONDEURS
DE MILLE BAISERS

Juste avant l'aube, ils atterrirent au milieu d'un désert montagneux. Un ruban de lumière éclairait le ciel à l'est, dans une débauche de roses et d'ors saupoudrés de nuages ocre qui chassaient les violets nocturnes.

Daniel déposa Luce sur un sol plat, rocheux, trop aride pour accueillir la moindre broussaille, même la plus résistante. Ce paysage nu s'étendait à l'infini, plongeant à pic dans de sombres vallées, ou dressant dans le ciel de colossales arêtes de roche fauve. Il faisait froid et sec, et le vent soufflait. Luce, Daniel et les cinq Bannis qui voyageaient avec eux avaient à peine assez d'espace pour tenir tous ensemble au même endroit.

Du sable fin se déposa sur les cheveux de Luce quand Daniel replia ses ailes.

– Nous voilà au mont Sinaï, dit-il d'un ton empreint de solennité.

Luce embrassa du regard les montagnes de grès baignées d'une douce lumière dorée.

– C'est ici que Dieu a remis les dix commandements à Moïse? demanda-t-elle.

– Non, c'est là-bas.

Daniel pointa le doigt vers le sud, où, quelques centaines de mètres plus loin, des gens réduits par la distance à l'état de poupées escaladaient une pente en file indienne, sur un terrain un peu moins désertique. L'air léger transportait leurs voix, et leurs rires étaient répercutés en écho par les sommets silencieux.

Une bouteille de plastique bleu sortant d'un sac à dos se dressait au-dessus de l'une des têtes.

Daniel écarta les bras et désigna le petit cercle de rochers où ils se trouvaient:

– Voilà l'endroit à partir duquel quelques anges ont observé l'évènement. Là, là, là... (il montra les places où chacun s'était tenu). Il y avait Gabbe, Arriane, Roland, Cam, et quelques autres.

– Et toi?

Il s'avança vers Luce et répondit en l'embrassant:

– Moi? J'étais juste ici.

– Comment ça s'est passé?

Daniel détourna les yeux.

– C'était la première alliance officielle avec l'homme, dit-il. Avant, il n'y en avait eu qu'entre Dieu et les anges. Quelques-uns se sont sentis trahis, car ils considéraient que cela dérangeait l'ordre naturel des choses. D'autres ont pensé que c'était une progression naturelle.

Puis le violet de ses yeux se fit encore plus intense et il murmura :

– Nos amis doivent être en route. Vous montez la garde jusqu'à ce qu'ils arrivent ?

Phil s'inclina en signe d'assentiment. Ses quatre compagnons restèrent immobiles derrière lui, leurs ailes chétives ondulant au vent.

Daniel ramena vers lui son aile gauche pour dissimuler son corps et plongea la main droite dans ses plumes.

L'instant suivant, il leva la main pour lui montrer quelque chose de blanc qui miroita au soleil.

Elle crut que c'était un morceau de tissu, d'apparence soyeuse, qui mesurait trente centimètres de long et quelques centimètres de large. Luce ouvrit grand les yeux. Curieuse, elle tendit la main pour le toucher. C'était une plume !

Or celle-ci ne ressemblait à rien de connu : elle était large, dense, magnifique, douce sous les doigts, et pleine de force.

Puis les yeux de la jeune fille tombèrent sur la tache de sang qui était apparue à l'endroit où elle avait été arrachée.

– Pourquoi as-tu fait ça ? s'écria-t-elle.

Avant de lui répondre, l'ange tendit la plume à Phil, lequel la planta sans hésiter au revers de son trench-coat.

– C'est un pennon, un signe de reconnaissance : il informera les autres, quand ils arriveront, que les Bannis sont nos amis, expliqua Daniel.

Voyant qu'elle gardait les yeux rivés sur son aile entachée de sang, il la rassura :

– Ça va guérir vite. Allez, viens ! Il faut chercher un endroit pour manger. Le soleil est sur le point de se lever. Et tu dois mourir de faim, dit-il en prenant la sacoche de cuir que lui tendait Phil.

– J'ai pensé que nous pourrions profiter d'un petit moment de repos pendant que personne n'est encore en vue, ajouta-t-il.

Un étroit sentier descendait vers une corniche, en contrebas. Main dans la main, ils s'engagèrent sur la pente, et quand elle devenait raide, Daniel s'élevait un peu du sol sans trop écarter les ailes.

– Je n'ai pas envie d'alerter les randonneurs, indiqua-t-il. En général, les humains ne sont pas prêts à admettre qu'ils voient des anges... Ils pensent plutôt qu'ils ont des hallucinations ! Mais dans un endroit pareil...

– ... ils sont prêts à accepter les miracles, compléta Luce. Au contraire, ils en demandent !

– C'est vrai. Les miracles, ça interpelle.

– Et les interpellations, ça amène...

– Les problèmes.

Ils rirent ensemble.

Luce profita de ce bref instant où Daniel était son miracle à elle toute seule.

Ils s'assirent côte à côte sur une étroite bande de sol plat perdue au milieu de nulle part, à l'abri d'un bloc de granit qui les protégeait du vent et des regards. Une perdrix brune sautillait sur les rochers. La vue était fantastique. Ils étaient encerclés de sommets : les uns étaient plongés dans l'ombre, les autres drapés de lumière, et tous s'éclairaient progressivement à mesure que le soleil s'élevait au-dessus de l'horizon.

Daniel ouvrit la sacoche. Quand il eut détaillé son contenu, il secoua la tête en riant et dit :

– Je n'aurais jamais dû demander à un Banni aveugle de préparer un repas nourrissant ! C'est tout ce que Phil a trouvé comme provisions pour toi ! Tu crois que tu vas pouvoir tenir, avec ça ?

Il sortit une boîte de biscuits salés, un sachet de bonbons au malt, une poignée de chocolats, un paquet de chewing-gums, plusieurs petites bouteilles de soda sans sucre et quelques dosettes d'expresso.

Luce éclata de rire.

Elle se blottit contre lui et croqua quelques bonbons en regardant le ciel se peindre de rose, puis d'or, puis devenir bleu ciel quand le soleil s'accrocha au-dessus des pics et des vallées lointaines. La lumière jetait des ombres étranges dans les crevasses. Elle crut d'abord que c'étaient des Annonciateurs, puis elle s'aperçut que c'étaient des ombres toutes simples. De fait, elle n'avait plus vu d'Annonciateurs depuis plusieurs jours.

C'était étrange. Pendant des mois et des semaines, ils surgissaient devant elle à tout moment, au point qu'elle ne pouvait lever les yeux sans en voir un osciller dans un coin sombre et lui faire signe d'entrer. À présent, ils semblaient avoir disparu.

– Daniel, où sont passés les Annonciateurs ? s'enquit-elle.

Il poussa un profond soupir avant de répondre :

– Avec Lucifer et les hôtes du Paradis. Ils font partie de la Chute, eux aussi.

– Quoi ?

– Les Annonciateurs font partie de l'histoire. Ce sont les ombres des évènements marquants, générés par la Chute. Et quand Lucifer a déclenché son mouvement, ils y ont été aspirés.

Luce essaya de se représenter la scène : un million d'ombres tremblantes entourant une grande sphère sombre, leurs vrilles léchant le néant, pareilles à des taches solaires.

– Maintenant, je comprends pourquoi nous n'avons pas pu les utiliser pour voyager jusqu'ici, dit-elle.

– Ils ont disparu en un claquement de doigts après notre retour du passé. L'instant où nous nous trouvons maintenant – les neuf jours du stratagème de Lucifer – est un temps appartenant aux limbes. Il n'est pas amarré au reste de l'histoire, et si nous échouons, il cessera entièrement.

– Où se trouve exactement la Chute ?

– Dans une autre dimension. Je ne peux pas te décrire l'endroit. Nous étions plus près d'elle quand tu t'es séparée de Lucifer et que je t'ai rattrapée. Mais nous en étions encore très loin.

– Je n'ai jamais imaginé qu'ils pourraient me manquer. Pourtant, c'est la vérité, dit-elle, les yeux posés sur les ombres ordinaires qui assombrissaient la montagne. Les Annonciateurs me reliaient à mon passé.

Daniel lui prit la main et plongea son regard dans le sien.

– Le passé est important, bien sûr, à cause de toutes les informations et de toute la sagesse qu'il contient. Mais tu risques de t'y perdre. Il faut préserver un espace en toi pour le passé, tout en poursuivant ta vie au présent.

– Mais maintenant qu'ils sont partis...

– ... Tu peux y arriver par toi-même.

– Comment cela?

– Tu vois cette rivière, à l'horizon?

Il désigna au loin un imperceptible ruban bleu qui traversait la plaine désertique.

– Oui...

– J'ai vécu plusieurs fois au bord de ce cours d'eau à différentes époques. Il y a quelques centaines d'années, quand je vivais là, j'avais un chameau appelé Oded. C'était un animal d'une paresse inimaginable. Il s'écroulait à tout bout de champ comme s'il était mort de fatigue, et quand il réussissait à me transporter jusqu'au camp de Bédouins le plus proche, je criais au miracle. Lorsque je t'ai vue pour la première fois...

– Oded s'est mis à courir à ma rencontre, compléta Luce sans réfléchir. J'ai même hurlé parce que j'avais peur qu'il me piétine. Et toi, tu m'as dit que tu ne l'avais jamais vu courir comme ça!

– Oui, confirma Daniel, tu lui as plu tout de suite.

Ils se turent et échangèrent un regard. Il éclata de rire, parce que Luce avait enfin compris ce qui venait de se produire.

– Ça y est ! s'écria-t-elle. J'y suis arrivée ! C'était là, dans ma mémoire, comme si c'était arrivé hier ! Je n'ai même pas eu besoin de chercher !

C'était miraculeux. Toutes ses vies antérieures et ses réminiscences qui se perdaient avant, chaque fois que Luce mourait dans les bras de Daniel, revenaient soudain vers elle.

Oui, elle avait gardé intacts tous ses souvenirs, de Moscou à Helston, en passant par l'Égypte, et elle pourrait désormais puiser dedans.

Elle eut une conscience aiguë de celle qu'elle était. Elle n'était pas seulement Lucinda Price, de Thunderbolt, en Géorgie. Elle était toutes les filles qu'elle avait été, une somme d'expériences, d'erreurs, de succès et, surtout, d'amour.

Elle était Lucinda.

– Vite, dit-elle, rappelle-moi une autre époque !

– D'accord. Tu vivais dans le Serengeti, dans le désert, quand je t'ai retrouvée. Tu étais grande, dégingandée, et tu étais la meilleure coureuse de ton village. Un jour que je le traversais pour rendre visite à Roland, je m'y suis arrêté pour dormir auprès de la source la plus proche. Les hommes étaient très méfiants vis-à-vis de moi, mais...

– ... mais mon père t'a donné trois peaux de zèbre pour le couteau que tu avais dans ta sacoche !

Daniel sourit.

– C'est vrai ! Il était dur en affaires !

– C'est incroyable…, souffla-t-elle.

Combien d'autres souvenirs possédait-elle encore sans le savoir ? Jusqu'où pouvait-elle remonter ?

Elle replia les genoux contre sa poitrine et se pencha, si près de lui que leurs fronts se touchèrent presque, et lui demanda :

– Donc, tu te souviens de tout notre passé ?

Daniel la couva d'un regard doux et répondit :

– Parfois, l'ordre des choses se mélange dans ma tête. J'ai oublié de longues périodes que j'ai passées seul, mais je me souviens de toutes les premières fois où j'ai vu ton visage. De chaque baiser cueilli sur tes lèvres, de chaque instant vécu avec toi.

Luce posa sa bouche sur la sienne. Elle aurait aimé effacer par ce baiser toutes les souffrances qu'il avait subies chaque fois qu'il l'avait perdue.

Quand elle embrassait Daniel, c'était toujours une nouveauté enivrante, et en même temps, une évidence… comme un souvenir d'enfance qu'on croit avoir rêvé, avant de retrouver dans une vieille boîte une photo prouvant qu'il était bien réel. Luce avait le sentiment d'ouvrir un gigantesque entrepôt rempli de photos, et que tous les moments enfouis dans les tréfonds de son âme avaient retrouvé la liberté.

Elle pouvait presque toucher l'histoire de leur amour, sentir son essence sur sa langue. Sur ses lèvres, elle goûtait aussi un autre baiser, un baiser ancien, donné comme celui-là, avec la même fougue. Et dans ce baiser, elle vécut à nouveau quantité d'autres baisers, tout aussi grisants, et quand il lui caressa le dos, elle se sentit parcourue de cent frissons semblables à celui qu'elle ressentait au même moment... et quand elle entrevit Daniel entre ses cils, il lui apparut, comme dans la chanson de Leonard Cohen, niché «dans les profondeurs de mille baisers».

– Daniel !

La voix monocorde d'un Banni mit fin à la rêverie de Luce. L'appel venait d'en haut, lancé par un garçon pâle perché sur le rocher contre lequel ils s'étaient abrités.

– Qu'y a-t-il, Vincent ? Les autres sont arrivés ? demanda Daniel en se levant.

Ainsi donc, il connaissait les noms des Bannis... Sans doute était-ce parce qu'ils avaient été au Paradis ensemble, avant la Chute.

– Excuse-moi de vous interrompre. Non, ce n'est pas ça, reprit le guetteur sans avoir la délicatesse de détourner les yeux des joues rouges d'embarras de Luce.

Dans un léger bruissement d'ailes, Daniel prit son envol en la tenant par la taille, et s'éleva de quinze mètres avec la facilité d'un mortel gravissant une simple marche d'escalier. Ils atterrirent sur le plateau rocheux, et constatèrent que les Bannis qui les avaient accompagnés étaient agglutinés autour d'un sixième personnage. À la vue de celui-ci, Daniel eut un mouvement de recul.

Il s'agissait d'un garçon mince, à la tête rasée de frais et doté d'un corps frêle qui lui donnait l'aspect d'un adolescent de quatorze ans. Visiblement, il avait été roué de coups. Son visage était contusionné comme s'il avait été projeté contre un mur à plusieurs reprises. Ses dents étaient maculées de gris, parce que le sang des Bannis n'était pas rouge, mais couleur de cendre.

Étendu sur le sol, le blessé gémissait en murmurant des paroles que la jeune fille ne comprenait pas. Ses compagnons tentèrent de le soulever pour lui enlever son manteau sali, déchiré en plusieurs endroits, auquel il manquait une manche. Mais le blessé poussa un hurlement si strident que même Phil renonça et le reposa par terre.

– Il a les ailes brisées, dit ce dernier – Luce s'aperçut en effet qu'elles étaient écartées derrière son dos, dans une position peu naturelle. Je me demande comment il a pu faire pour revenir...

Daniel s'agenouilla devant le malheureux et lui protégea le visage du soleil.

– Qu'est-ce qui t'est arrivé, Daedalus ? le questionna-t-il, en posant une main sur son épaule.

– C'est un piège, articula péniblement le blessé, en crachant du sang gris sur le revers de son trench-coat.

– Quel piège ? Tendu par qui ?

– L'Échelle... Veulent la relique... Attendent à Vienne... vos amis. Une grande armée.

– Une armée ? Voilà qu'ils combattent les anges ouvertement, maintenant ? s'exclama Daniel, incrédule. Mais ils ne peuvent pas avoir de flèches d'argent !

Les yeux exorbités sous l'effet de la douleur, Daedalus souffla :

– Peuvent pas nous tuer. Seulement torturer...

– Raconte !

Daniel semblait à la fois inquiet et impressionné. Luce ne comprenait toujours pas très bien ce qu'était l'Échelle. Elle l'imaginait vaguement comme une sombre extension du Paradis lancée dans le monde.

– Essayé de me battre... Trop nombreux.

– Et les autres, Daedalus? le pressa Phil.

Sa voix ne trahissait aucune émotion, mais pour la première fois, la jeune fille crut y déceler un soupçon de compassion.

– Franz et Arda..., peina à articuler le garçon, sont en route... Viennent ici.

– Et Calpurnia?

Le blessé ferma les yeux et secoua doucement la tête.

– Ils ont vu les anges? interrogea Daniel. Arriane, Roland, Annabelle? Ils sont sains et saufs?

Les paupières de Daedalus papillonnèrent, puis il ferma les yeux.

Jamais Luce ne s'était sentie aussi loin de ses amis... S'il leur était arrivé quelque chose...

Phil rejoignit Daniel à côté du blessé. Lentement, il sortit une longue flèche d'argent des profondeurs de son manteau.

– Non! hurla Luce en se couvrant la bouche de la main. Tu ne peux pas...

– Ne t'inquiète pas, Lucinda Price, prononça Phil sans la regarder.

De la sacoche de cuir noir rapportée par Daniel, il sortit une petite bouteille de soda et la déboucha avec les dents. Puis, très lentement, il inséra la flèche dans le col de la bouteille. À l'intérieur, le liquide crépita et grésilla. La bouteille se mit à fumer entre ses doigts, ce qui lui arracha une grimace. Une odeur douceâtre s'en dégagea et Luce ouvrit des yeux ronds quand cette boisson marron, pétillante, se mit à bouillonner et à prendre une couleur argentée iridescente.

Phil sortit la flèche et la passa prudemment sur ses lèvres comme pour la nettoyer, puis la rangea sous son manteau. Un instant, ses lèvres brillèrent d'un éclat argenté.

Sur un signe de lui, une Bannie blonde à grande queue-de-cheval s'approcha d'une démarche d'automate et souleva la tête de Daedalus de quelques centimètres. Avec mille précautions, en écartant d'une main les lèvres ensanglantées du garçon, Phil lui versa le liquide dans la gorge.

Le blessé grimaça, cracha et toussa, puis se calma. Ensuite, il avala tout le contenu de la bouteille.

– Il y a un composant chimique dedans, expliqua Daniel à Luce, un poison que les mortels appellent aspartame. Ils croient que ce sont leurs scientifiques qui l'ont inventé. En réalité, c'est une substance céleste ancienne, un venin. Mélangé à un antidote contenu dans l'alliage de la flèche d'argent, il produit une réaction qui donne une potion capable de soigner les anges. Elle guérit les affections légères comme celles-ci.

– Il va lui falloir du repos, dit la blonde, mais quand il se réveillera, il sera en forme.

Rassuré, Daniel prit congé des Bannis :

– Vous voudrez bien nous excuser, mais nous devons partir, annonça-t-il.

Il redressa les épaules, leva ses ailes blanches et tendit la main à Luce.

– Oui, allez retrouver vos amis, répondit Phil. Vincent, Olianna, Sanders et Emmet vont vous accompagner. Je vous rejoindrai avec les autres dès que Daedalus sera remis.

Les quatre guerriers désignés s'avancèrent et inclinèrent la tête devant le couple, comme s'ils attendaient des ordres.

– Nous nous dirigeons vers l'est, décréta Daniel. Cap au nord par la mer Noire, et ensuite, cap sur l'ouest après la Moldavie. Les courants seront plus calmes par là-bas.

– Qui va accueillir Gabbe, Molly et Cam ? s'inquiéta Luce.

Daniel lança un regard interrogateur à Phil, qui, penché sur le blessé, répondit :

– L'un d'entre nous va monter la garde ici. Quand vos amis arriveront, les Bannis passeront le message.

– Tu as le pennon ? s'enquit Daniel.

Son interlocuteur lui montra alors la grande plume blanche passée dans la boutonnière de son revers. Elle brillait et bougeait au vent, jetant des éclats contrastant avec sa peau livide.

– J'espère qu'elle vous sera utile, reprit-il.

– Dépêchons-nous de partir ! Nos amis ont besoin de nous, dit Luce.

Daniel la gratifia d'un regard reconnaissant. Puis, aussitôt, il la prit dans ses bras. Ils placèrent l'auréole entre leurs doigts entrelacés, et il s'élança dans le ciel.

VI

PAS À LA HAUTEUR

Il tombait une petite bruine. Des nappes de brume enve-loppaient la ville de Vienne, ce qui permit à Daniel et aux Bannis de se poser sans être vus sur le toit d'un grand bâti-ment avant la tombée de la nuit.

La première chose que Luce vit se découper contre le brouillard fut un magnifique dôme de cuivre d'un vert lumineux. Daniel déposa Luce devant, sur une partie pen-tue du toit, entourée d'une petite balustrade de marbre. Elle admira la coupole richement ornée de dorures, aux fenêtres en ogive gravées de motifs floraux, placés trop haut pour permettre aux yeux des mortels de les voir.

– Où sommes-nous ? s'enquit-elle.

– Sur le palais de la Hofburg, répondit Daniel. C'était la résidence des empereurs d'Autriche, et maintenant, c'est celle des présidents.

– C'est ici que se trouvent Arriane et les autres ?

– Je ne pense pas. Mais il y a moins agréable, comme endroit, pour faire le point avant de partir à leur recherche.

En dessous du dôme s'étendait un réseau d'annexes qui formaient le reste du palais. Certaines entouraient des jardins ombragés, tandis que d'autres, impeccablement rectilignes, s'étiraient au loin, se perdant dans le brouillard. Le vert des toits de cuivre allait du vert acide au vert turquoise, comme si de nouvelles constructions avaient été rajoutées bout à bout au fil du temps, en s'oxydant sous les assauts de la pluie.

Les Bannis s'éparpillèrent sur le toit autour de la coupole, en s'alignant contre les cheminées trapues et noircies de suie, ou en se postant devant le mât du drapeau autrichien rouge et blanc. Luce se tenait à côté de Daniel, près de la statue d'un guerrier casqué qui brandissait une grande lance dorée.

Ils contemplèrent le spectacle de la ville. Vienne scintillait, illuminé par des milliers de décorations de Noël. Les rues bordées de trottoirs envahis par une foule grouillante de piétons pressés étaient sillonnées de voitures étranges aux yeux de Luce. Au loin, on distinguait vaguement une chaîne de montagnes. Le Danube entourait de son bras puissant les faubourgs de la cité. Luce eut l'impression d'être déjà venue là. Elle ne savait plus bien quand, mais elle éprouvait une sensation de déjà-vu, qui commençait à lui être familière.

Elle se concentra et observa en bas la rangée de petits chalets de Noël, les flammes des bougies qui tremblotaient dans leurs lanternes de verre, les enfants qui se couraient après... Puis l'étincelle jaillit : un jour, en ce même endroit, Daniel lui avait acheté des rubans de velours cramoisi. Ce souvenir était simple, joyeux, et il lui appartenait.

Lucifer ne réussirait pas à l'avoir. Il ne pourrait pas le lui prendre – ni celui-là, ni aucun autre. Ni à elle, ni au monde resplendissant, surprenant et imparfait qui s'étendait plus bas ! Elle était farouchement déterminée à vaincre le démon. Elle vibrait de colère à l'idée que, parce qu'elle ne s'était pas soumise à ses désirs, tout cela risquait de disparaître.

Daniel lui posa la main sur l'épaule.

– Qu'est-ce que tu as ?

Mais elle ne lui répondit pas. Elle ne voulait pas qu'il sache que chaque fois qu'elle pensait à Lucifer, elle se dégoûtait.

Le vent se leva autour d'eux, dissipant la brume posée sur la ville et révélant la présence d'une grande roue de l'autre côté du fleuve. Des gens y étaient tranquillement installés, comme si le monde était éternel, comme si la roue tournait ainsi depuis la nuit des temps.

– Tu as froid ?

Plein de sollicitude, il l'entoura d'une aile blanche pour la réchauffer. Et ce geste, chargé d'un poids surnaturel, sembla lui rappeler que sa condition de mortelle, avec ses limites, ralentissait son avance.

– Non, non, tout va bien, affirma-t-elle, bien qu'elle se sentît frigorifiée et morte de faim.

– Luce, si tu es fatiguée ou si tu as peur...

– Daniel, je t'ai dit que j'allais bien ! jeta-t-elle, en regrettant aussitôt son ton sec. Est-ce que je me suis plainte depuis que nous avons quitté Sword & Cross ?

– Non, tu es incroyable...

– Je ne vais pas m'évanouir juste parce qu'il fait froid ou qu'il pleut...

– Je sais. J'aurais dû me douter que tu pourrais supporter un tel voyage. Généralement, les mortels sont limités parce qu'ils ont faim, sommeil, ou qu'il leur faut un toit, de l'oxygène, qu'ils ont peur de la mort, etc.

– Daniel, si j'ai fait toute cette route, c'est que je l'ai choisi. Je ne t'aurais pas laissé partir sans moi. C'est un accord mutuel.

– Alors, écoute bien : tu as le pouvoir de te libérer de tes limites de mortelle.

– C'est-à-dire ?

– L'esprit triomphe de la matière, déclara-t-il mystérieusement.

Elle eut un sourire contraint.

– OK. Nous savons déjà que tu peux respirer pour moi.

– Mais non ! Ne te sous-estime pas ! Répète-toi que tu n'as *pas* froid, *pas* faim, que tu n'es *pas* fatiguée. Allez, vas-y.

– D'accord, soupira-t-elle. Je n'ai pas...

Elle se mit à marmonner sans conviction, sous le regard de Daniel qui la croyait capable d'exploits qu'elle n'aurait jamais imaginés. Oui, avec de la volonté, elle pourrait se débarrasser de sa sensation de froid ou de faim...

Après tout, pourquoi ne pas essayer d'appliquer cette idée folle ?

Alors, elle prononça d'une voix ferme : « Moi, Lucinda Price, je n'ai *pas* froid, je n'ai *pas* faim, je ne suis *pas* fatiguée. »

Il y eut un coup de vent et l'horloge, au loin, sonna cinq fois. Et aussitôt quelque chose en elle se libéra. Elle se sentit soudain reposée, armée pour tous les efforts que la nuit exigerait, déterminée à réussir.

– Magnifique ! la félicita Daniel. Cinq sens transcendés à cinq heures !

Enchantée, elle se blottit contre lui, s'enveloppant dans l'aile qu'il lui tendait en la faisant entrer dans une nouvelle dimension.

– Oui, j'en suis capable ! affirma-t-elle.

Daniel effleura sa tête d'un baiser.

– Je sais, murmura-t-il.

Puis Luce se dégagea et se tourna vers les Bannis. Elle constata avec surprise qu'ils n'étaient plus là, à monter la garde.

Ils avaient levé le camp !

– Ils sont partis à la recherche des membres de l'Échelle, lui expliqua Daniel. Daedalus nous a vaguement signalé où ils se trouvaient, mais il me faut plus de précisions. J'ai aussi besoin de savoir où sont détenus nos amis, de manière à pouvoir détourner l'attention de l'Échelle pour laisser aux Bannis le temps de les délivrer. Ce ne devrait pas être très long. Ensuite, comptons encore environ une demi-heure pour subir le protocole de ces cinglés de l'Échelle... sauf s'ils décident de réunir un tribunal, comme la dernière fois que je suis tombé entre leurs griffes. Ce soir, je trouverai un moyen d'y couper. Je devrais être de retour vers sept heures au plus tard. C'est-à-dire dans deux heures.

Ils s'étaient assis côte à côte sur le rebord, et Daniel avait posé ses jambes en travers d'un aigle doré qui surplombait majestueusement la ville. Luce avait les cheveux humides, mais elle se persuada qu'elle n'avait pas froid... et bientôt, elle n'y pensa plus.

— Tu es inquiet? demanda-t-elle à son ange. Tu as peur pour nos amis?

— Mais non, l'Échelle ne leur fera rien!

— Pourquoi a-t-elle blessé Daedalus, dans ce cas?

Elle se représenta Arriane avec les yeux pochés, Roland avec les dents cassées et sanguinolentes. Cette vision de terreur lui fut insupportable.

— Oh! ils prennent plaisir à faire souffrir, répondit-il, et il est possible que nos amis passent un mauvais quart d'heure. Mais leurs blessures ne seront pas mortelles. Les membres de l'Échelle ne tuent pas. Ce n'est pas leur style.

— Quel est leur style, alors? Tu ne m'as toujours pas dit qui ils sont ni comment nous allons les combattre.

— Eh bien... L'Échelle a été formée après la Chute. C'est un petit groupe de... d'anges mineurs. Pendant l'Appel, on leur a demandé en premier de quel côté ils voulaient se placer, et ils ont choisi le Trône.

— Il y a eu un appel, comme dans une salle de classe? s'étonna Luce.

Elle n'était pas sûre d'avoir compris.

– Après le schisme qui s'est produit au Paradis, on nous a demandé de choisir notre camp. Nous avons été appelés les uns après les autres pour faire allégeance au Trône, en commençant par les anges les moins importants, expliqua Daniel, dont le regard se perdit dans le lointain, comme s'il revivait la scène. Il a fallu des siècles pour faire l'appel de tous les anges. Mais cet appel n'a pas pris fin avant...

Daniel se tut un instant et prit une inspiration.

– Avant quoi ?

– Avant qu'il se passe une chose qui conduise le Trône à perdre foi en ses anges...

Daniel hésita à poursuivre son récit. Luce comprit que ce n'était pas parce qu'il ne lui faisait pas confiance, ni parce qu'il craignait qu'elle ne suive pas bien. Sans doute jugeait-il que, malgré tout ce qu'elle avait vécu et appris, il était peut-être encore trop tôt pour lui révéler la vérité. Aussi ne posa-t-elle plus de questions, en dépit de sa grande curiosité.

– Le Paradis a banni tous ceux qui ne s'étaient pas rangés de son côté, poursuivit-il. Tu t'en souviens ? Je t'ai dit qu'un certain nombre d'anges n'avaient jamais choisi. Ces anges-là étaient parmi les derniers sur la liste, parmi les plus importants. (Il ferma les yeux.) Alors l'Échelle, qui avait réussi à passer pour loyale, s'est introduite dans la brèche.

– Et donc, puisqu'elle avait fait serment de fidélité au Paradis avant eux...

– ... elle a décrété qu'elle bénéficiait d'un surcroît d'honneur, compléta Daniel. Depuis, elle s'est autoproclamée porte-parole officiel du Paradis. Mais ce privilège est une pure invention de sa part. Après la disparition des archanges, lors de la Chute, elle en a profité pour se saisir de ce pouvoir laissé vide. Ses membres se sont attitré un rôle de toutes pièces, et ils ont convaincu le Trône de leur importance.

– Ils ont fait du « lobbying » auprès de Dieu ?

– Plus ou moins. Ils ont promis de ramener les déchus au Paradis, de rassembler ceux qui s'étaient dispersés, de les reconduire dans le troupeau. Ils ont passé quelques millénaires à nous presser de rentrer dans le rang, mais au bout d'un moment, ils ont arrêté. Maintenant, ils essaient surtout de nous mettre des bâtons dans les roues pour tout et n'importe quoi.

Les yeux de Daniel luisaient de colère. Luce se demanda ce qu'il pouvait bien y avoir de mauvais au Paradis pour qu'il préfère l'exil. Harcelé sans cesse comme il l'était, pourquoi ne choisissait-il pas la paix céleste ?

Avec un rire amer, il reprit :

– Mais les anges dignes de ce nom qui sont retournés au Paradis n'ont pas eu besoin de l'Échelle pour y parvenir. Demande à Gabbe, ou à Arriane. Laisse-moi rire ! Mais l'Échelle a quand même remporté un ou deux succès.

– C'est... parce que tu n'as choisi aucun côté qu'ils te pourchassent ?

En bas, un tramway rouge rempli à craquer contourna la place circulaire, puis s'engagea dans une rue étroite. Daniel le suivit des yeux, avant d'ajouter :

– Oui. Ils me courent après depuis des années... Ils racontent des mensonges, ils montent des scandales...

— Et malgré tout ça, tu ne t'es jamais rangé du côté du Trône. Pourquoi?

— Ce n'est pas simple...

— Pourtant, il est clair que tu ne vas pas te rallier à Lucifer!

— Tu as raison, mais je ne peux pas t'expliquer en quelques minutes des discussions qui ont duré des milliers d'années. Le problème est compliqué. Il y a des facteurs que je ne contrôle pas... Et être obligé de choisir, c'est une insulte, une insulte envers le Créateur que d'exiger de quelqu'un qu'il réduise l'immensité de son amour à un tout petit geste pendant un Appel. (Il soupira.) Je ne sais pas... je suis peut-être trop sincère.

— Non..., commenta Luce.

— En clair, l'Échelle, c'est un tas de bureaucrates célestes. Des sortes de proviseurs de lycée qui brassent des papiers et infligent des punitions pour des broutilles dont tout le monde se fiche, au nom de la «moralité».

Luce laissa errer son regard sur la ville qui se drapait lentement dans un manteau d'obscurité. Elle pensa au proviseur-adjoint de Dover, dont elle ne se rappelait pas le nom... Cet homme à l'esprit étriqué qui avait si mauvaise haleine... Il n'avait jamais rien voulu écouter et avait signé ses papiers d'expulsion après l'incendie qui avait tué Trevor.

— Moi aussi, j'ai été victime de gens comme ça, dit-elle.

— Comme tout le monde! Les membres de l'Échelle sont très à cheval sur les règles qu'ils ont inventées. Personne ne les aime; malheureusement, le Trône leur a donné le pouvoir de nous contrôler, de nous détenir sans motif, de nous faire condamner par un jury de leur choix.

Luce frissonna.

– Et tu crois qu'ils détiennent Arriane, Roland et Annabelle?

Daniel soupira.

– Je *sais* qu'ils les détiennent. Ils sont tellement aveuglés par leur haine qu'ils ne comprennent pas qu'en nous retardant ils aident Lucifer.

Il déglutit avec peine avant d'avouer:

– Ce que je crains le plus, c'est qu'ils aient aussi la relique.

Ils virent alors se matérialiser au loin quatre paires d'ailes miteuses qui bravaient le brouillard. Des Bannis! Ils se levèrent d'un bond pour les accueillir.

Les nouveaux arrivants atterrirent à côté de Luce et replièrent leurs ailes en les faisant craquer comme du papier. Leurs visages n'exprimaient aucune émotion; rien, dans leur attitude, ne laissait filtrer le résultat de leur entreprise.

– Alors? interrogea Daniel.

– L'Échelle a investi un endroit près du fleuve, annonça Vincent en pointant le doigt vers la grande roue. C'est un musée. Ils se sont installés dans une partie actuellement en rénovation qui sert d'entrepôt. Comme elle est couverte d'échafaudages, on ne voit rien de l'intérieur. Et il n'y a pas d'alarme.

– Vous êtes certains qu'il s'agit bien de l'Échelle? insista l'ange.

L'un des Bannis opina du chef.

– En nous approchant, nous avons aperçu les insignes qui sont peints sur leurs nuques : les étoiles dorées à sept branches qui représentent les sept vertus.

– Vous avez vu Roland, Arriane et Annabelle ? s'inquiéta Luce.

– Ils les ont capturés, et leur ont attaché les ailes, répondit Vincent.

La jeune fille se détourna en se mordant les lèvres. C'était un supplice intolérable pour des anges ! Elle ne pouvait imaginer Arriane empêchée de déployer ses ailes iridescentes. Et existait-il une matière assez solide pour restreindre le pouvoir des ailes marbrées de Roland ?

– Dépêchons-nous d'aller à leur secours ! s'écria-t-elle.

– Et la relique ? demanda Daniel en baissant la voix.

Mais Luce l'avait entendu et elle le fixa, ébahie. Que leur importait la relique ?

– Daniel, nos amis sont en danger ! protesta-t-elle.

– Tu sais s'ils l'ont ? insista l'ange.

Voyant l'air scandalisé de Luce, il la prit par la taille et lui expliqua :

– Tout, absolument tout est en danger ! Nous irons évidemment à leur rescousse, mais nous devons aussi récupérer cette relique.

– Nous n'avons aucun renseignement à ce sujet, intervint Vincent. L'entrepôt est très bien gardé. Ils se préparent à ton arrivée, Daniel Grigori.

Ce dernier, tourné vers la ville, fouillait le fleuve du regard comme s'il cherchait à déceler le musée, l'entrepôt... Ses ailes palpitaient déjà.

— Ils ne perdent rien pour attendre ! fulmina-t-il.

— Non ! le supplia Luce. C'est un piège ! Et s'ils te prennent en otage, comme les autres ?

— Je vais suivre bien gentiment leur protocole et flatter leur vanité. Comme ça, ils ne m'emprisonneront pas. Et j'y vais seul.

À l'adresse des Bannis, il précisa :

— Sans arme.

— Les Bannis sont chargés de ta protection, objecta Vincent de sa voix monocorde. Nous te suivrons à distance et...

— Non ! fit Daniel en levant la main pour l'arrêter. Vous prendrez position sur le toit de l'entrepôt. Vous y avez senti la présence de membres de l'Échelle ?

Vincent confirma d'un signe de tête.

— Oui, il y en a quelques-uns. Mais la majorité se trouve près de l'entrée principale.

— Très bien. Je vais utiliser leur propre procédure contre eux. Quand je me présenterai devant la porte d'entrée, ils se feront un plaisir de m'identifier, de me fouiller et de rechercher tout ce qui pourrait leur paraître illégal. Ça leur fera perdre du temps, et de ce fait, ça détournera leur attention. Vous, vous en profiterez pour vous frayer un chemin jusqu'à l'entrepôt, et libérer les trois nôtres. Et si vous vous trouvez en face d'un membre de l'Échelle...

D'un même mouvement, ses interlocuteurs entrouvrirent leurs trench-coats pour montrer leurs flèches d'argent et leurs arcs.

— Vous n'avez pas le droit de les tuer, leur rappela Daniel.

– S'il te plaît, Daniel, plaida Vincent. Il vaut mieux s'en débarrasser ! Ça nous facilitera la tâche !

– N'oublions pas que l'Échelle représente elle aussi un contre-équilibre essentiel aux forces de Lucifer. Vous êtes assez rapides pour éviter de vous faire prendre dans leurs capes. Nous avons juste besoin de les retarder, et pour ça, il suffira de les menacer.

– Mais eux ne cherchent qu'à te retarder, *toi* ! protesta Vincent. Tous ces retards finiront par nous conduire droit au néant !

Luce commençait à se demander ce qu'elle devenait dans ce plan, lorsque Daniel la prit dans ses bras.

– J'ai besoin que tu restes ici et que tu surveilles la relique, dit-il.

L'auréole était posée contre le socle de la statue du guerrier, ruisselante de pluie.

– Je t'en prie, ajouta-t-il, ne discute pas. Nous ne pouvons pas laisser l'Échelle s'en approcher. Tu seras plus en sécurité ici, et elle aussi. Olianna restera avec toi pour te protéger.

Luce regarda la Bannie qui tourna vers elle des yeux gris et vides.

– D'accord, dit-elle.

– Espérons que la deuxième relique se trouve toujours dans la nature, dit-il en se préparant à s'envoler. Dès que les autres auront été libérés, nous verrons comment faire pour mettre la main dessus tous ensemble.

Luce ferma les yeux et embrassa Daniel en le serrant fort contre elle.

Une seconde plus tard, il s'élevait dans le ciel. Ses ailes rapetissèrent à mesure qu'il s'éloignait dans la nuit, flanqué des trois Bannis. Bientôt ils furent réduits à la taille de quelques grains de poussière perdus dans les nuages.

Olianna n'avait pas changé de place. Elle se tenait si droite et si raide que, avec son trench-coat, ses mains jointes sur sa poitrine et ses cheveux blonds sévèrement tirés en arrière, on pouvait la confondre avec une des statues dressées sur le toit.

Elle plongea la main à l'intérieur de son manteau, et en sortit une flèche d'argent qu'elle tapota de la main. Effrayée, Luce recula de quelques pas.

– N'aie pas peur, Lucinda Price, dit sa garde du corps. Je veux simplement être prête au cas où un ennemi approcherait.

La jeune fille préféra ne pas penser à l'ennemi que la Bannie imaginait. Elle s'assit sur le toit derrière la statue du guerrier à la lance dorée pour se protéger du vent. Ensuite, elle se tourna vers la haute tour de brique brune où se trouvait l'horloge dorée. Cinq heures trente.

– Tu veux t'asseoir? proposa-t-elle à Olianna, qui s'était placée juste derrière elle, la flèche prête à servir.

– Je préfère monter la garde...

– Oui, c'est vrai, je suppose que tu ne peux pas t'asseoir et *baisser* la garde, murmura Luce, enchantée de sa plaisanterie.

En bas, une sirène hurla et une voiture de police s'engagea dans un rond-point à toute vitesse. Quand elle disparut, un silence pesant s'installa.

De nouveau, Luce consulta l'horloge et cligna des yeux comme si ce geste pouvait l'aider à mieux transpercer le brouillard. Daniel avait-il atteint l'entrepôt maintenant? Que feraient les trois captifs en voyant apparaître les Bannis? Tout à coup Luce se rendit compte que Phil était le seul à posséder une plume de Daniel. Comment les anges sauraient-ils qu'ils pouvaient faire confiance à ses troupes? Elle rentra la tête dans les épaules, inquiète et frustrée. Qu'est-ce qu'elle fabriquait assise sur ce toit, à attendre en faisant des jeux de mots stupides? Pourquoi n'avait-elle aucun rôle actif? Après tout, ce n'était pas après elle que l'Échelle courait. Il aurait beaucoup mieux valu qu'elle porte secours à ses amis ou qu'elle cherche la relique, plutôt que de jouer la damoiselle morfondue en l'attente de son chevalier.

– Te souviens-tu de moi, Lucinda Price? demanda soudain la Bannie, d'une voix si basse que la jeune fille l'entendit à peine.

Intriguée par sa formulation, Luce répondit par une autre question:

– Pourquoi les Bannis se mettent-ils à nous appeler par nos noms entiers?

– C'est un signe de respect, Lucinda Price. Nous sommes vos alliés à présent. À toi et à Daniel Grigori. Tu te souviens de moi? répéta la fille en penchant la tête vers elle, l'arc et la flèche inclinés contre son épaule.

Luce réfléchit une seconde.

– Tu faisais partie des Bannis qui se battaient contre les anges dans le jardin, chez mes parents?

– Non.

– Excuse-moi. Je ne me souviens pas de tout mon passé. Nous nous sommes donc déjà rencontrées ?

Olianna releva un tout petit peu la tête.

– Oui. Nous nous connaissions avant.

– Quand ?

La fille haussa légèrement les épaules, et Luce s'aperçut soudain qu'elle était jolie.

– Juste avant. C'est... difficile à expliquer, répondit-elle.

– Qu'est-ce qui n'est pas difficile à expliquer dans cette histoire ? jeta Luce.

Elle se retourna avec agacement. Elle n'avait pas envie de se fatiguer à décoder une nouvelle conversation cryptée. Elle mit ses mains glacées dans les manches de son sweat-shirt et observa la circulation qui encombrait les rues, les voitures qui se faufilaient dans tous les espaces libres, les gens en longs manteaux sombres chargés de paquets qui marchaient sur des ponts illuminés.

Luce se sentait affreusement seule. Est-ce que sa famille pensait à elle ? Est-ce que ses parents l'imaginaient dans la chambre exiguë où elle dormait à Sword & Cross ? Est-ce que Callie était rentrée à Dover ? Était-elle pelotonnée dans un fauteuil devant la fenêtre de sa chambre, en train de faire sécher son vernis à ongles rouge foncé, en racontant au téléphone son étrange week-end de Thanksgiving à une autre amie ?

Un nuage noir passa devant l'horloge et s'en alla au moment où elle sonnait six heures. Daniel était parti depuis une heure. Cela semblait aussi long qu'une année entière.

Luce regarda les cloches de l'église qui se balançaient, et repensa aux vies qu'elle avait vécues avant l'invention du temps linéaire, quand il était synonyme de saisons, de semailles et de moissons.

Après le dernier coup de six heures, un bruit sec résonna à côté d'elle... Elle se retourna juste au moment où Olianna tomba à genoux, et atterrit lourdement dans ses bras.

La Bannie avait reçu un coup à la tête. Derrière elle se tenait un immense personnage en houppelande noire, au visage craquelé de rides, qui semblait incroyablement vieux. Des couches de peau flasque pendaient sous ses yeux bleus vitreux ; ses lèvres étaient retroussées sur des dents jaunâtres. Dans son énorme main droite, il tenait le mât qu'il avait dû utiliser comme arme. Le drapeau autrichien, à l'extrémité de la hampe, balayait le sol.

La jeune fille se releva d'un bond en serrant les poings, tout en sachant parfaitement qu'elle n'était pas de taille face au monstre qu'elle avait devant elle. Elle vit que ses petites ailes étaient d'un bleu très pâle, presque blanc. Elles paraissaient disproportionnées par rapport à sa haute taille. Sur le devant de sa cape brillait une plume dorée marbrée de noir. Luce connaissait l'ange à qui elle appartenait. Mais pourquoi Roland avait-il donné l'une de ses plumes à cette créature... ?

Puis elle comprit. Cette plume était abîmée, et il en manquait un bout. Sa pointe était tachée de sang séché. Et au lieu d'être droite comme la plume brillante que Daniel avait remise à Phil, celle-ci semblait miteuse. Roland n'avait rien confié du tout. Visiblement, c'était un piège.

– Qui es-tu ? interrogea-t-elle. Que veux-tu ?

– Parle-moi avec respect ! lui intima l'autre, d'une voix faible et chevrotante.

– Il faudrait que tu le mérites ! répliqua Luce.

En ricanant, le monstre inclina la tête et baissa son col pour lui montrer sa nuque. Luce remarqua alors un symbole doré, qui scintilla à la lueur des lampadaires de la rue. L'étoile peinte sur sa peau comptait sept branches.

C'était un membre de l'Échelle.

– Alors ? Ça y est ? Tu me reconnais, maintenant ? persifla-t-il.

– C'est comme ça que travaillent les forces du Trône ? En assommant des anges innocents ?

– Il n'y a pas de Bannis innocents. Et d'ailleurs, nul n'est considéré comme tel jusqu'à preuve du contraire.

– Tu n'as aucun sens de l'honneur : tu as frappé une Bannie par-derrière !

– Insolente ! proféra le vieillard avec une grimace menaçante. Ça ne te mènera pas loin.

– Justement, je ne veux aller nulle part avec toi !

Luce jeta un coup d'œil à Olianna ; sa main blanche tenait une flèche d'argent.

– Et pourtant, c'est ce que tu vas faire ! répliqua la créature.

Au moment où il bondissait sur elle, Luce attrapa la flèche d'argent. Mais le vieillard était beaucoup plus fort et rapide qu'il n'en avait l'air. Il la lui arracha prestement, lui lança une gifle qui l'envoya au sol et maintint la pointe contre son cœur.

« Ils ne peuvent pas tuer les mortels. Ils ne peuvent pas tuer les mortels », se répéta-t-elle pour se rassurer. Mais elle se souvint du marché qu'elle avait conclu avec Bill: une partie immortelle d'elle-même pouvait être tuée. Son âme. Et elle ne voulait pas s'en séparer, après tout ce qu'elle avait traversé.

Alors qu'elle s'apprêtait à lui administrer un bon coup de pied, le monstre jeta brusquement la flèche et l'arc par-dessus le toit. Les deux tourbillonnèrent avant de plonger au-dessus des lampadaires.

Le membre de l'Échelle frotta ses mains contre sa houppelande en marmonnant:

– Bon débarras.

Puis il attrapa rudement Luce par l'épaule pour la remettre debout, avant de retourner la Bannie, qui gémit sans bouger... Sous son corps se trouvait l'auréole d'or.

– Je me disais bien que je la trouverais! s'exclama le vieillard en la ramassant, avant de l'enfouir sous sa cape.

– Non! hurla Luce.

Elle bondit en avant pour tenter de la lui reprendre, mais une nouvelle gifle la projeta contre le rebord. Elle porta la main à son visage. Elle saignait du nez.

– Tu es plus dangereuse qu'il n'y paraît, croassa l'autre. Je ferais bien de t'attacher avant de partir.

Il enleva sa pèlerine d'un geste vif et la passa par-dessus la tête de Luce, qui se retrouva prisonnière. Lorsque le vieillard lui apparut de nouveau, il était vêtu d'une houppelande semblable à celle dont il venait de la couvrir. Il se baissa et tira sur un cordon, qu'il serra comme celui d'une camisole de force. La jeune fille se débattit, donna des coups de pied frénétiques, en vain.

– Daniel ! hurla-t-elle, au désespoir.

– Il ne t'entend pas, rigola le monstre en la prenant sous un bras et en se dirigeant vers le bord du toit. Tu peux crier tant que tu veux, ça ne servira à rien.

VII

DES ANGES LIGOTÉS

Plus elle bougeait, plus le lien semblait se resserrer. La corde comprimait ses épaules en écrasant ses côtes, lui coupant presque la respiration.

L'ange de l'Échelle la portait sous son bras osseux. Le visage enfoui dans la houppelande malodorante dont il était vêtu, elle n'entendait que le sifflement du vent, ponctué par le battement des ailes de son ravisseur.

Où l'emportait-il ? Comment faire pour prévenir Daniel ?

Ils planèrent quelque temps, puis le monstre émit un son rauque et furieux.

– Alerte ! glapit-il.

Aussitôt, ils descendirent en piqué. Luce ne pouvait réprimer des cris de terreur... Un bruit de verre brisé la fit taire.

Des débris s'infiltrèrent dans sa camisole de force, traversèrent le tissu de son jean. Puis la peau de ses jambes s'enflamma, comme brûlée par des milliers de pointes de feu.

Quand son ravisseur se posa sur le sol, Luce trembla sous l'impact. Il la lâcha brutalement et elle retomba sur le côté, roula et se retrouva allongée à proximité d'un long établi chargé de vieux chiffons et de porcelaine. Tant bien que mal, elle réussit à se faufiler sous cet abri temporaire. Mais la corde qui maintenait son habit commençait déjà à s'enrouler autour de sa gorge.

Elle se trouvait dans une vaste pièce caverneuse et glacée. Le sol était constitué d'une mosaïque de carreaux triangulaires gris et rouges. Les murs étaient en marbre de couleur moutarde, comme les massifs piliers carrés qui se dressaient au centre de la pièce. D'environ douze mètres de haut, le plafond était percé d'une longue rangée de lucarnes. Une vitre brisée s'ouvrait sur le ciel nocturne gris foncé. C'était sans doute par là que son ravisseur avait pénétré.

Ce repaire devait être l'aile du musée que l'Échelle avait investie, celle dont Vincent avait parlé. Sans doute Daniel était-il à l'extérieur... tandis qu'Arriane, Annabelle et Roland devaient être cachés quelque part à l'intérieur ! Son cœur se serra.

Les Bannis avaient raconté qu'ils avaient les ailes attachées. Étaient-ils dans la même mauvaise posture qu'elle ?

Et dire qu'elle était arrivée jusque-là, mais qu'elle ne pouvait même pas les aider...

Les bottes noires crottées de l'horrible créature apparurent devant son nez. Elle leva les yeux. Braquant sur elle un regard torve, le vieillard se pencha en dégageant une odeur affreuse d'antimite, leva sa main gantée de noir... qui retomba aussitôt comme s'il avait reçu un coup.

Il s'affala lourdement sur la table en bois et la renversa. La tête de statue avec laquelle, apparemment, on l'avait frappé tomba et s'arrêta à côté du visage de Luce.

Vite, celle-ci roula sur elle-même pour se cacher sous la table. Du coin de l'œil, elle aperçut des ailes bleues. D'autres membres de l'Échelle ! Quatre d'entre eux volèrent en formation vers une niche creusée dans le mur à mi-hauteur... dans laquelle elle découvrit Emmet, muni d'une longue scie d'argent qu'il brandissait vers ses assaillants.

C'était lui qui avait dû assommer le vieillard ! Jamais elle n'aurait pensé être un jour aussi heureuse de voir un Banni.

Emmet était entouré de sculptures, certaines enveloppées, d'autres empilées, posées sur des socles et des piédestaux... et de quatre anges de l'Échelle incroyablement vieux qui volaient à sa rencontre, capes ouvertes, tels des vampires de second rang. Ils ne semblaient pas posséder d'autre arme que ces vêtements noirs et raides, et Luce savait que cette arme originale était barbare. Elle retint un cri de stupeur en voyant Emmet sortir une flèche d'argent d'un carquois caché sous son trench-coat et la brandir devant lui. Daniel avait fait promettre aux Bannis de ne pas tuer de membres de l'Échelle !

Ces derniers entamèrent une lente retraite en hurlant, si fort que le ravisseur de Luce remua. Puis le Banni fit une chose incroyable : il pointa son arme sur lui-même. Or, quand Daniel avait été sur le point de se suicider, au Tibet, Luce avait ressenti son profond désespoir. Mais ce n'était pas du tout ce qui émanait du Banni. Au contraire, il observait les visages parcheminés qui lui faisaient face avec un air de défi et de parfaite assurance.

Devant l'étrange comportement du Banni, les membres de l'Échelle s'enhardirent. Lentement, ils se rapprochèrent de lui et l'entourèrent comme des vautours prêts à sauter sur une carcasse abandonnée dans le désert. Luce ne pouvait voir toute la scène et se demandait ce que fabriquaient les autres Bannis. Et Phil, où était-il ? L'Échelle les avait-elle déjà réduits à l'impuissance ?

Soudain, un bruit de tissu qui se déchire résonna. Les membres de l'Échelle restèrent immobiles, leurs larges houppelandes écartées. Puis un son tranchant fendit l'air, suivi d'un nouveau craquement de tissu... et les quatre membres de l'Échelle tombèrent comme des poupées de chiffon, mâchoires pendantes, yeux écarquillés, manteaux en loques, ouverts sur des cœurs et des poumons noirs secoués de spasmes et dégoulinants de sang bleu pâle – Daniel avait interdit aux Bannis d'utiliser leurs flèches d'argent pour les tuer, mais non pour les blesser...

Luce leva les yeux vers la niche où Emmet était en train de nettoyer le sang qui maculait l'empennage de sa flèche. C'était la première fois, à sa connaissance, qu'une flèche d'argent avait été utilisée à l'envers. Apparemment, l'Échelle ignorait, elle aussi, que c'était possible.

– Lucinda est-elle ici ?

C'était la voix de Phil qui lui parvenait du toit.

– Oui ! cria-t-elle sans pouvoir s'empêcher de faire un bond, ce qui eut pour effet de resserrer encore le manteau autour de sa gorge.

L'énorme botte noire qui pendait de la table lui frappa le nez. Ses yeux se remplirent de larmes. Son kidnappeur avait repris conscience ! Affolée, elle se tapit un peu plus loin sous la table. La cape s'enroula encore davantage autour de sa gorge et lui coupa la respiration. Prise de panique, elle chercha l'air désespérément, en se tortillant comme une malheureuse.

Elle repensa à Venise. Sous l'eau, elle avait réussi à retenir son souffle très longtemps. Elle se rappela alors les paroles de Daniel : par sa simple volonté, elle avait prouvé qu'elle pouvait surmonter ses limites à tout moment. Et c'est ce qu'elle fit : elle s'ordonna de rester en vie.

Mais déjà son ravisseur repoussait l'établi à coups de pied, envoyant par terre les pièces de poterie et les bouts cassés de sculptures anciennes.

– Tu n'as pas l'air... très à l'aise, s'esclaffa-t-il en exhibant des dents tachées de sang.

Il tendit une main gantée de noir vers le bord du manteau de Luce, puis se figea. Une flèche d'argent venait de se ficher à l'endroit où, une seconde plus tôt, se trouvait encore son œil droit. Le sang jaillit de l'orbite vide et aspergea Luce. Le monstre poussa un hurlement et traversa la pièce d'un pas chancelant.

Des mains blanchâtres apparurent devant les yeux de Luce, puis les manches d'un trench-coat élimé, suivies d'une tête blonde rasée. Phil s'agenouilla devant la jeune fille, le visage aussi inexpressif qu'à l'accoutumée.

– Te voilà, Lucinda Price, s'exclama-t-il en l'attrapant par le col de l'horrible manteau noir.

Il souleva Luce et l'assit sur une table. Aussitôt, elle s'affaissa sur le côté, incapable de se tenir droite. Emmet la releva sans manifester plus d'émotion que son frère banni.

Enfin, elle put mieux examiner les lieux. Devant elle, quelques marches menaient à une grande réserve. Au centre de la pièce, un énorme lion sculpté, à la crinière jaune abîmée, montrait les dents, posé sur ses deux pattes arrière.

Le sol était jonché d'ailes bleu-gris. Ce spectacle lui rappela le parking recouvert de sauterelles qu'elle avait vu un jour en Géorgie après une tempête. Les anges de l'Échelle n'étaient pas morts – ils ne s'étaient pas désintégrés en poussière de flèches d'argent –, mais ils gisaient par terre, inconscients. Il y en avait tant que les Bannis ne pouvaient faire un pas sans marcher sur les corps. Phil et Emmet avaient bien travaillé : ils en avaient mis au moins cinquante hors d'état de nuire. Ici ou là, quelques courtes ailes remuaient légèrement, mais c'était tout.

Les six Bannis – Phil, Vincent, Emmet, Sanders, l'autre fille dont Luce ne connaissait pas le nom, et même Daedalus avec son pansement sur le visage – débarrassaient leurs trench-coats des morceaux de tissu et des fragments d'os qui les maculaient.

La fille blonde, celle qui avait aidé Phil et Daniel à soigner Daedalus, attrapa une ennemie de l'Échelle par les cheveux et lui tapa brutalement la tête contre un pilier. La vieille sorcière hurla un moment, puis se tut.

Phil se battait avec la camisole de force qui emprisonnait Luce. Il avait beau être aveugle, il n'en était pas moins agile. Et tandis qu'il luttait pour défaire la corde, un ange de l'Échelle atterrit sur la jeune fille, inconscient. Sa joue fripée vint se coller entre sa nuque et son épaule. En sentant le sang chaud s'écouler dans son cou, elle eut un frisson de dégoût.

D'un coup de pied, Phil la débarrassa de l'intrus en l'envoyant rejoindre son ravisseur borgne, qui continuait à tourner dans la pièce d'un pas lourd, en répétant : « Qu'est-ce que j'ai fait pour mériter ça ? Moi qui fais tout ce qu'il faut, comme il le faut ! »

– Il a volé l'auréole..., dit Luce.

Mais Phil surveillait la masse informe des ailes gisant au sol et ne prêta pas attention à ses paroles. Un membre de l'Échelle corpulent et chauve s'était relevé. Il s'avançait par-derrière, la pèlerine ouverte au-dessus de la tête de Daedalus, prêt à l'attraper.

– Je reviens tout de suite, Lucinda Price, annonça Phil.

La laissant à moitié chancelante sur la table où elle était toujours empaquetée, il plaça une flèche à pointe d'argent sur son arc et surgit devant la créature qui menaçait Daedalus.

– Allez, vas-y, jette ton manteau, Zaban !

La jeune fille constata avec surprise qu'il connaissait le nom de son ennemi, puis se rappela que tous les anges avaient vécu ensemble au Paradis.

Zaban avait des yeux bleus et des lèvres bleuâtres. Il considéra la flèche pointée sur lui d'un air presque réjoui. Il rejeta la houppelande par-dessus son épaule et se retourna pour faire face à Phil, qui libéra Daedalus, et attrapa un membre de l'Échelle par les pieds. Il lui fit faire trois tours avant de l'envoyer par une fenêtre.

Zaban défiait Phil, les yeux fixés sur la flèche.

– Tu veux faire pencher la balance du côté de Lucifer ? dit-il. Je me demande pourquoi ça ne me surprend pas.

– Ta petite mort, mon pauvre, n'infléchira pas la balance, cracha Phil avec mépris.

– Peut-être, mais au moins, nous, nous comptons pour *quelque chose* ! Mises toutes ensemble, nos vies font la différence. La justice fait toujours la différence. Vous, les Bannis, vous ne représentez rien. Voilà pourquoi vous ne comptez pour rien.

Ces paroles, et l'air narquois avec lequel il les prononça, furent plus que Phil n'en pouvait supporter. Séance tenante, et sans aucun état d'âme, le Banni lui décocha sa flèche en plein cœur.

– Tiens, voilà ce que je représente ! marmonna-t-il, en s'attendant à ce que le vieillard aux ailes bleues se réduise en poussière.

Mais la flèche rebondit sur la cape de Zaban et retomba sur le sol avec un bruit sec.

– Comment...? balbutia Phil, stupéfait.

Zaban éclata de rire et sortit un objet d'une poche secrète de sa houppelande. En se penchant en avant pour voir comment il s'était protégé, Luce glissa de la table et tomba par terre.

La prisonnière ne se laissa pas décourager par sa mésaventure. Elle se souleva légèrement et vit que l'ange de l'Échelle avait extrait de sa cape un volume relié d'un cuir de la même teinte bleue que ses ailes, entouré d'une cordelette dorée. On aurait dit une Bible, comme celles que les soldats de la guerre de Sécession introduisaient dans leurs poches de poitrine dans l'espoir qu'elles protégeraient leurs cœurs.

C'était exactement le rôle qu'avait joué ce livre. Luce gigota sur le sol pour tenter de lire le titre. Mais il était encore assez loin.

D'un seul et même geste, Phil récupéra sa flèche et envoya le livre au loin. Par chance, il atterrit à quelques centimètres de Luce. Elle se tortilla, rampa tant bien que mal, pour s'en rapprocher. Car il lui semblait l'avoir déjà vu, longtemps auparavant. Enfin, elle parvint à déchiffrer les lettres dorées inscrites sur le dos :

Une chronique des Déchus.

Zaban se précipita et s'arrêta devant la jeune fille, soudain exposée à tous les regards. Elle gisait par terre, au centre de la pièce.

Avec un regard furibond, le vieillard empocha le livre en lui lançant :

– Ne t'avise pas de lire cela! la menaça-t-il. Tu n'as pas le droit de voir tout ce qui a été accompli par les ailes de l'Échelle. Ni ce qu'il reste à faire pour obtenir l'ultime balance, la balance harmonieuse. Tu as toujours été trop occupée pour tenir compte de la justice... Tu n'as fait qu'agir en égoïste, et passer ton temps à tomber et à retomber amoureuse...

Certes, Luce était remplie de haine à l'égard des membres de l'Échelle, mais s'il existait une chronique des Déchus, même écrite par eux, elle brûlait d'envie de la lire..., de connaître les noms écrits dans ces pages, pour voir où figurait celui de Daniel. De trouver l'identité de l'unique ange qui pouvait faire pencher la balance d'un côté ou de l'autre.

Mais Zaban n'eut pas le temps de poursuivre car des ailes d'un blanc lumineux l'aveuglèrent. Un ange descendait par la plus grande des lucarnes brisées.

Alors Daniel se posa devant elle. Il examina la cape qui lui enserrait le cou, et se mit aussitôt à tirer dessus.

Phil se saisit d'une petite pioche posée sur une table et la brandit au-dessus de la poitrine de Zaban. L'ange de l'Échelle fit un écart pour tenter d'esquiver le coup. La lame lui trancha la main d'un coup. Horrifiée, le cœur au bord des lèvres, Luce vit le poing blanchâtre de Zaban rebondir sur le sol. Si du sang bleu n'en avait pas coulé à flots, on aurait pu croire qu'il provenait de l'une de ces antiques statues.

– Fais donc un nœud, comme tu en as l'habitude! persifla Phil en voyant Zaban partir à la recherche de sa main parmi les corps inertes jonchant le sol.

Daniel tirait de plus belle sur les liens, sans succès. Il s'inquiéta de savoir si Luce souffrait.

La force brute se révélant inefficace, il opta ensuite pour une méthode plus stratégique en essayant de trouver le début du lien.

– Je l'avais il y a quelques secondes, marmonna-t-il, mais il s'est perdu à l'intérieur de la cape.

Luce avait confiance. Elle savait qu'il parviendrait à la délivrer.

Néanmoins, elle réfléchit au moyen de l'aider. Elle ferma les yeux et se laissa emporter vers sa vie à Tahiti. Daniel était un marin alors, et il lui avait appris à faire toutes sortes de nœuds durant les après-midi tranquilles qu'ils passaient sur la plage. Il y avait le papillon alpin, une boucle perpendiculaire en milieu de corde et deux ailes lobées de part et d'autre, parfaites pour supporter de lourdes charges sur une ligne. Ou le nœud de cœur, simple en apparence, mais qui ne pouvait être défait que par quatre mains travaillant en même temps ; chacune d'elles devait faire une boucle à partir d'une partie différente du cœur...

Sa prison de tissu était si serrée que Luce était dans l'incapacité de bouger le petit doigt. Daniel, en passant ses doigts sur le col, ne fit que resserrer l'étreinte. Il poussa un juron.

– Je n'y arrive pas ! s'écria-t-il, désespéré. Cette camisole maléfique est composée d'un nombre de nœuds inimaginable. Il n'y a qu'un de ces fous de l'Échelle qui puisse dénouer tout ça. Qui t'a mise là-dedans ?

Luce désigna de la tête son ravisseur qui gémissait sur son sort, affalé dans un coin à côté d'un faune de marbre, la flèche plantée dans son œil. Elle aurait aimé tout raconter à son amoureux, mais elle était tellement comprimée qu'elle ne pouvait même pas parler.

Phil attrapa le coupable par le col et lui administra trois gifles pour le faire cesser de geindre. La plaie de son œil formait une épaisse croûte de sang séché.

– Défais cette corde, Barach! ordonna Daniel, qui avait reconnu le monstre.

– Sûrement pas! répondit ce dernier, avant de cracher un jet de sang bleu, ainsi que deux minuscules dents acérées.

En un éclair, Phil lui pointa une flèche d'argent entre les deux yeux.

– Daniel Grigori t'a ordonné de défaire ce lien. Tu vas obéir.

Barach sursauta et regarda la flèche avec dédain.

– C'est mal! C'est mal!

Une ombre noire s'étendit sur Phil. La vieille sorcière aux ailes mitées avait repris conscience... et elle s'avançait vers lui avec la pioche qu'il avait utilisée contre Zaban... quand tout à coup, elle fut transformée en poussière. À trois mètres derrière elle se trouvait Vincent, un arc vide à la main. Le guerrier fit un signe de tête à Phil, puis retourna inspecter le sol.

Daniel marmonna:

– Il ne faut pas trop en éliminer. L'Échelle compte quand même dans la balance.

– Hélas...! rétorqua Phil, avec un peu d'envie dans la voix. Nous en tuerons le moins possible, Daniel Grigori. S'il ne tenait qu'à nous, nous les ferions tous disparaître. (Il éleva la voix pour permettre à Barach de l'entendre.) Bienvenue au royaume des aveugles! Les Bannis ont plus de pouvoirs que tu ne crois. Je te redemande une bonne fois pour toutes de la libérer.

Barach resta un long moment sans réagir, comme s'il pesait le pour et le contre, en clignant de l'unique paupière qui lui restait.

– Défais cette corde! rugit Daniel. Elle a du mal à respirer!

Avec un grognement, l'ange de l'Échelle s'approcha de Luce. Ses mains couvertes de taches de vieillesse défirent une série de nœuds que ni Phil ni Daniel n'avaient vus. Luce dut attendre qu'il se mette à chuchoter des mots tout bas dans sa barbe moisie pour commencer à ressentir un certain soulagement au niveau du cou.

Le manque d'oxygène lui donnait la nausée, mais les mots pénétrèrent dans son esprit embrumé. C'étaient des paroles en hébreu ancien qui signifiaient: *Et le Ciel pleura en voyant les péchés de ses enfants.*

Elle ne savait pas où elle avait appris cette langue, mais c'était un fait, elle la connaissait.

La mémoire lui revint plus vite qu'elle ne l'aurait souhaité: un membre de l'Échelle l'emportait dans une cape... Cela s'était passé très, très longtemps auparavant. Elle avait déjà vécu cette expérience. Et lors de cette mésaventure, elle avait mis les mains là où il ne fallait pas. Elle avait touché à un livre, fermé par un nœud compliqué.

Une chronique des Déchus.

Que faisait-elle avec ? Qu'avait-elle cherché dedans ?

La même chose qu'à cet instant. Les noms des anges qui devaient encore choisir. Et à l'époque non plus, on ne lui avait pas permis de le lire...

Il y avait fort longtemps, Luce avait eu le livre entre les mains, et sans savoir comment, elle avait été à deux doigts de défaire le nœud. Puis était arrivé le moment où le vieillard de l'Échelle l'avait capturée dans la houppelande. Il avait noué et renoué plusieurs fois le lien autour du livre, les ailes parcourues d'intenses frissons. Il avait susurré qu'il faisait cela pour s'assurer que les doigts impurs de Luce n'avaient pas endommagé l'ouvrage sacré. Et la jeune fille l'avait entendu chuchoter des mots, ces mêmes mots étranges, juste avant de verser une larme sur le volume. Le fil d'or s'était alors défait comme par magie.

Elle regarda le vieil ange décrépit. Une larme argentée s'écoula de son œil et roula le long des chicanes de sa joue parcheminée. Il avait l'air sincèrement ému, mais d'une manière un peu supérieure, comme s'il la plaignait du sort qui était réservé à son âme. La larme atterrit sur la houppelande, et les nœuds se défirent mystérieusement.

Elle reprit sa respiration en haletant. Daniel jeta le manteau au loin et la serra fort contre lui. Elle était enfin libre !

Barach s'approcha de son oreille et lui dit :

– Jamais tu n'y arriveras.

– Tais-toi, monstre ! lui ordonna Daniel.

Mais Luce voulait savoir ce que Barach entendait par là.

– Pourquoi ?

– Tu n'es pas celle-là ! dit Barach.

– Silence ! hurla Daniel.

– Jamais, jamais, jamais. Pas dans un million d'années !
psalmodia l'horrible créature en frottant sa joue rugueuse
comme du papier de verre contre celle de Luce... juste
avant que Phil lui décoche une flèche droit dans le cœur.

VIII

QUAND LE CIEL PLEURA

Quelque chose s'abattit à leurs pieds avec un bruit sourd.

– L'auréole ! souffla Luce.

Daniel ramassa aussitôt la relique dorée, qu'il contempla avec émerveillement, en secouant la tête. Dire qu'elle était encore intacte, alors que l'ange de l'Échelle et son étrange vêtement étaient partis en poussière !

– Je regrette d'avoir tué Barach, Daniel Grigori, dit Phil, mais je ne pouvais pas tolérer plus longtemps ses mensonges.

– Il n'a pas mérité mieux, répondit Daniel. Mais tout de même, fais attention avec les autres...

Le Banni lui tendit la sacoche noire.

– Tiens, prends ça. Et évite que les membres de l'Échelle ne le découvrent. Ils aimeraient trop l'avoir !

Daniel ouvrit la sacoche, et Luce vit qu'elle contenait le livre des *Observateurs*.

– Je retourne monter la garde, reprit Phil. Les blessés peuvent se relever à tout moment.

– Tu as fait du bon travail, le félicita Daniel avec conviction. Mais...

– Les autres vont arriver, l'interrompit son interlocuteur. Tu en as aperçu à l'extérieur du musée ?

– Oui, il y en a plein.

– Si tu nous laissais utiliser nos flèches, nous pourrions sécuriser votre fuite...

– Non. Il ne faut pas trop déséquilibrer les forces. Je ne veux plus de morts, sauf absolue nécessité. Dépêchons-nous de sortir d'ici avant que les renforts arrivent. Va monter la garde. Je te rejoins dans un instant.

Phil acquiesça et s'éloigna en repoussant des pieds les ailes bleues qui encombraient le sol.

Dès qu'ils furent seuls, Daniel s'inquiéta de Luce.

La jeune fille examina ses bras, ses jambes et se frotta la nuque. Elle saignait à cause de son vol plané à travers la lucarne. Mais cela ne semblait pas très grave.

– Ça va, s'empressa-t-elle d'affirmer. Dis-moi comment ça s'est passé pour vous.

– Exactement comme nous l'avions prévu. J'ai retenu les membres de l'Échelle pendant que les Bannis pénétraient à l'intérieur. Mais je n'avais pas imaginé qu'ils viendraient t'enlever... Je suis désolé, Luce, je n'aurais pas dû te laisser là-bas...

– Ne te fais pas de souci pour moi, répondit la jeune fille. Et l'auréole est sauvée. Comment vont les autres ?

Soudain, Phil cria :

– Daniel Grigori !

Les deux jeunes gens se précipitèrent dans la salle. Arrivée sur le seuil, Luce s'arrêta net.

Un homme en uniforme bleu marine était étendu sur le sol, face contre terre. Une mare de sang rouge s'agrandissait autour de sa tête... C'était un mortel.

– C'est... c'est moi qui l'ai tué, bafouilla Daedalus, qui tenait à la main un lourd casque de fer, dont la visière était tachée de sang. Il est arrivé en courant à la porte et j'ai cru que c'était un vieux de l'Échelle. Je voulais juste l'assommer...

Un balai et un seau renversé gisaient derrière le cadavre. Ils avaient tué un employé du musée ! L'homme portait une alliance en or, et ses chaussures bien cirées brillaient. Jusque-là, cette bataille contre l'Échelle avait semblé irréelle et brutale, et il y avait eu deux morts, mais elle s'était déroulée en dehors du monde des humains.

Luce eut un haut-le-cœur en voyant le sang couler et s'infiltrer dans les joints des dalles, sans parvenir à détourner les yeux.

Daniel rassura Daedalus.

– Tu t'es trompé, ça peut arriver, mais fais attention, ne baisse pas la garde. D'autres membres de l'Échelle ne tarderont pas à se présenter.

Il balaya la pièce du regard.

– Où sont les anges déchus ?

– Et lui ? s'inquiéta Luce en désignant le mort. On le laisse comme ça ?

Daniel la prit par les épaules et appuya son front contre le sien.

– Son âme s'est envolée vers la paix et la joie, dit-il d'une voix chaude. Beaucoup d'autres vies seront gâchées si nous ne retrouvons pas nos amis et la relique. Il faut sortir d'ici au plus vite !

Luce ravala un sanglot, puis demanda à Phil :

– Où sont-ils ?

De son doigt blanchâtre, il désigna le ciel.

Trois sacs de jute noir étaient accrochés à une poutre transversale à proximité de la lucarne brisée. L'un d'entre eux était déformé par de grosses boursouflures et se balançait, pareil à un cocon.

– Arriane ! hurla Luce.

Le sac se balança davantage.

Puis la voix de fausset d'un vieillard de l'Échelle s'éleva :

– Vous n'arriverez pas à les délivrer à temps ! Nos renforts arrivent ! Nous vous enfermerons tous dans les Capes des Justes et nous traiterons nous-mêmes avec Lucifer !

Phil lança un bouclier de bronze dans sa direction et le vieil ange s'abattit brutalement sur les monceaux d'ailes bleues qui tapissaient le sol.

Le Banni se tourna vers Daniel.

– Dépêchons-nous de les libérer !

Daniel fit le tour de la pièce, à la recherche d'un objet qui pourrait lui servir à délivrer les prisonniers. Après avoir fouillé un peu partout, il avisa une large table de marbre encombrée de papiers et d'outils. C'est là qu'il trouva un long scalpel qui lui sembla convenir.

Il tendit la sacoche à Luce, qui le vit s'élever comme par magie, ses ailes éclatantes de lumière. Quand il eut atteint le plafond, il passa le scalpel le long des chevrons et coupa la corde à laquelle étaient suspendus leurs amis qui atterrirent dans ses bras. Puis il redescendit au sol et déposa côte à côte les trois sacs, d'où dépassait la tête bâillonnée des prisonniers, empaquetés dans les fameuses capes noires. Arriane gesticulait comme une forcenée, avec l'air si furibond qu'elle semblait prête à exploser.

– Daniel Grigori, veux-tu que les Bannis choisissent un volontaire parmi l'Échelle pour t'aider à libérer tes amis ? proposa Phil.

– Jamais nous ne révélerons le secret de nos nœuds ! parvint à siffler le vieillard qui avait déjà parlé. Plutôt mourir !

– Nous aussi, nous préférerions vous voir mourir, renchérit Vincent en s'approchant avec une flèche magique à chaque main.

Joignant le geste à la parole, il en pointa une sur la gorge du monstre.

– Vincent, retire ton arme, lui ordonna Phil.

Daniel était déjà à genoux, s'affairant sur la première houppelande noire, celle de Roland. En vain.

– Peut-être qu'avec une flèche d'argent, on pourrait réussir à couper les liens, suggéra Phil.

– Ça ne marchera pas. Ils ont reçu un sort. Nous avons besoin de l'Échelle.

– Attendez ! s'écria Luce.

Elle s'agenouilla à côté de Roland. Emprisonné dans ce cocon maléfique, cet ange déchu si élégant, si agile, qui battait tous les Néphilim de Shoreline à l'escrime, jouait les disc-jockeys avec talent, ou franchissait les Annonciateurs avec une aisance folle, était réduit à l'impuissance. En le voyant ainsi diminué, elle ressentit une telle colère que les larmes lui montèrent aux yeux.

Les larmes.

C'était ça. Les paroles prononcées en hébreu.

Elle ferma les yeux et revit le fil d'or qui tombait du livre, les lèvres gercées de Barach qui prononçaient une formule...

Grâce à ses voyages, Luce avait acquis le don des langues. Elle répéta la phrase sans connaître son sens, en espérant simplement que cela serait utile :

– Et le Ciel pleura en voyant les péchés de ses enfants.

Alors les nœuds se desserrèrent. La cape glissa sur les flancs de Roland, le bâillon qui fermait sa bouche tomba. L'ange inspira goulûment, tomba à genoux, se releva et déploya ses ailes dorées avec une force stupéfiante. Ses premiers mots furent pour Luce.

– Merci, Lucinda. Je te dois une fière chandelle.

Daniel et la jeune fille vinrent ensuite au secours des deux autres prisonniers : Annabelle et Arriane. Cette dernière avait le plus grand mal à rester tranquille. Ses liens étaient si serrés que Luce craignit de ne pas pouvoir l'aider.

Les regards des deux amies se croisèrent. Arriane émit un petit gémissement de joie. Luce repensa au premier jour de leur rencontre. Elle avait vu cet ange subir des élec-trochocs, avait perçu sa fragilité... À l'époque, elle avait vite ressenti le besoin de la protéger, comme si elle avait été une vieille amie.

Luce sentit rouler le long de sa joue une larme brûlante, qui tomba sur la poitrine d'Arriane. Elle chuchota les mots magiques tandis que Daniel les prononçait pour Annabelle. Levant la tête, elle constata qu'il était aussi ému qu'elle.

Les nœuds se défirent tous au même moment.

Les ailes iridescentes d'Arriane jaillirent, provoquant un puissant souffle d'air, aussitôt suivi d'une brise plus douce quand Annabelle libéra ses ailes d'argent lustrées.

Il ne restait plus qu'à délivrer les deux amies de leur bâillon. Arriane avait eu droit à un morceau de large Scotch sur les lèvres. Quand Daniel tira dessus et l'arracha sèchement, elle exulta :

– Bon sang de bonsoir ! Ah, que ça fait du bien ! s'écria-t-elle en frottant le rectangle de peau enflée qui rougissait le pourtour de sa bouche. Pour Lucinda, hip, hip, hip, hourra !

Sa voix était joyeuse, mais ses yeux humides. S'apercevant que Luce l'avait remarqué, elle s'empressa de les essuyer, puis parcourut le sol jonché d'ailes en faisant une grimace différente à chacun des odieux vieillards, penchée en avant comme si elle se retenait de les frapper. Sa salopette était presque en lambeaux, ses cheveux en bataille étaient gras, et elle avait un gigantesque bleu sur le côté gauche du visage. Les pointes inférieures de ses ailes étaient pliées et balayaient le sol encombré.

– Arriane, chuchota Luce, tu es blessée.

– Mais non, ma puce, pas de souci, rétorqua son amie avec un sourire en coin. Je me sens parfaitement d'attaque pour donner de bons coups de pied aux fesses à ces vieux schnocks de l'Échelle !

En embrassant la pièce du regard, elle ajouta :

– Sauf que j'ai l'impression que les Bannis y ont été encore plus fort !

Annabelle se releva plus lentement qu'Arriane. Elle déploya et replia ses ailes d'argent, puis étira ses longues jambes comme une ballerine... Ensuite, elle leva les yeux vers ses deux compagnes et redressa la tête en souriant.

– On va les faire payer, déclara-t-elle.

Arriane battit des ailes et vola en cercle autour de la salle pour contempler les dégâts.

– Je vais y réfléchir...

– Arriane ! l'avertit Roland en s'extrayant d'une conversation à mi-voix avec Daniel.

– Quoi ? protesta-t-elle avec une moue. Il faut toujours que tu me rappelles à l'ordre !

– Nous n'avons pas le temps de nous amuser, intervint Daniel.

– Ces fossiles nous ont torturés pendant des heures ! insista-t-elle, perchée sur une tête de lion. Ils méritent des représailles !

– Non, répondit Roland, inflexible. Il y a eu assez de casse comme ça. Utilisons notre énergie pour retrouver la deuxième relique.

– On peut au moins se débrouiller pour qu'ils ne se relèvent pas d'ici là, suggéra Annabelle.

Roland et Daniel acquiescèrent d'un signe de tête.

Aussitôt, Annabelle voleta jusqu'à une table posée contre un mur de l'entrepôt et ouvrit un robinet. Elle fit couler une substance qui devait être du plâtre de moulage dans un seau et y ajouta de l'eau.

– Arriane, dit-elle d'un ton autoritaire, viens m'aider, s'il te plaît !

Celle-ci prit un premier seau et vola vers les membres de l'Échelle à demi inconscients. Lentement, elle versa la mixture, qui s'écoula le long de leurs flancs et commença à combler les espaces qui les séparaient. Au contact du liquide qui durcissait à vue d'œil, quelques-uns tentèrent de se défendre.

Luce sourit. Leurs ennemis seraient coincés !

Seau après seau, les deux amies poursuivirent leur entreprise de pétrification et ne s'arrêtèrent que lorsque tous les membres de l'Échelle furent immobilisés. Les Bannis n'avaient plus besoin de monter la garde avec leurs flèches d'argent.

Et tandis que Daniel et Roland discutaient à l'écart en chuchotant, Luce regarda l'ecchymose violette d'Arriane, le sang qui coulait de l'aile de Roland, l'entaille dans l'épaule d'Annabelle, et elle eut une idée.

Elle sortit de la sacoche trois petites bouteilles de soda et quelques flèches rangées dans leur fourreau d'argent. Elle décapsula les bouteilles, puis introduisit une flèche dans chacune d'elles. Le liquide se mit à bouillir, à fumer, et prit une couleur argentée. Pour finir, elle déposa les bouteilles en s'écriant:

– Venez par ici!

Les trois anges blessés s'approchèrent puis trinquèrent pour fêter leur libération et burent la potion magique. Comme leurs blessures étaient plus légères que celles de Daedalus, le breuvage les soulagea aussitôt.

Alors, Roland tapa dans ses mains: une puissante flamme en jaillit, qu'il dirigea vers le sol. La chaleur fit durcir le plâtre et les cruels vieillards se retrouvèrent neutralisés aussi sûrement que dans leurs capes.

Quand ce fut terminé, Daniel sortit l'auréole de la sacoche.

À sa vue, Arriane émit un son étouffé et tendit la main pour la toucher.

– Vous l'avez trouvée! Bravo! dit Annabelle.

– Et la deuxième relique? s'enquit Daniel. Vous l'avez, vous aussi?

– Non, nous ne l'avons pas trouvée..., déplora-t-elle.

– Les membres de l'Échelle ont cru qu'elle était entre nos mains, et ils ont cherché à nous la prendre, ajouta Arriane. C'est pour ça qu'ils nous ont battus.

– Ton livre est trop vague, Daniel, fit remarquer Roland. À Vienne, nous devions trouver une certaine liste...

– Je sais. Les *desiderata.*

– C'était notre seule information... Nous avons consulté des tas d'archives, dans sept endroits différents, mais nous n'en sommes pas plus avancés pour autant. Nous avons pris de gros risques. Et pour finir, nous nous sommes fait capturer par l'Échelle.

– C'est ma faute, grommela Daniel. J'aurais dû être plus précis quand j'ai écrit ce livre. Mais à l'époque, j'étais trop impulsif. Et aujourd'hui, je ne me souviens plus de ce qui m'avait conduit au desideratum, ou de ce qu'il signifie exactement.

Roland haussa les épaules.

– De toute façon, la ville était un vrai champ de mines quand nous sommes arrivés. Si nous avions eu le desideratum, ils nous l'auraient pris à coup sûr. Ils l'auraient détruit, comme tous les objets d'art de cette pièce.

– Oh ! ici ce ne sont que des copies, le rassura Daniel. Et au moins, maintenant, nous savons que les Bannis sont en mesure d'affronter l'Échelle. Êtes-vous allés à la bibliothèque du Hofburg ?

Roland confirma d'un signe de tête.

– Et à la bibliothèque de l'université ?

– Hum... oui, fit Annabelle, et je pense que nous n'avons pas intérêt à montrer le bout de notre nez là-bas avant un certain temps. Arriane a détruit quelques parchemins précieux de leurs collections spéciales...

– Eh, mais je les ai recollés ! protesta l'intéressée avec indignation.

À ce moment, ils entendirent une cavalcade dans le couloir. Ils se retournèrent tous d'un même mouvement.

Une bonne vingtaine de membres de l'Échelle tentait de forcer le passage. Les Bannis les menaçaient de la pointe de leurs flèches d'argent.

L'un des assaillants aperçut l'auréole que tenait Daniel et souffla :

— Ils ont volé la première relique !

— Et ils travaillent ensemble ! renchérit un autre. Des anges et des démons et... (ses yeux rétrécis se posèrent sur Luce) ceux qui ne savent pas où est leur place œuvrent pour une cause impure. Le Trône n'approuve pas cela. Vous ne trouverez jamais le desideratum !

— *Desideratum*, répéta Luce, qui se souvenait vaguement de ses interminables cours de latin, à Dover. C'est le singulier.

Elle se tourna vers Daniel :

— Tu as parlé de *desiderata*, tout à l'heure. C'est le pluriel.

— Oui, cela veut dire souhait, chose désirée, chuchota-t-il.

Ses yeux se mirent à luire, il venait de comprendre. Un sourire se dessina sur son visage.

— Il n'y a qu'une seule chose désirée. C'est ça.

Des cloches tintèrent au loin. Il était minuit.

Il ne restait plus que six jours.

— Daniel Grigori, hurla Phil pour surmonter la sonnerie des cloches, nous n'allons pas pouvoir les retenir éternellement. Tu dois partir !

— Oui, oui ! lui cria Daniel en retour.

Puis se tournant vers ses compagnons, il déclara :

— Il faut visiter toutes les bibliothèques et toutes les archives de cette ville jusqu'à ce que...

— Il doit y avoir des centaines de bibliothèques à Vienne..., souffla Roland.

— Les mortels tiennent à leur passé, fit remarquer Arriane.

«Oui, se dit Luce. Les mortels tiennent beaucoup à leur passé...» Les épisodes de ses vies antérieures lui revenaient de plus en plus souvent en mémoire.

Les anges se préparaient à prendre leur envol, mais Luce resta clouée sur place, arrêtée par un souvenir d'une rare intensité.

Elle vit : des rubans rouges. Daniel et le marché de Noël. Une averse de neige fondue... Elle sans manteau, et... une sonnette. C'était pendant un séjour à Vienne, dans une autre vie...

– Daniel ! s'écria-t-elle en attrapant l'ange par la manche. Et cette bibliothèque où tu m'as emmenée une fois ? Tu t'en souviens ?

Elle ferma les yeux et une scène enfouie au fin fond de sa mémoire émergea.

– Nous étions venus passer un week-end à Vienne... Je ne sais plus quand, mais nous avions vu Mozart diriger *La flûte enchantée* au Theater an der Wien. Tu voulais rendre visite à un de tes amis qui travaillait dans une bibliothèque ancienne... qui s'appelait...

Quand elle ouvrit les yeux, elle vit que ses compagnons la dévisageaient avec incrédulité. Personne n'avait prévu que ce serait elle qui retrouverait le desideratum.

Daniel la couva des yeux, un sourire fier aux lèvres. Cependant, les trois autres continuaient à la dévisager, bouche bée.

– Dites-moi si je dois arrêter les hallucinogènes ou si Luce vient de se souvenir de ses vies passées, pile au bon moment ? lâcha Arriane, abasourdie.

– Tu es un génie ! s'exclama Daniel en embrassant la jeune fille amoureusement.

Luce rougit.

– Un peu de sérieux ! Vous aurez tout le temps de vous faire des mamours quand on aura réglé le problème, plaisanta Annabelle.

Et déjà Daniel avait largement déployé ses ailes, la sacoche de cuir noir abritant l'auréole accrochée à son épaule.

Les Bannis ramassèrent les flèches d'argent éparpillées et les remirent dans leurs fourreaux.

– Bon vol, Daniel Grigori, leur souhaita Phil.

– À vous aussi, répondit Daniel avec un signe de tête.

Luce se blottit contre sa poitrine, il enlaça sa taille, et ils superposèrent leurs deux mains sur son cœur.

– Cap sur la bibliothèque de la Fondation, dit-il à ses compagnons. Suivez-moi, je connais parfaitement le chemin.

IX

LE DESIDERATUM

Les anges traversèrent la rivière dans le brouillard, en émettant à chaque battement un formidable bruit d'ailes. Ils ne volaient pas très haut.

Luce sentait que Daniel était tendu, pressé de trouver cette fameuse bibliothèque de la Fondation.

À travers la brume, elle aperçut les hautes flèches de la massive église gothique, puis une grande roue sombre, dont les cabines vides se balançaient dans la nuit, et la coupole verte du palais où ils s'étaient posés à leur arrivée.

Or, ils avaient déjà survolé ce palais... une demi-heure plus tôt. Étaient-ils perdus?

Des cloches sonnaient au loin. C'était la quatrième fois depuis qu'ils avaient franchi la lucarne du musée. Il y avait longtemps qu'ils étaient partis. Était-il vraiment trois heures du matin ?

– Mais c'est où, bon sang ? grommela Daniel entre ses dents, en s'inclinant vers la gauche.

Il suivit le cours du fleuve, puis survola une large avenue bordée de grands magasins plongés dans le noir, qu'ils avaient déjà suivie...

Arriane vint se placer sous lui, assez près pour se faire entendre.

– Je croyais que tu connaissais parfaitement la route ? dit-elle à Daniel, exaspérée.

– Oui, en tout cas, je savais où *c'était.*

– Arriane ! intervint Roland d'un ton sec. Ne l'empêche pas de se concentrer.

– D'accord, d'accord ! fit l'impertinente en levant les yeux au ciel. Je retourne à ma place !

Elle battit des ailes, leva deux doigts en signe de paix et revint à l'arrière.

Soudain, Daniel rentra légèrement les ailes et descendit en piqué sur quinze mètres. Un vent froid fouetta les joues de Luce. Il avait cessé de pleuvoir.

Puis l'ange s'arrêta net au-dessus d'une rue résidentielle. L'artère était calme et sombre, bordée seulement de deux longues rangées de maisons de ville en pierre. Tous les volets étaient baissés. Des voitures étaient garées en épi. De jeunes chênes ponctuaient le trottoir pavé qui courait le long de jardinets bien entretenus.

Les anges vinrent se placer de part et d'autre de leur guide et de sa passagère, à environ six mètres au-dessus du sol.

– Voilà, c'était là, annonça Daniel. À six pâtés de maisons du fleuve, à l'ouest de Türkenschanzpark. Tout ça, avant – il désigna du geste les maisons à peine visibles –, ça n'y était pas.

Annabelle fronça les sourcils et remonta ses genoux serrés contre sa poitrine, battant doucement des ailes. On voyait ses chaussettes rayées rose vif dépasser du bas de son jean.

– Tu crois qu'elle a été détruite ?

– Si c'est le cas, je me demande comment on va faire.

– Et voilà ! On est dans la mélasse ! fulmina Arriane en donnant un coup de pied dans un nuage, qui poursuivit tranquillement sa route vers l'est. Il faut toujours que ça coince quelque part !

– On pourrait peut-être aller à Avignon voir si le groupe de Cam a eu plus de chance ? proposa Roland.

– Il nous faut les trois reliques, lui rappela Daniel.

Luce se retourna dans ses bras pour lui faire face, et tenta de le réconforter.

– Pense à tout ce qu'on a subi à Venise ! Ça ne nous a pas empêchés de repartir avec l'auréole. On le trouvera, ce desideratum. C'est tout ce qui compte. Quand sommes-nous venus dans cette bibliothèque ? Il y a deux cents ans ? En deux cents ans, les choses changent, c'est normal. Nous n'allons pas renoncer pour autant. Il faut juste...

Tous les regards étaient braqués sur elle. Mais elle était complètement à court d'idées.

– Elle a raison, approuva Arriane. Il ne faut pas renoncer. Il faut...

Elle s'interrompit. Ses ailes venaient de se mettre à vibrer.

Annabelle poussa un hurlement. Elle avait été violemment projetée en l'air, et ses ailes tressautaient aussi. Luce sentait les mains de Daniel trembler contre elle. Le ciel noir et brumeux prit cette teinte grise étrange, cette couleur de tempête, si caractéristique des tremblements de temps.

Lucifer.

Luce croyait entendre siffler sa voix, sentir son haleine fétide sur sa nuque. Elle claquait des dents, et à l'intérieur de son corps, tout semblait s'entrechoquer.

Les bâtiments, en dessous, étincelèrent. Les lampadaires se dédoublèrent. Dans l'air, les atomes parurent se fissurer. Luce se demanda si les gens qui dormaient paisiblement dans leurs lits ressentaient le phénomène.

Elle voulut s'adresser à Daniel, mais le son de sa voix était assourdi. Elle eut la nausée. Elle tenta de se concentrer sur les imposants bâtiments blancs qui bougeaient sur leurs fondations ; mais bientôt sa vue se brouilla, et ils disparurent dans une brume impalpable.

Puis elle distingua un bâtiment immobile, comme insensible aux fluctuations du cosmos. C'était une petite maison qui se détachait au centre de la rue. Elle venait de surgir là, alors qu'elle ne s'y trouvait pas une seconde auparavant. Elle lui apparut comme un mirage, un bref instant, avant de se dédoubler, de scintiller et de disparaître à nouveau dans la rangée de belles maisons modernes et monochromes.

Pourtant, elle avait bel et bien été là, fixe au milieu du chaos qui consumait tout.

Après une dernière secousse, le tremblement cessa et le calme revint.

– Vous l'avez vue ? jubila Roland, enchanté.

Annabelle étendit ses ailes, les secoua et en caressa les pointes du bout des doigts.

– Laisse-moi cinq minutes pour me remettre. J'ai horreur de ce genre de truc.

– Moi aussi, renchérit Luce. J'ai vu quelque chose, Roland. Une maison marron. Est-ce que c'était la bibliothèque de la Fondation ?

– Oui, confirma Daniel.

Il piqua sur l'endroit où était apparu le bâtiment et tourna autour.

– Ces fichues secousses servent quand même à quelque chose, déclara Arriane.

– Et la maison ? demanda Luce, surprise.

– Elle est toujours là, sans être ici, répondit Daniel.

– J'ai déjà entendu parler de ça, mais je ne pensais pas que c'était vraiment possible, dit Roland en passant les doigts dans ses dreadlocks mordorées.

– Qu'est-ce que tu veux dire ? s'étonna Luce en essayant de faire ressurgir la vision.

Malheureusement, la rangée d'habitations modernes ne bougea pas d'un pouce.

– Cela s'appelle une «patina», dit Daniel. C'est une manière de dévier la réalité dans une unité de temps et d'espace...

– Ou une façon d'arranger la réalité pour garder quelque chose secret, explicita Roland en se mettant à côté de Daniel.

– Sous cette rue, qui forme une ligne continue à travers une réalité, dit Annabelle, il en existe une autre, un royaume indépendant, qui nous mène tout droit à notre bibliothèque de la Fondation.

– Les patinas sont à la frontière entre deux réalités, enchaîna Arriane, les mains passées dans les bretelles de sa salopette. Ce sont des sortes de rayons laser que seules des personnes habilitées peuvent voir.

– Vous avez l'air drôlement au courant ! s'étonna Luce.

– On sait tout, bougonna Arriane, sauf comment y entrer.

Daniel acquiesça.

– Il y a très peu d'entités qui possèdent le pouvoir de créer les patinas, et celles qui l'ont le gardent précieusement secret. La bibliothèque est ici. Mais Arriane a raison. Il faut qu'on trouve le moyen d'y accéder.

– J'ai entendu dire qu'il fallait un Annonciateur pour y arriver, dit Arriane.

– Non, non, ce n'est pas vrai, la détrompa Annabelle. Chaque patina est différente. Le seul qui sache comment l'ouvrir, c'est celui qui l'a créée. C'est lui qui programme le code.

– Un jour, j'ai entendu Cam raconter dans une soirée qu'il avait accédé à une patina..., ajouta Roland.

Tout à coup, Daniel poussa un cri qui leur fit faire un bond en l'air :

– Luce ! C'est toi.

La jeune fille haussa les épaules sans comprendre.

– Moi, quoi ?

– C'était toujours toi qui sonnais la cloche, toi qui avais l'accès à la bibliothèque. Il suffit que tu sonnes la cloche.

Luce regarda la rue vide et le brouillard épais.

– De quelle cloche parles-tu ?

– Ferme les yeux et essaie de te souvenir...

Presque aussitôt, Luce se retrouva dans la bibliothèque, lors de son précédent séjour à Vienne avec Daniel. Il pleuvait et ses cheveux étaient plaqués sur son visage. Ses rubans rouges étaient mouillés, mais elle s'en moquait. Elle était à la recherche de quelque chose. Elle remonta un petit sentier, et s'arrêta devant une niche sombre à l'extérieur de la bibliothèque. À l'angle de la porte était fixée une poignée, une cordelette tressée, brodée de pivoines blanches, accrochée à une solide cloche d'argent.

Luce leva le bras et tira.

Les anges retinrent leur souffle. Lorsqu'elle rouvrit les yeux, dans la partie nord de la rue, la petite chaumière marron se dressait au milieu de la rangée de maisons modernes. Une volute de fumée s'échappait de la cheminée, et une lampe posée sur le rebord de la fenêtre diffusait une lumière tamisée.

Les anges atterrirent doucement, et Daniel relâcha Luce en lui embrassant la main.

– Tu t'en es souvenue ! Bravo !

C'était une maison de plain-pied, alors que les autres, alentour, comportaient trois niveaux. Avec son toit de chaume, son portail à pignon au bord d'une pelouse envahie de mauvaises herbes et sa porte d'entrée en bois cintrée, elle paraissait sortir tout droit du Moyen Âge.

Luce s'avança sur le pavage et lut l'écriteau de bronze incrusté dans le mur en terre : *BIBLIOTHÈQUE DE LA FONDATION, 1233.*

– Nous sommes donc quand même dans une vraie rue de Vienne, s'étonna Luce.

– Oui, confirma Daniel. Si nous n'étions pas en pleine nuit, tu apercevrais les voisins, mais eux ne te verraient pas.

– Est-ce que les patinas sont très répandues ? Est-ce qu'il y en avait une au-dessus du chalet, sur l'île où j'ai dormi en Géorgie ?

– Non, c'est très rare. Ce chalet était simplement le havre le plus sûr que nous ayons pu trouver en si peu de temps.

– La patina du pauvre…, plaisanta Arriane.

– C'est-à-dire, le chalet d'été de M. Cole, précisa Roland.

M. Cole était professeur à Sword & Cross. C'était un mortel, mais très proche des anges. Il couvrait Luce depuis qu'elle était partie et c'était grâce à lui que ses parents ne s'inquiétaient pas trop pour elle.

– Comment sont-elles fabriquées ?

– Personne ne le sait, sauf les artistes qui les créent. Et ils sont très peu nombreux, dit Daniel. Tu te souviens de mon ami, le Dr Otto ?

Elle acquiesça. Justement, elle avait le nom de ce médecin sur le bout de la langue.

– Il a vécu ici pendant plusieurs centaines d'années – et il ignorait lui-même comment cette patina était arrivée là, précisa Daniel, en examinant la maison.

– Bon, dépêchons-nous de trouver le desideratum, s'il est ici, proposa Roland. Et sortons-le de Vienne avant que l'Échelle reforme ses troupes et se lance à notre poursuite.

Il fit glisser le loquet du portail et laissa passer ses compagnons. Le sentier pierreux menant à la maison était envahi de freesias sauvages et d'orchidées blanches qui emplissaient l'air de leur doux parfum.

Quand ils atteignirent la porte de bois, munie d'un heurtoir plat en fer, Luce attrapa la main de Daniel. Annabelle frappa. Il n'y eut pas de réponse.

Puis Luce leva la tête et vit une cordelette tressée identique à celle qu'elle avait tirée dans son souvenir. Elle jeta un regard interrogateur à Daniel, qui hocha la tête.

Elle tira dessus et la porte s'ouvrit lentement en grinçant, comme si la maison les attendait. Ils aperçurent un couloir éclairé par des bougies, si long qu'ils n'en voyaient pas le bout. L'intérieur était beaucoup plus grand que ne le suggérait l'extérieur ; le plafond bas et voûté, qui ressemblait à un tunnel creusé dans une montagne, était en brique du plus joli rose.

Les autres anges franchirent le seuil en se tenant par la main.

– Il y a quelqu'un ? appela Daniel.

Quand ils s'avancèrent, le reflet des flammes vacilla sur la brique. Roland referma la porte derrière eux. Le couloir était plongé dans un profond silence. Le bruit de leurs pas résonna sur le sol de pierre. Luce s'arrêta devant la première porte ouverte sur la gauche. Au même moment, un souvenir lui revint en mémoire.

– Là! dit-elle en désignant la pièce. Est-ce que ce n'était pas le cabinet de travail du Dr Otto?

Il faisait sombre à l'intérieur. Seul l'éclat jaune d'une lampe posée sur le rebord de la fenêtre, celle-là même qu'ils avaient vue à l'extérieur, jetait un peu de lumière.

Luce se souvint qu'autrefois un feu flambait toujours joyeusement à l'autre bout, dans une cheminée encadrée de dizaines d'étagères croulant sous les livres reliés de cuir. Son ancienne incarnation n'aimait-elle pas s'asseoir près de l'âtre, les pieds passés dans des chaussettes de laine bien chaude, et se plonger dans le tome IV des *Voyages de Gulliver*? Et le cidre du docteur qui coulait à flots n'emplissait-il pas l'atmosphère d'une odeur de pommes, de clous de girofle et de cannelle?

Daniel attrapa une chandelle dans une niche du couloir et la souleva pour mieux éclairer la pièce. La grille de la cheminée était fermée, de même que le vieux secrétaire de bois qui occupait l'angle. L'air était froid et malodorant. Les étagères s'affaissaient sous le poids des livres recouverts d'une épaisse couche de poussière. Les stores vert foncé de la fenêtre qui, autrefois, s'ouvrait sur une rue animée, étaient descendus, comme si le bureau avait été abandonné.

– Je ne m'étonne plus que le docteur n'ait pas répondu à mes lettres, dit Daniel. Il a dû déménager.

Luce se dirigea vers les rayonnages et passa le doigt sur le dos d'un livre recouvert d'une pellicule grise.

– Tu crois qu'un de ces ouvrages contient ce que nous cherchons ? demanda-t-elle en retirant du lot *Canzoniere*, de Pétrarque, imprimé en caractères gothiques. Je suis sûre que le Dr Otto ne nous en voudra pas de jeter un coup d'œil, si ça peut nous aider à trouver le desi...

Elle se tut brusquement. Quelque part, dans la maison, quelqu'un fredonnait. Les anges se regardèrent, interdits, d'autant plus que, se superposant à l'étrange mélodie, leur parvenait un bruit de pas et le cliquetis d'une charrette qui roulait.

Daniel sortit sur le seuil, suivi de Luce. Ils jetèrent un coup d'œil prudent dans le couloir. Une ombre noire s'allongeait et se rapprochait. Les flammes des bougies tremblotaient dans les niches de pierre rose.

Une femme menue, portant une jupe droite grise, un gilet couleur moutarde et de très hauts talons noirs, s'avançait vers eux en poussant une ravissante table roulante à plateau d'argent. Ses cheveux d'un roux flamboyant étaient relevés en chignon. D'élégants anneaux brillaient à ses oreilles. Luce crut vaguement reconnaître sa démarche, sa manière de se tenir...

L'inconnue qui chantonnait leva légèrement la tête en projetant son profil en ombre chinoise sur le mur. La courbure de son nez, son menton bien haut, la légère protubérance au-dessus de ses sourcils donna à Luce une impression de déjà-vu. Où avait-elle donc connu cette femme ?

Soudain, elle se sentit pâlir : la femme qui poussait la table roulante était Mlle Sophia Bliss.

Sans réfléchir une seconde, Luce attrapa un tisonnier de cuivre posé près de la porte de la bibliothèque. Brandissant son arme, les mâchoires serrées et le cœur cognant à tout rompre, elle barra le chemin à son ennemie.

– Luce ! s'écria Daniel.

– Dee ! s'exclama Arriane.

– Oui, ma chère ! lui répondit la femme, une seconde avant de s'apercevoir que la jeune fille bondissait sur elle.

Elle eut tout juste le temps de faire un pas de côté. Daniel attrapa Luce et la tira en arrière en lui chuchotant à l'oreille :

– Qu'est-ce qui te prend ?

– C'est... c'est..., balbutia la jeune fille en se débattant pour se dégager de sa poigne.

Cette femme avait assassiné Penn ! Elle avait même essayé de la tuer, elle ! Qu'attendaient les autres pour lui sauter dessus et la mettre hors d'état de nuire ?

Arriane et Annabelle se précipitèrent sur Mlle Sophia et l'emprisonnèrent dans leurs bras.

Annabelle l'embrassa en lui disant :

– Je ne t'ai pas revue depuis la Révolte des Paysans à Nottingham... c'était quand ? En 1380 ?

– Je ne pense pas qu'il y ait aussi longtemps, répondit la femme de sa voix policée et bienveillante de bibliothécaire, comme à Sword & Cross, quand elle manipulait Luce pour s'attirer sa sympathie. C'était une belle époque.

N'y tenant plus, cette dernière hurla, folle de colère :

– Et moi non plus, je ne vous ai pas revue depuis un bon moment !

Parvenant à se libérer de l'emprise de Daniel, elle brandit à nouveau le tisonnier.

– Pas depuis que vous avez tué mon amie..., grinça-t-elle.

– Oh, ma chère! répondit la femme, en regardant Luce s'avancer vers elle, sans se troubler le moins du monde, vous devez vous tromper.

Roland s'avança alors et s'interposa entre les deux femmes. Le contact de sa main sur son épaule calma Luce.

– Pardon, vous ressemblez à quelqu'un d'autre, expliqua-t-il à l'inconnue.

– Que voulez-vous dire? demanda cette dernière.

– Suis-je bête! s'exclama Daniel. Oh, Luce, tu l'as prise pour... Nous aurions dû te prévenir que les transéternels se ressemblaient souvent.

– Comment? Ce n'est pas Mlle Sophia?

– Sophia? répéta la femme avec une grimace de dégoût. Sophia Bliss? Cette peste est toujours vivante? J'étais sûre que quelqu'un lui avait réglé son compte...

En fronçant son nez minuscule, elle compléta, s'adressant à Luce:

– C'est ma sœur, je ne peux donc pas me permettre d'exprimer toute la fureur que j'ai accumulée au cours des années envers ce monstre malfaisant.

Luce eut un rire nerveux. Le tisonnier lui échappa des mains et tomba à grand bruit sur le sol. Elle scruta le visage de son interlocutrice et trouva des similitudes avec celui de Mlle Sophia qui, comme elle, paraissait âgée et jeune à la fois. Par rapport aux yeux noirs de Sophia, ceux de cette femme brillaient d'un éclat presque doré, mis en valeur par la couleur jaune de son gilet.

Gênée de l'avoir ainsi menacée, Luce s'appuya contre le mur et se laissa glisser par terre, à bout de forces. Elle ne parvenait pas à savoir si elle était soulagée ou non de ne pas avoir à affronter de nouveau Mlle Sophia.

– Excusez-moi, dit-elle.

– Ne vous inquiétez pas, ma chère, répondit la femme d'un ton enjoué. La prochaine fois que je rencontrerai Sophia, j'attraperai le premier objet lourd à ma portée et je l'assommerai moi-même.

Arriane tendit une main secourable à Luce en l'attirant avec tant de force que ses pieds quittèrent le sol.

– Dee est une vieille amie, précisa-t-elle. Et crois-moi, elle sait profiter de la vie. La nuit où elle a séduit Saladin, les croisades ont failli s'arrêter net.

– Mais non, mais non! protesta faiblement Dee en agitant la main.

– C'est aussi une conteuse extraordinaire, ajouta Annabelle. Ou plutôt, elle l'était avant de disparaître de la surface de la Terre. Tu te cachais où?

Dee prit une profonde inspiration et ses yeux dorés se mouillèrent.

– Je suis tombée amoureuse, indiqua-t-elle.

– Oh! se réjouit Annabelle, c'est merveilleux!

– Otto... Puisse-t-il reposer en paix..., prononça Dee en reniflant.

– Le Dr Otto! s'exclama Daniel. Vous le connaissiez?

– Oh oui, très bien!

– Où avais-je la tête? intervint Arriane. Je vais vous présenter. Daniel, Roland, je ne crois pas que vous connaissiez notre amie Dee...

– Enchantée. Je suis Paulina Serenity Bisenger.

La dame rousse tamponna ses yeux humides avec un mouchoir en dentelle et tendit la main successivement aux deux anges.

– Madame Bisenger, dit Roland, puis-je vous demander pourquoi ces jeunes filles vous appellent Dee?

– Oh! c'est un vieux surnom, mon petit, répondit son interlocutrice avec un sourire énigmatique.

Elle se tourna vers Luce et son regard s'anima.

– Ah Lucinda! s'exclama-t-elle.

Au lieu de lui tendre la main, Dee ouvrit les bras pour la serrer contre elle, mais Luce n'était pas très à l'aise.

– Excusez-moi de cette malencontreuse ressemblance qui vous a tant effrayée. C'est vrai, ma sœur me ressemble; ce n'est pas *moi* qui lui ressemble. Mais nous nous sommes très bien connues, vous et moi, au cours de nombreuses vies, de nombreuses années, et j'avais oublié que vous pourriez ne pas vous en souvenir. C'est à moi que vous aviez l'habitude de confier vos secrets les plus intimes. Votre amour pour Daniel, vos craintes pour l'avenir, vos sentiments troublants pour Cam...

Luce rougit, mais son interlocutrice ne s'en aperçut pas et poursuivit:

– Et c'est à vous que j'ai confié les vraies raisons de mon existence, ainsi que la clé de tout ce que vous cherchez.

Vous êtes la créature innocente qui, je le savais, ferait ce qui devait être fait.

– Je... je suis désolée, je ne m'en souviens pas, bafouilla Luce avec sincérité. Vous êtes un ange ?

– Une transéternelle, ma chérie.

– Comment dire... Un transéternel est un mortel, mais qui peut vivre pendant des centaines et même des milliers d'années, expliqua Daniel. Et les transéternels ont depuis toujours travaillé étroitement avec les anges.

– Tout a commencé avec mon arrière-arrière-grand-père Mathusalem, indiqua Dee avec fierté. C'est lui qui a inventé la prière. Oui, absolument ! Dans les temps anciens, quand les mortels désiraient obtenir quelque chose, ils se contentaient de le souhaiter d'une manière désorganisée. Cet aïeul a été le premier à faire appel à Dieu, et c'est là son génie – il a demandé un message confirmant qu'il avait été entendu. Dieu lui a répondu par l'intermédiaire d'un ange, et c'est ainsi qu'est né l'ange messager. Gabbe, me semble-t-il, a été la première à ouvrir l'espace aérien entre le Ciel et la Terre pour que les prières des mortels puissent circuler plus facilement. Grand-père l'aimait beaucoup, ainsi que tous les anges, et il a demandé à toute sa famille de les aimer aussi.

– Pourquoi les transéternels vivent-ils aussi longtemps ?

– Parce que nous sommes éclairés. Du fait de notre lien avec les messagers célestes, et parce que nous pouvons accueillir la lumière d'un ange sans être saisis d'effroi, comme bien des mortels, nous bénéficions d'une espérance de vie prolongée. C'est notre récompense. Nous assurons la liaison entre anges et mortels, pour que le monde se sente toujours protégé. Évidemment, nous pouvons nous faire tuer à tout moment, mais, sauf meurtre ou accident, un transéternel vit très longtemps. Les vingt-quatre membres de notre espèce qui subsistent sont les derniers descendants de Mathusalem. Nous étions des gens exemplaires, mais j'avoue à ma grande honte que nous sommes sur le déclin. As-tu entendu parler des Anciens de Zhsmaelim?

Luce frissonna en entendant prononcer le nom du clan maléfique de Mlle Sophia.

– Ce sont tous des transéternels, poursuivit Dee. Au début, les Anciens étaient des êtres nobles. Il y eut une époque où j'en faisais moi-même partie. Mais tous les bons éléments ont quitté leurs rangs (elle jeta un regard à Luce et fronça les sourcils) après l'assassinat de ton amie Penn. Sophia a toujours été cruelle. Mais quel dommage d'avoir à parler de sujets aussi tristes le jour de nos retrouvailles! Enfin, convenons qu'il y a quand même un motif de satisfaction: tu t'es souvenue du moyen de traverser ma patina. (Elle adressa à la jeune fille un sourire rayonnant.) Un travail exemplaire!

– C'est toi qui l'as créée? s'étonna Arriane. J'ignorais que tu savais faire ce genre de choses!

La transéternelle lui répondit, l'air malicieux:

– Une femme ne peut pas révéler *tous* ses secrets, sauf si elle peut en tirer avantage. Qu'en pensez-vous, les filles?... Bon, maintenant, dites-moi ce qui vous amène à la Fondation. Je m'apprêtais à prendre mon thé au jasmin du petit matin. Venez, je vous invite, j'en fais toujours trop.

Elle fit un pas de côté pour désigner le plateau d'argent chargé d'une théière du même métal, d'assiettes en porcelaine remplies de minuscules sandwiches au concombre, de scones moelleux parsemés de raisins de Corinthe dorés, et d'un bol en cristal rempli de crème et de cerises. Luce en avait l'eau à la bouche.

– Ainsi, tu nous attendais, constata Annabelle en comptant les tasses.

Dee sourit d'une façon énigmatique, et se remit à pousser le chariot en faisant claquer ses hauts talons sur le sol. Ses invités lui emboîtèrent le pas et pénétrèrent dans une vaste pièce en briques roses. Un grand feu crépitait dans un coin. Une table de chêne reluisante, qui aurait pu accueillir soixante convives, les attendait. Un énorme lustre sculpté dans un tronc d'arbre pétrifié et décoré de centaines de bougeoirs en cristal étincelait au plafond.

La table était dressée avec plus de vaisselle en porcelaine fine qu'il n'en fallait. Leur hôtesse commença à remplir les tasses de thé fumant, couleur d'ambre.

– Ne faisons pas de manières, dit-elle, asseyez-vous où il vous plaira.

Après quelques échanges de regards avec Daniel, Arriane finit par s'avancer vers Dee et lui toucha légèrement l'épaule, alors que cette dernière était en train de mettre de la crème dans une coupe et de la recouvrir de fruits.

– En fait, Dee, nous ne pouvons pas rester pour le thé. C'est que... on est un peu pressés.

Daniel se lança à sa rescousse :

– Vous êtes au courant des dernières facéties de Lucifer ? Il cherche à effacer le passé en transportant la foule des anges du temps de la Chute au temps présent...

– C'est ce qui expliquerait les tremblements, murmura la vieille dame en remplissant une nouvelle tasse.

– Vous les avez sentis, vous aussi ? s'enquit Luce.

Dee opina, en précisant :

– Mais la plupart des mortels y sont insensibles, au cas où vous vous poseriez la question.

– Nous sommes en mission. Nous sommes venus parce que nous avons besoin de retrouver l'endroit originel de la Chute, expliqua Daniel, le site où vont apparaître Lucifer et les hôtes du Paradis. Nous voulons le stopper avant qu'il soit trop tard.

Décidément, le comportement de la transéternelle était étrange. Sans manifester le moindre étonnement, elle continua à s'occuper du service et à distribuer les sandwiches au concombre, alors que tous attendaient sa réponse. Une bûche se fendit dans la cheminée, et craqua avant de s'écrouler.

– Et tout cela parce qu'un garçon aimait une fille, finit-elle par dire. C'est assez perturbant. Cela fait ressortir les pires instincts chez tous les vieux ennemis, n'est-ce pas ? Des gens de l'Échelle qui deviennent un peu fous, des Anciens qui tuent des innocents... Quelle folie ! Comme si vous, les anges déchus, vous n'aviez pas déjà votre compte d'ennuis... Vous devez être terriblement fatigués.

Elle adressa à Luce un sourire rassurant et leur fit à nouveau signe à tous de s'asseoir.

Roland attira une chaise en bout de table pour elle et s'assit à sa gauche.

– Peut-être pourrez-vous nous aider ? dit-il.

Il invita du geste ses compagnons à l'imiter. Annabelle et Arriane prirent place à côté de lui, et les deux amoureux leur firent face. Luce glissa sa main dans celle de Daniel et mêla ses doigts aux siens.

Dee offrit les dernières tasses de thé. La porcelaine tinta au rythme des cuillères remuant le sucre. Puis Luce s'éclaircit la gorge.

– Nous allons arrêter Lucifer, déclara-t-elle.

– Je l'espère, répondit leur hôte.

– Nous sommes à la recherche de trois objets qui racontent l'histoire des Déchus. Quand nous les aurons réunis, ils nous révéleront l'endroit de la Chute, expliqua Daniel.

Dee but une gorgée de thé avant de répondre :

– Bravo, mon garçon ! Et où en êtes-vous ?

Daniel sortit la sacoche de cuir et l'ouvrit pour montrer l'auréole. Il eut l'impression qu'il s'était passé une éternité depuis que Luce avait effectué sa plongée dans l'église engloutie.

La vieille dame plissa le front.

– C'est l'ange Semihazah qui l'a créée, n'est-ce pas ? À l'époque, c'était encore la préhistoire, mais, déjà, il avait l'ironie mordante. Comme il ne pouvait pas le formuler par écrit, il a créé cette auréole pour se moquer de la manière stupide dont les artistes mortels s'efforcent de capturer la lumière des anges. Amusant, non ? Imaginez que vous portiez un horrible... cerceau de fer autour de la tête...

Arriane sortit alors le livre de Daniel de la sacoche et le feuilleta pour retrouver sa note concernant le desideratum.

– Nous sommes venus à Vienne pour trouver ça, déclara-t-elle en posant le doigt sur l'inscription : la chose désirée. Mais nous n'avons plus beaucoup de temps et nous ne savons pas ce que c'est, ni où la trouver.

– Magnifique ! Vous êtes à la bonne adresse.

– Je le savais ! triompha Arriane, en se calant contre son dossier et en donnant une tape à Annabelle qui grignotait un scone. Dès que je t'ai vue, j'ai su que ça allait s'arranger. Tu as le desideratum, hein ?

– Non, pas tout à fait, répondit Dee en secouant la tête.

– Mais alors..., commença Daniel.

– Je suis le desideratum, révéla Dee avec un sourire resplendissant. Il y a tellement longtemps que j'attends de prendre du service !

X

UNE FLÈCHE D'ARGENT
DANS LA POUSSIÈRE

– Vous êtes le desideratum ? répéta Luce en lâchant son sandwich qui tomba dans sa tasse.

La vieille dame les regarda, rayonnante. Dans ses yeux dorés se lisait une lueur espiègle qui lui donnait l'aspect d'une adolescente. Comment croire qu'elle était âgée de plusieurs centaines d'années ? Elle remit en place une mèche de cheveux roux qui s'était échappée de son chignon et resservit du thé à tous ses invités. Il était difficile d'imaginer que cette créature élégante et vive était aussi, en réalité, un objet ancien.

– Donc, vous savez où se trouve le site de la Chute ? s'enquit Luce.

Cette question attira l'attention de la petite assemblée. Annabelle se redressa et tendit son long cou. Arriane se tassa sur son siège, les coudes sur la table, le menton posé dans ses mains jointes. Roland se pencha en avant et repoussa ses dreadlocks derrière ses épaules. Daniel serra la main de Luce en se demandant si Dee était la réponse à toutes leurs questions.

Cette dernière fit signe que non.

– Je peux vous aider à découvrir l'endroit où la Chute s'est produite, dit-elle en reposant sa tasse dans sa soucoupe. La réponse est en moi, mais je ne peux pas l'exprimer de manière compréhensible par vous, ou par moi. Il faut d'abord que toutes les pièces soient en place.

– Que voulez-vous dire par « en place » ? demanda Luce. Et quand ce sera le cas, comment le saurons-nous ?

Avant de répondre, la transéternelle alla tisonner le feu. Puis elle indiqua :

– Vous le saurez. Nous le saurons tous.

– Mais vous connaissez au moins l'endroit où se trouve le troisième objet ? s'enquit Roland en se servant de citron sur une assiette qu'il fit passer ensuite.

– En effet, je le sais.

– Nos amis Cam, Gabbe et Molly sont partis à sa recherche, à Avignon. Si vous pouviez les aider à le localiser..., reprit l'ange.

– Vous n'êtes pas sans savoir que les anges doivent localiser chaque objet par eux-mêmes, monsieur Sparks.

– J'étais sûr que vous me répondriez cela... Mais, je vous en prie, appelez-moi Roland.

– Et moi, j'étais sûre que vous me demanderiez cela, Roland! répliqua Dee en souriant. Je suis heureuse que vous l'ayez fait. Cela prouve que vous me faites confiance pour vous aider à battre Lucifer. (Elle pencha la tête vers Luce.) La confiance, c'est important, tu es d'accord, Lucinda?

Cette dernière regarda tour à tour chacun des anges déchus qu'elle avait rencontrés à Sword & Cross, et qui étaient devenus ses amis :

– Oui, tout à fait, répondit-elle.

Elle avait eu un jour une conversation très différente avec Mlle Sophia, pour laquelle la confiance était une imprudence, «un bon moyen de se faire tuer». La ressemblance physique entre ces deux sœurs à l'âme si radicalement opposée était déroutante.

Dee tendit la main vers l'auréole posée au centre de la table.

– Je peux?

Daniel lui passa la lourde relique. Entre les mains de la transéternelle, elle semblait ne rien peser du tout.

Ses bras minces paraissaient à peine assez longs pour la contenir tout entière, mais cela ne l'empêcha pas de la bercer comme un enfant. Son reflet apparaissait faiblement dans le verre.

– Encore des retrouvailles, dit-elle, comme pour elle-même.

En levant sur ses invités des yeux qui ne trahissaient ni joie ni tristesse, elle ajouta :

– Ce sera merveilleux quand le troisième objet sera en votre possession.

– Que les paroles qui sortent de ta bouche montent jusqu'aux oreilles de Dieu! dit Arriane en versant dans son thé un peu du contenu d'un flacon d'argent.

– C'est la route qu'a ouverte mon arrière-arrière-grand-papa! fit remarquer Dee, avec malice.

Tout le monde rit un peu nerveusement.

– À propos de ce troisième objet, reprit-elle en jetant un coup d'œil à une fine montre en or cachée sous un fouillis de bracelets en perles, vous n'avez pas dit que vous étiez pressés de partir?

Il y eut un tintamarre de tasses choquant les soucoupes, de chaises qui frottaient le sol et d'ailes bruissantes autour de la table. Soudain, l'immense salle à manger parut plus petite et plus lumineuse, et Luce ressentit un picotement familier la parcourir quand elle vit les larges ailes de Daniel déployées.

La vieille dame surprit son regard.

– Magnifique, non?

Au lieu de rougir d'avoir été surprise en train d'admirer son amoureux, la jeune fille répondit à son sourire, car elle savait que Dee était de son côté.

– Oui, c'est ce que je me dis chaque fois, répondit-elle.

– Alors, on va où? demanda Arriane à Daniel en fourrant quelques scones dans la poche de sa salopette.

– On retourne au mont Sinaï, c'est ça? intervint Luce. C'est bien là que nous avons dit à Cam et aux autres de nous retrouver?

Daniel jeta un œil vers la porte, le front plissé.

– En fait, je n'avais pas l'intention de vous en faire part avant d'avoir mis la main sur le deuxième objet, mais...

– Allez, Grigori, le pressa Roland, vas-y !

– Avant que nous quittions l'entrepôt, Phil m'a dit qu'il avait reçu un message d'un des Bannis envoyés à Avignon. Le groupe de Cam a été intercepté...

– L'Échelle ? le coupa Dee. Ils s'imaginent toujours avoir une quelconque importance dans l'équilibre cosmique ?

– Nous ne pouvons pas être sûrs, répondit Daniel, mais cela semble probable. Nous allons mettre le cap sur le pont Saint-Bénezet à Avignon.

Le visage d'Annabelle s'était empourpré.

– Pourquoi ? s'écria-t-elle. Pourquoi ce pont ?

– Vous savez que mes notes marginales dans le livre des *Observateurs* suggèrent que c'est sans doute là que se trouve le troisième objet. Ça a dû être la première étape de Cam, Gabbe et Molly.

Annabelle détourna les yeux et ne dit plus rien. Le groupe sortit de la salle à manger en file indienne. Luce était morte d'inquiétude au sujet de leurs trois amis et les imaginait emprisonnés à l'intérieur de ces atroces houppelandes noires dans lesquelles ils avaient eux aussi été enfermés.

Les ailes des anges bruissèrent le long des murs étroits quand ils parcoururent l'interminable couloir. Le groupe s'arrêta devant la porte d'entrée. Dee fit glisser le petit disque de métal qui recouvrait l'œilleton et y colla un œil.

– Hum ! fit-elle en laissant retomber le disque.

– Qu'est-ce qui se passe ? demanda Luce.

Mais Dee avait déjà ouvert la porte et leur faisait signe de quitter son étrange et chaleureuse chaumière.

Luce sortit la première et s'arrêta sur le parvis – qui n'était en réalité que de la paille tassée, recouverte de givre – et attendit ses compagnons. Les anges sortirent les uns après les autres. Daniel joignit les ailes dans son dos, Annabelle plaqua les siennes contre ses flancs, Roland les réunit devant lui, comme pour former un bouclier invincible de marbre doré, et Arriane avança sans précaution en maudissant la bougie placée près de la porte qui brûla la pointe de l'une des siennes.

Ensuite, regroupés sur la pelouse, ils firent jouer leurs épaules, heureux de retrouver la fraîcheur du dehors.

Mais l'obscurité subsistait. Quand ils étaient entrés à la Fondation, les cloches de l'église avaient annoncé quatre heures. Le jour n'était plus très loin... Pourquoi le ciel était-il toujours noir comme au cœur de la nuit ? N'avaient-ils passé qu'une heure avec Dee ?

Des lumières brillaient à l'intérieur des maisons de pierre blanche. Des silhouettes apparaissaient derrière les fenêtres. Sans doute les gens préparaient-ils leur petit déjeuner. Des hommes munis de serviettes en cuir et des femmes élégantes sortaient de chez eux, et, sans un regard pour le groupe d'anges, montaient dans leurs voitures pour partir travailler.

Daniel avait expliqué à Luce que les Viennois ne pouvaient pas les voir tant qu'ils étaient à l'intérieur de la patina. Une femme vêtue d'un peignoir en éponge noire, un chapeau imperméable en plastique sur la tête, marchait dans leur direction, l'air endormi, tenant en laisse un petit chien au poil fourni. C'était la voisine. Sa propriété jouxtait le sentier de pierres envahi de mauvaises herbes qui menait à la porte de la Fondation. La femme et le chien s'engagèrent dans le sentier.

Et disparurent.

Luce en resta stupéfaite. Mais ensuite, Daniel désigna du doigt l'autre côté de la pelouse de la Fondation. Elle se retourna. Au bout du sentier, là où reprenait le trottoir moderne, la dame avait resurgi. Le chien jappait de manière hystérique, et sa maîtresse marchait comme si rien n'était venu interrompre sa routine matinale.

Luce se fit la réflexion que sa mission, et celle de ses compagnons, consistait sans doute à lui permettre de mener sa petite vie. À faire en sorte que le monde de cette femme continue à exister, et que jamais elle ne s'aperçoive du danger qu'elle avait couru.

Pourtant, si les gens dans la rue n'avaient pas noté la présence des anges, il était certain qu'ils avaient remarqué la couleur du ciel. La propriétaire du chien ne cessait de regarder en l'air avec anxiété, et presque tous ceux qui sortaient des maisons étaient en ciré et munis de parapluies.

– Est-ce qu'il va pleuvoir? demanda la jeune fille.

Le ciel était menaçant, presque noir comme du charbon.

– Non, répondit Dee, il ne va pas pleuvoir. C'est l'Échelle.

– Quoi? s'exclama Luce en levant la tête.

Elle plissa les yeux et constata avec horreur que le ciel remuait et tanguait. Les nuages de pluie ne se déplaçaient pas ainsi.

– Ce sont leurs ailes et leurs capes qui sont noires comme ça, constata Arriane avec un frisson.

Non !

Luce venait de comprendre. En proie à une sorte de vertige, elle distingua une énorme masse ondulante d'ailes bleu-gris. S'étalant à travers le firmament qui paraissait barbouillé d'épaisses couches de peinture, elles battaient, bourdonnantes comme un énorme essaim de frelons. Leur nombre était impossible à déterminer. Ils étaient des centaines à planer là-haut.

– Nous sommes assiégés, souffla Daniel.

– Ils sont drôlement près, s'affola Luce. Est-ce qu'ils nous voient ?

– Pas vraiment, mais ils savent que nous sommes ici, répondit Dee avec nonchalance.

Un petit groupe de membres de l'Échelle descendit plus bas, assez pour permettre à Luce et ses amis de déceler leurs visages fripés de vieillards assoiffés de sang. Leurs yeux froids scrutèrent l'endroit où ils étaient réunis, mais quand ils arrivèrent au-dessus de la patina, ils parurent aussi aveugles que les Bannis.

– Ma patina forme une barrière protectrice. Ils ne peuvent pas voir à travers, ni y entrer. (Elle sourit à Luce.) Elle ne répond que lorsque sonne une certaine sorte d'âme, innocente de son propre potentiel.

Les ailes de Daniel palpitaient. Il s'inquiéta :

– Ils sont de plus en plus nombreux. Il faut que nous trouvions un moyen de sortir d'ici, et vite.

– Je n'ai pas l'intention de me laisser emprisonner dans leurs camisoles! Personne ne viendra m'enlever dans ma propre maison. Suivez-moi! cria la vieille dame en s'élançant dans une allée fermée par une grille.

Ils lui emboîtèrent le pas. Après avoir traversé un carré de citrouilles et contourné un vieux belvédère, ils débouchèrent dans un jardin luxuriant.

Roland leva la tête. Le ciel était devenu encore plus noir.

– Et maintenant, qu'est-ce qu'on fait?

– Pour commencer, indiqua leur guide en allant se poster sous un chêne au centre du jardin, il faut détruire la bibliothèque.

– Quoi? s'étonna Luce.

– Simple mécanique. Cette patina a toujours entouré la bibliothèque, donc elle doit rester avec elle. Pour pouvoir passer devant l'Échelle, il faudra ouvrir la patina, ce qui signifie que la Fondation sera mise à nu, et il n'est pas question de les autoriser à tout dévaster. (Elle tapota les joues de Luce, qui semblait affligée.) Ne t'inquiète pas, mon enfant, j'ai déjà fait don des livres de valeur... principalement au Vatican, et quelques-uns à une petite ville inconnue de l'Arkansas. Personne ne regrettera cet endroit. Je suis la dernière bibliothécaire, et, au fond, je ne me vois pas revenir après cette mission.

– Je ne comprends toujours pas comment nous arriverons à passer, grogna Daniel en scrutant le ciel.

– Il faudra que je fabrique une seconde patina qui n'entourera que nos corps et nous garantira le passage en toute sécurité. Ensuite, j'ouvrirai celle-là et je laisserai entrer l'Échelle à l'intérieur.

– J'ai l'impression de deviner ce que tu mijotes, déclara Arriane en grimpant sur une branche tel un singe pour aller se nicher dans le chêne.

– La Fondation sera sacrifiée, reprit Dee, mais l'Échelle aura l'avantage de fournir un joli bois d'allumage.

– Attendez... Comment allez-vous faire? intervint Roland, sceptique.

– J'espérais que tu pourrais m'aider, répliqua Dee, une lueur espiègle dans l'œil. Allumer le feu, c'est ta spécialité, n'est-ce pas?

La vieille dame s'était déjà détournée et avisait un nœud dans l'écorce du chêne. Elle tira dessus comme sur une poignée de porte secrète et le tronc s'ouvrit en laissant apparaître une cavité de la taille d'un petit casier. Elle plongea le bras à l'intérieur et en retira une longue clé dorée.

– C'est avec ça que vous allez ouvrir la patina? s'enquit Luce, surprise qu'une banale clé serve à une opération aussi surnaturelle.

– Ma foi, c'est avec ça que je vais la déverrouiller pour pouvoir la manipuler selon nos besoins.

Luce repensa à la femme qui promenait son chien, et qui avait cessé provisoirement d'exister quand elle avait traversé la pelouse de la Fondation.

– Et s'il y a un incendie, quand vous l'ouvrirez, que se passera-t-il aux alentours?

Dee s'agenouilla et se mit à fouiller le sol à la recherche de quelque chose, tout en répondant:

– Ce qu'il y a de drôle, à propos de la patina, c'est qu'elle est à la frontière des réalités passée et présente. Nous pouvons être ici, et en même temps, ne pas y être, et nous trouver dans le présent, tout en étant ailleurs. C'est un lieu où tout ce que nous imaginons sur le temps et l'espace se rencontre matériellement. (Elle souleva les frondes d'une énorme fougère, puis creusa la terre avec ses mains.) Aucun mortel ne sera affecté, mais si les membres de l'Échelle se montrent aussi voraces que d'habitude, ils se jetteront sur nous dès que j'aurai donné le tour de clé. Il y aura alors un moment très intense, durant lequel ils nous rejoindront dans l'autre réalité, celle où la bibliothèque de la Fondation était dans cette rue.

– Et nous nous envolerons, enfermés dans la seconde patina, en déduisit Daniel.

– Exactement, confirma Dee. Il ne nous restera plus qu'à refermer celle-ci autour d'eux. De même qu'ils ne peuvent pas y entrer en ce moment, ils ne pourront pas en sortir. Et pendant que nous nous envolerons en toute sécurité vers la jolie ville d'Avignon, la bibliothèque partira en fumée, avec toute la clique de l'Échelle.

– Génial, applaudit Daniel. L'Échelle sera toujours techniquement en vie, et donc notre action n'influencera pas l'équilibre céleste, mais ils seront...

– Des marques du passé, verrouillées, hors d'état de nuire. Bon, tout le monde est prêt? s'exclama la vieille dame.

Soudain, son visage s'éclaira.

– Ah, la voilà! s'écria-t-elle en enlevant la terre qui recouvrait une serrure dissimulée dans le jardin.

Elle ferma les yeux, posa la clé contre son cœur et murmura une prière :

– Que la lumière nous entoure, que l'amour nous enveloppe, que la patina nous protège du mal à venir.

Avec précaution, elle introduisit la clé dans la serrure. Son fin poignet trembla sous l'effort, mais finalement, elle réussit à faire un quart de tour vers la droite. Elle soupira, essuya ses mains sur sa jupe avant de s'écrier :

– On y va !

Elle leva les bras au-dessus de sa tête, puis, très lentement, avec une grande concentration, les ramena sur son cœur. Luce s'attendit à sentir la terre bouger, mais tout resta en place.

Ensuite, rompant le profond silence dans lequel ils étaient plongés, un bruit de frottement presque inaudible se fit entendre. L'air sembla trembler à peine, faisant vaciller la maison, la rangée de celles qui l'entouraient, et les ailes des membres de l'Échelle qui les survolaient. Les couleurs oscillèrent, se mélangèrent, se vaporisèrent autour d'eux comme une espèce d'arc-en-ciel.

Tantôt les contours transparents de la patina apparaissaient, iridescents comme une bulle de savon – tantôt ils disparaissaient. Mais chacun sentait les pouvoirs de la patina se couler autour du petit jardin, en diffusant une bonne chaleur et leur prodiguant une puissante sensation de protection.

Tous restaient muets devant le miracle opéré par Dee.

La vieille dame fredonnait avec ferveur et bientôt la patina interne fut complètement achevée. La transéternelle hocha alors la tête, les mains posées sur le cœur, comme en prière, et annonça :

– Voilà. Nous sommes dans la patina qui est à l'intérieur de la première, bien à l'abri. Maintenant, je vais ouvrir le bord extérieur pour faire entrer l'Échelle. Gardez confiance et restez calmes, vous ne risquez rien.

À nouveau, elle prononça les paroles magiques : « Que la lumière nous entoure, que l'amour nous enveloppe, que la patina nous protège du mal à venir. » Luce joignit sa voix à la sienne et entendit Daniel murmurer à l'unisson.

Un trou se creusa, pareil à un souffle d'air froid fendant l'atmosphère d'une pièce surchauffée. Les anges se rapprochèrent les uns des autres, aile contre aile, et entourèrent Luce. Un hurlement épouvantable retentit, repris en chœur par un millier d'autres voix. Puis, tous ensemble, ils levèrent la tête vers le ciel. Les membres de l'Échelle venaient de voir la maison. Ils plongèrent vers le trou.

L'ouverture était pratiquement invisible, juste au-dessus de la cheminée de la chaumière. Les membres de l'Échelle se dirigeaient droit dessus, semblable à une nuée de fourmis ailées attirées par une goutte de confiture. Les vieillards s'abattirent sur le toit, sur l'herbe, sur les côtés de la maison, leurs houppelandes ondulant sous l'impact de l'atterrissage et cherchèrent désespérément à trouver leurs ennemis, dont ils sentaient la présence.

Bientôt, le jardin pullula d'ailes bleues. La patina interne était entourée de monstres qui jetaient des regards carnassiers sur l'endroit où Luce, Dee, Daniel et les autres se trouvaient, sans réussir à les voir.

– Où sont-ils? gronda l'un d'eux. Je les sens. Ils sont là, quelque part...

– Préparez-vous à vous envoler, chuchota Dee.

Un membre de l'Échelle affligé d'une tache de naissance qui maculait sa figure s'approcha des limites de leur patina et renifla comme un cochon affamé.

Les ailes d'Arriane tremblaient. Luce se dit qu'elle repensait sans doute au traitement que lui avaient fait subir ces horribles créatures. Elle saisit la main de son amie pour la réconforter.

– Roland, et cette puissante conflagration, elle arrive? demanda Daniel entre ses dents.

– Ça vient!

L'ange croisa alors les doigts, puis regarda fixement la chaumière. Il y eut une grande détonation. La bibliothèque de la Fondation explosa. Les membres de l'Échelle hurlèrent et furent projetés dans le ciel de la patina, puis engloutis par les flammes qui s'élançaient à l'assaut de leurs capes.

Roland agita la main, et le trou creusé à l'endroit où se trouvait la bibliothèque se transforma en un volcan qui crachait du feu et des rivières de lave. Le chêne s'embrasa et ses branches s'enflammèrent aussi vite que des allumettes. Luce transpirait, prise de vertige sous l'effet de la chaleur. Mais, comme leur avait assuré le desideratum, l'incendie ne les menaça pas.

Dee donna le signal du départ.

Au même moment, une bouffée d'air chargé de flammes tourbillonna à travers le jardin, avala une centaine de membres de l'Échelle et les emporta dans une course folle en les faisant rouler à travers la pelouse.

– Prête, Luce?

Daniel l'enveloppa dans ses bras, tandis que Roland prenait la vieille dame dans les siens. La fumée ne pénétrait pas, ricochant sur l'extérieur de la patina, mais Luce avait du mal à respirer. Daniel la souleva de terre et ils prirent leur envol, Roland sur leur droite, Annabelle et Arriane sur leur gauche. Leurs puissants battements d'ailes les propulsèrent à une vitesse inouïe dans le ciel bleu, à la verticale de l'incendie, entourés d'une lumière aveuglante.

La patina était toujours ouverte. Les membres de l'Échelle encore capables de voler avaient compris qu'ils étaient tombés dans un piège. Ils essayaient désespérément d'échapper aux flammes, mais Roland envoya une nouvelle vague de feu qui les replongea au cœur de la fournaise, leur brûla la peau et les transforma en squelettes ailés.

– Un instant..., dit la transéternelle.

Du bout des doigts et d'un regard appuyé, elle manipula les limites de la patina. En bas, le chaos fut indescriptible. L'Échelle était emprisonnée, et subissait le même supplice que celui qu'elle infligeait à ses victimes avec ses terribles houppelandes.

– Ça y est, c'est bon! s'écria Dee.

Ils poursuivirent leur ascension, et le sol disparut progressivement. La jeune fille vit l'horrible brasier scintiller, puis disparaître, avalé par la fumée. La rue qu'ils avaient quittée était de nouveau blanche et moderne, pleine de gens qui n'avaient rien remarqué du tout.

Blottie contre Daniel, Luce mit du temps à se remettre de ce spectacle atroce. Enfin, alors qu'ils se trouvaient à des milliers de mètres du sol, elle se raisonna. Il était inutile de regarder en arrière. La seule chose à faire était de se concentrer sur la prochaine étape, et de venir en aide à Cam, Gabbe et Molly à Avignon.

À travers la fine couche de nuages, elle constata qu'ils survolaient une région montagneuse. L'air hivernal se fit plus froid, plus vif. Seul l'incessant battement des ailes troublait le silence qui régnait à la limite de l'atmosphère.

Au bout d'une heure, les ailes marbrées de Roland apparurent à leur hauteur. L'ange portait Dee, les épaules alignées, un bras passé autour de la poitrine de sa passagère, l'autre autour de sa taille. Comme Luce, la transéternelle avait les jambes croisées aux chevilles... Voir ainsi caracoler dans les nuages un Roland, tout en muscles, et cette frêle vieille dame nichée contre lui, était un spectacle presque comique. Mais l'étincelle de bonheur qui brillait dans les yeux de la rousse flamboyante la faisait paraître étonnamment jeune. Des mèches de cheveux lui fouettaient les joues, et il flottait autour d'elle un parfum de roses.

– Je pense que l'ennemi est hors d'état de nuire, déclara-t-elle.

Luce sentit l'air osciller autour d'elle. Elle se prépara à subir un nouveau tremblement de temps. Mais cette fois, la chute de Lucifer n'y était pour rien. C'était Dee qui retirait la seconde patina. Un rideau brumeux se rapprocha de la jeune fille, la faisant frissonner de plaisir. Puis il se rétracta et ne fut plus qu'un minuscule globe de lumière entourant Dee. Celle-ci ferma les yeux et sa peau absorba la patina. Tout cela se passa très vite, de façon subtile, et pourtant, ce fut l'une des plus belles choses que Luce eût jamais vues.

La vieille dame sourit et fit signe à Luce de s'approcher. Les deux anges porteurs soulevèrent leurs ailes afin de leur permettre de s'entretenir.

La main en porte-voix, Dee cria presque pour couvrir le vent :

– Dis-moi, chère enfant, comment vous êtes-vous rencontrés, tous les deux ?

Daniel eut un petit rire que Luce sentit à travers les tressautements de ses épaules. C'était une question normale à poser à deux personnes qui s'aimaient d'un grand amour. Pourquoi Luce se sentit-elle soudain si triste ?

Parce que la réponse était beaucoup trop compliquée, et qu'elle ne connaissait pas la réponse.

Elle posa la main sur le médaillon qu'elle portait au cou, qui dansait à chaque battement d'ailes.

– Eh bien, on était dans la même école et...

– Oh ! Lucinda, s'esclaffa la vieille dame. Je te taquinais. Je me demandais si tu avais découvert l'histoire qui se cache derrière votre rencontre originelle.

– Non, Dee, la coupa Daniel d'un ton ferme. Elle ne l'a pas encore apprise...

– Je lui ai déjà posé la question, mais il n'a pas voulu me répondre, se plaignit Luce. Ça me rend folle de ne pas le savoir.

Elle regarda le gouffre vertigineux qui s'ouvrait sous eux, se sentant aussi éloignée de la vérité concernant cette première rencontre que du littoral de la mer Adriatique qu'ils étaient en train de survoler.

– Tout vient à point à qui sait attendre, répondit son interlocutrice d'un ton calme. Dois-je comprendre qu'au moins tu as pioché dans quelques-uns de tes premiers souvenirs ?

Luce acquiesça d'un signe de tête.

– Parfait. Raconte-moi donc le premier épisode romantique dont tu te souviens. Je m'en contenterai. Fais plaisir à une vieille dame... Cela nous aidera à passer le temps jusqu'à Avignon.

Luce revit alors la tombe froide et humide dans laquelle elle avait été enfermée avec Daniel en Égypte. Ses lèvres contre les siennes, leurs corps enlacés comme s'ils étaient les deux dernières personnes vivantes au monde...

Mais ils n'étaient pas seuls. Bill était là, aussi. À les observer, à l'attendre, et il ne voulait qu'une chose : que son âme meure dans cette tombe.

Luce rouvrit les yeux, effrayée par cette image démoniaque.

– Je suis fatiguée, soupira-t-elle.

– Repose-toi, alors, lui conseilla tendrement Daniel.

– Non, je suis fatiguée d'être punie simplement parce que je t'aime, Daniel. Je ne veux plus rien avoir à faire avec Lucifer, avec l'Échelle, avec les Bannis, et je ne sais quelles autres créatures. Je ne suis pas un pion, je suis une personne avec un cœur. Et j'en ai assez de tout ça.

Daniel mit sa main sur la sienne et la serra.

Dee et Roland eurent l'air de compatir à sa douleur.

– Tu as changé, constata Dee.

– Depuis quand?

– Depuis tout à l'heure. Je ne t'ai jamais entendue parler comme ça. Et toi, Daniel?

Ce dernier se tut, puis, surmontant le bruit du vent et des battements d'ailes, il répondit:

– Je suis content qu'elle arrive à s'exprimer, maintenant.

– Elle fait bien. Ce que vous avez vécu est une tragédie irrationnelle. Mais Luce est tenace, elle a du cran. C'est elle-même qui m'a déclaré un jour qu'elle ne se ferait jamais couper les cheveux, même s'ils étaient toujours emmêlés. Parce qu'ils faisaient partie d'elle, qu'ils étaient reliés à son âme de manière indéfectible. Ce sont ses propres paroles.

Luce regarda la vieille dame sans comprendre.

– De quoi parlez-vous?

Son interlocutrice inclina la tête et eut un nouveau sourire énigmatique.

Luce la dévisagea, scruta ses yeux dorés, ses fins cheveux roux, songea à cette façon qu'elle avait de fredonner doucement. Et elle eut un choc.

– Je vous reconnais! s'exclama-t-elle.

– Ah, c'est bien!

– Est-ce que je ne vivais pas dans une hutte, dans une grande plaine ouverte?

Dee confirma d'un signe de tête.

– Oui, effectivement, nous avons bien parlé de mes cheveux ! J'avais... j'avais traversé un champ en courant, à la poursuite d'un animal... un renard, c'est bien ça ?

– Exact. Tu étais un vrai garçon manqué. Plus courageuse que certains hommes de la prairie.

– Et vous, ajouta Luce, vous avez passé des heures à ôter les herbes qui s'étaient accrochées à mes cheveux.

– J'étais ta tante préférée, au figuré. Tu disais que c'était le diable qui t'avait maudite en te donnant des cheveux aussi épais. Un peu exagéré, mais tu n'avais que seize ans... En réalité, tu n'étais pas loin de la vérité, comme seules peuvent l'être les personnes de cet âge.

– Tu m'as dit que, si j'étais maudite, c'était parce que j'acceptais la malédiction. Tu m'as dit... qu'il était en mon pouvoir de me libérer de n'importe quelle malédiction... parce que les malédictions étaient le prélude aux bénédictions...

Ravie, la vieille dame lui fit un clin d'œil.

– Et ensuite, tu m'as suggéré de me couper les cheveux, poursuivit Luce.

– C'est vrai, mais tu n'as pas voulu.

– Non.

La jeune fille ferma les yeux. La brume fraîche d'un nuage la caressa. De nouveau, elle se sentit triste.

– Je n'ai pas voulu, reprit-elle. Je n'étais pas prête...

– En tout cas, j'aime beaucoup la manière dont tu te coiffes depuis que tu es revenue à la raison !

– Regardez ! s'exclama Daniel en indiquant l'endroit où le plancher de nuages tombait, se détachant comme une falaise. On est arrivés.

Ils descendirent vers Avignon. Le ciel, au-dessus de la ville, était parfaitement clair. Le soleil projetait l'ombre de leurs ailes sur un petit village entouré de champs où un tracteur traçait des sillons.

Sur la gauche, ils survolèrent une écurie, respirant au passage l'odeur du foin humide et du fumier. Puis ils arrivèrent en planant au-dessus de remparts en pierre ocre. Des touristes buvaient du café à une terrasse. La ville étincelait d'or au soleil de midi.

La surprise d'être arrivés si vite se mêla à la sensation que le temps filait entre leurs doigts. Il y avait déjà quatre jours et demi qu'ils étaient partis à la chasse aux reliques. La moitié du temps qui leur était imparti était écoulée.

Daniel désigna un pont, à l'extérieur de la ville, qui ne traversait pas entièrement un fleuve miroitant. C'était comme si une partie de l'ouvrage s'était écroulée dans l'eau.

– Le pont Saint-Bénezet, précisa-t-il.

– Qu'est-il arrivé pour qu'il soit dans cet état ? s'enquit Luce.

Daniel jeta un coup d'œil par-dessus son épaule, vers Annabelle.

– Vous vous souvenez qu'Annabelle a fait une drôle de tête, quand j'ai dit que nous irions à Avignon ? C'est elle qui en a inspiré la construction, au Moyen Âge, à l'époque où les papes vivaient ici, et non à Rome. Un jour, alors qu'elle passait de l'autre côté du Rhône, en pensant que personne ne la verrait voler, un garçon l'a aperçue. Il a construit le pont pour la suivre sur l'autre rive.

– Quand est-ce qu'il s'est effondré ?

– Lentement, au fil du temps, une arche a fini par tomber dans le fleuve. Et puis une autre. Arriane dit que le garçon – il s'appelait Bénezet – était doué pour voir les anges, mais pas pour l'architecture. Annabelle l'aimait. Elle est devenue sa muse et elle est restée à Avignon jusqu'à sa mort. Il ne s'est jamais marié et est resté à l'écart de la société. Les habitants le prenaient pour un fou.

Luce essaya de ne pas comparer sa relation avec Daniel à celle d'Annabelle et Bénezet, mais c'était difficile. Comment un ange et une mortelle pouvaient-ils vivre leur amour ? Que se passerait-il quand tout serait terminé, quand ils auraient battu Lucifer... s'ils le battaient ? Allaient-ils retourner tranquillement en Géorgie vivre leur petite vie, manger une glace le vendredi après le cinéma, comme tous les autres couples de leur âge ? Ou bien les gens de la ville penseraient-ils qu'elle était folle, comme Bénezet ?

Y avait-il un espoir ? Qu'adviendrait-il d'eux à la fin ? Leur amour disparaîtrait-il comme les arches de ce pont médiéval ?

L'idée de partager une vie normale avec un ange était une folie. Elle le sentait chaque fois qu'elle volait avec Daniel. Et pourtant, elle ne l'en aimait que davantage.

Ils atterrirent sur la rive du fleuve à l'ombre d'un saule pleureur. Perturbée par leur irruption, une famille de canards s'enfuit sur l'eau. Les anges rentrèrent leurs ailes, en émettant une série de petits craquements au moment où les couches de muscles se repliaient sur les plumes du dessus. Ensuite les pointes, fines, presque translucides, jetèrent un dernier éclat avant de disparaître sans laisser de trace sous les vêtements.

Le groupe se mit en route, comme de simples touristes. La démarche d'Annabelle avait quelque chose de raide, et Luce vit Arriane lui effleurer la main. L'air sentait la lavande et l'eau du fleuve.

Ils atteignirent le pont, soutenu par de longues arches. Une petite chapelle de pierre à un seul clocher s'élevait sur le côté, près de l'entrée et était recouverte d'une fine couche de poussière argentée. Un écriteau y était fixé, portant l'inscription : «Chapelle Saint-Nicolas». Luce se demanda où se trouvaient les vrais touristes.

Ils s'engagèrent sur le pont en silence ; Annabelle n'était pas la seule à être bouleversée. Daniel et Roland tremblaient, se tenant prudemment à l'écart de l'entrée du lieu saint, puisqu'ils étaient interdits d'entrée dans un sanctuaire de Dieu.

Dee passa ses doigts sur l'étroite rambarde de cuivre et poussa un soupir.

– Nous arrivons trop tard, murmura-t-elle.

– Ce n'est pas...?

Luce toucha la poussière légère, avec une nuance argentée, comme celle qui avait recouvert le jardin, chez ses parents.

– Tu veux dire...?

– Oui, que des anges sont morts ici, compléta Roland d'une voix monocorde, le regard ailleurs.

– M-mais, bafouilla Luce, nous ne savons même pas si Gabbe, Cam et Molly sont arrivés jusqu'ici !

– C'était un endroit magnifique, murmura Annabelle. Et maintenant, ils l'ont saccagé pour toujours. Pardonne-moi, Bénezet.

Arriane leur montra une plume d'argent qui tremblait dans sa main.

– Le pennon de Gabbe. Intact. Ça signifie qu'elle l'a arraché de sa propre main. Peut-être pour le donner à un Banni qui n'en avait pas...

Elle détourna les yeux et porta la plume contre sa poitrine.

– Mais je croyais que l'Échelle ne tuait pas les anges, objecta Luce.

– Non, elle ne les tue pas.

Daniel se pencha et balaya un peu de poussière amoncelée à ses pieds comme un petit tas de neige.

Une flèche d'argent était enfouie en dessous. Il l'essuya sur son T-shirt, puis, quand il eut fini, il la montra à ses compagnons. Elle était ornée de la lettre Z.

– Les Anciens, murmura Arriane.

– Oui. Eux, malheureusement, sont trop contents de tuer les anges, prononça Daniel à voix basse. On peut même dire que rien ne leur fait plus plaisir...

Un fort craquement fit sursauter Luce. Elle fit volte-face, s'attendant à voir... L'Échelle ? Les Anciens ?

Elle se retrouva face à Dee qui examinait son poing, le secouait et frottait ses jointures rougies avec son autre main. Puis elle vit que la porte en bois de la chapelle avait été fracassée... Mais ses compagnons ne manifestèrent aucun étonnement, comme s'il était parfaitement normal qu'une vieille femme puisse faire de tels dégâts.

– Ça va, Dee? s'écria Arriane.

D'une voix tremblante de rage, la transéternelle répondit:

– Sophia n'a rien à faire ici. Les Anciens n'ont rien à voir avec Lucifer, ses pompes et ses œuvres! Et pourtant, cette créature maléfique pourrait tout faire capoter. J'ai envie de la tuer.

Daniel glissa la flèche dans la sacoche et la referma.

– Quelle que soit l'issue de cette bataille, elle a dû commencer à cause de la troisième relique. Quelqu'un l'a trouvée.

– C'est la guerre des ressources, gronda Dee.

Luce renchérit:

– Oui, et quelqu'un y a laissé la vie.

– Nous ignorons ce qui s'est passé, Luce, dit Daniel. Et nous ne le saurons pas tant que nous ne serons pas en face des Anciens. Il faut les retrouver.

– Comment? demanda Roland.

– Ils sont peut-être allés au Sinaï pour nous épier, suggéra Annabelle.

Daniel secoua la tête et se mit à faire les cent pas.

– Pour aller au Sinaï, il faudrait qu'ils aient torturé l'un de nos anges afin de lui arracher le renseignement.

– Non, le coupa Dee. Les Anciens ont leur propre programme. Ils sont cupides. Ils visent plus haut. Ce qu'ils veulent, c'est qu'on se souvienne d'eux, comme de leurs ancêtres. S'ils meurent, ils souhaitent partir en martyrs.

Elle fit une pause et regarda ses interlocuteurs les uns après les autres. Puis elle reprit:

— Et quel est le lieu le plus indiqué, quand on veut mettre en scène son martyre?

Les anges restèrent cois. Daniel s'abîma dans la contemplation du ciel rose pâle, à l'est. Annabelle passa ses longs doigts dans ses cheveux. Arriane mit ses bras autour de sa poitrine et baissa le nez, à court de remarques ironiques. Enfin, la voix inquiétante de Roland gronda au-dessus du pont écroulé:

— Le Golgotha. Le lieu du crâne.

XI

VIA DOLOROSA

Les anges survolaient la côte méridionale de la France. Les vagues roulaient et se déversaient sur le rivage.

À minuit commencerait la journée du mardi 1er décembre. Cinq jours s'étaient écoulés depuis que Luce était sortie de l'Annonciateur, ce qui signifiait qu'ils avaient dépassé la moitié de la période de neuf jours durant laquelle les anges étaient tombés sur la Terre. La menace de Lucifer se rapprochait inexorablement.

Ils ne possédaient que deux reliques sur trois, et ne connaissaient pas encore la troisième. De plus, ils ne savaient pas comment les interpréter quand ils les auraient réunies. Pis, en cherchant à les localiser, ils s'étaient fait encore plus d'ennemis et avaient perdu leurs amis.

Un peu de poussière blanche avait pénétré sous les ongles de Luce. Et si c'étaient les cendres de Cam ?

Jusqu'alors, elle avait toujours été pleine de méfiance à son égard, or l'idée de ne plus le voir la remplissait soudain de tristesse. Cam était violent, sombre et imprévisible, intimidant, et ce n'était pas un garçon fait pour elle... mais cela ne signifiait pas pour autant qu'elle ne tenait pas à lui.

Et Gabbe... cet ange qui savait toujours ce qu'il fallait dire et faire... Dès le moment où elle l'avait rencontrée à Sword & Cross, cette beauté ténébreuse avait passé son temps à veiller sur elle. Était-ce au tour de Luce de la protéger ?

Quant à Molly Zane, Luce avait commencé par la craindre, puis l'avait détestée... jusqu'à ce matin où elle l'avait trouvée couchée dans son lit, installée là afin de cacher son absence à ses parents. Elle lui avait rendu un sacré service. Même Callie avait apprécié sa compagnie. Peut-être ce démon avait-il changé. À moins que ce ne fût elle-même ?

Les battements des ailes de Daniel fendant le ciel étoilé lui donnaient envie de dormir, mais elle refusait de se laisser aller. Non ! Il fallait qu'elle se concentre sur les épreuves qui les attendaient à leur arrivée au Golgotha.

La voix de Daniel lui parvint, basse, assourdie par le vent contraire :

– À quoi penses-tu ?

Luce regarda les ailes d'argent foncé d'Annabelle et celles, iridescentes, d'Arriane, largement ouvertes au-dessus de la botte verte de l'Italie. Elle toucha le médaillon accroché à son cou et répondit:

– J'ai peur.

Daniel la serra très fort contre lui.

– Tu es si courageuse, Luce.

– Je me sens plus forte que je ne l'ai jamais été. Et je suis fière de tous les souvenirs qui me reviennent, surtout s'ils nous aident à arrêter Lucifer... Mais j'ai quand même peur de ce qui nous attend.

– Je ne laisserai jamais Sophia s'approcher de toi.

– Je ne crains pas qu'elle puisse me faire du mal, j'ai peur de ce qu'elle a peut-être fait à des gens qui comptent pour moi. Ce pont, toute cette poussière...

– J'espère autant que toi que nos trois amis sont sains et saufs. Malheureusement, les anges aussi peuvent mourir, Lucinda.

– Je le sais.

– Et tu sais aussi à quel point cette mission est dangereuse. Les anges qui se joignent à nous pour stopper Lucifer en ont parfaitement conscience, eux aussi. Ils ont compris que l'enjeu de notre mission est plus important que l'âme d'un seul ange.

Luce ferma les yeux. *L'âme d'un seul ange.*

Encore ! Arriane avait déjà dit ces mots au fast-food de Las Vegas. Elle avait expliqué qu'il restait un seul ange dont la décision avait le pouvoir de faire pencher la balance. Son choix déterminerait l'issue d'un combat qui durait depuis des millénaires.

Elle ouvrit les yeux et vit la lune, inondée d'une lumière blanche et douce, se lever au-dessus des ténèbres.

– Les forces du Paradis et celles de l'Enfer sont-elles vraiment en équilibre en ce moment? demanda Luce timidement.

Elle sentit la poitrine de Daniel se gonfler, puis se vider. Ses ailes battirent un peu plus vite, mais l'ange ne répondit pas.

– Y a-t-il le même nombre de démons et d'anges de chaque côté? insista-t-elle.

Enfin, Daniel consentit à lui expliquer:

– Oui, mais ce n'est pas aussi simple. Il ne s'agit pas d'avoir mille démons d'un côté contre mille anges de l'autre. Certains joueurs comptent plus que d'autres. Les Bannis n'ont aucun poids. Tu as suffisamment entendu Phil se plaindre de cela. L'Échelle, en réalité, ne pèse pas bien lourd, même si elle passe son temps à faire croire le contraire. Mais un archange, par exemple, vaut mille anges inférieurs.

– Et cet ange qui n'a pas choisi son côté... C'est vrai?

– Oui, c'est vrai, déclara Daniel après une hésitation.

Elle l'avait déjà supplié de choisir, à Shoreline. Mais le moment n'avait pas été le bon, car c'était au cours d'une dispute. Maintenant, leur lien était plus fort. Il savait à quel point elle le soutenait et l'aimait. Cela allait sûrement l'aider à prendre une décision.

– Et si tu te jetais tout simplement à l'eau? Et si tu faisais ton choix? suggéra-t-elle.

– Non...

– Mais, Daniel, tu pourrais faire cesser tout ça! Tu pourrais te ranger dans un camp, et plus personne ne serait obligé de mourir, et...

– Non, crois-moi, ce n'est pas aussi facile.

Elle l'entendit soupirer et devina, sans même avoir à le regarder quelle était la couleur précise de ses yeux: ils étaient d'un violet profond, couleur de lupin sauvage.

– Ce présent où nous sommes n'a plus d'importance, ajouta Daniel. Nous sommes dans un espace temps qui pourrait cesser d'exister. Choisir maintenant n'aurait aucune répercussion. Il faut d'abord que le problème de cette anomalie de neuf jours soit réglé. Il faut arrêter Lucifer. Soit il met son projet à exécution et efface les six ou sept millénaires passés, et tout recommencera du début...

– Soit nous réussissons, compléta Luce machinalement.

– Et dans ce cas, la hiérarchie sera reconsidérée.

Quelques mètres plus bas, Arriane volait en faisant des loopings, comme pour chasser son ennui. Annabelle fonça dans une averse, ce que les anges évitaient d'ordinaire. Elle en ressortit les ailes humides et les cheveux mouillés, mais ne parut pas s'en apercevoir. Roland, qui tenait Dee dans ses bras, était quelque part derrière eux, sans doute plongé dans ses pensées. Tous semblaient fatigués, la tête ailleurs.

– Mais *si* nous réussissions, tu ne pourrais pas...

– Choisir le Paradis? Non. J'ai fait mon choix il y a très longtemps, presque dès le commencement. C'est toi que j'ai choisie, Lucinda.

Luce mit sa main sur celle de Daniel. En bas, la mer paraissait noire comme du charbon. Le paysage était très lointain, mais il lui rappelait celui qui entourait le Sinaï, avec ses falaises rocheuses interrompues.

Elle ne comprenait pas pourquoi Daniel avait à choisir entre le Paradis et l'amour. Leur amour valait-il qu'on efface le monde et son histoire ? Daniel aurait-il pu éviter cette menace, s'il avait choisi le Paradis ? Et serait-il revenu là où était sa place, si son amour pour Luce ne l'avait pas induit en erreur ?

Comme s'il lisait dans ses pensées, Daniel déclara :

– Nous avons mis notre foi dans l'amour.

Roland les rattrapa. Il inclina les ailes et se retourna pour leur faire face. Les cheveux roux de Dee volaient au vent et ses joues luisaient. La vieille dame leur fit signe de s'approcher. Dans un unique battement d'ailes plein de grâce, Daniel traversa un nuage pour aller se placer aux côtés de son ami. Arriane et Annabelle rebroussèrent chemin pour refermer le cercle, illuminant le ciel sombre de lueurs iridescentes.

– Il est presque quatre heures du matin à Jérusalem, déclara Dee. La majorité des mortels seront en train de dormir, ou nous laisseront tranquilles, pendant une heure encore. Si Sophia a capturé nos amis, elle projette sûrement de... Bref, il faut se dépêcher !

– Vous savez où les trouver ? s'enquit Daniel.

La transéternelle réfléchit un moment avant de répondre :

– À l'époque où j'étais avec les Anciens, la consigne était toujours de se retrouver à la basilique du Saint-Sépulcre.

Cette église a été construite sur la colline du Golgotha, dans le quartier chrétien de la vieille ville.

Le groupe se mit en formation et amorça sa descente vers le sol. Les ailes des anges resplendissaient dans le ciel bleu marine, parsemé d'étoiles. Au loin, les pierres blanches des maisons jetaient des éclats surnaturels. Alors que, de haut, le terrain paraissait sec, poussiéreux, la terre était parsemée de gros palmiers et de champs d'oliviers.

Ils survolèrent un immense cimetière construit sur une pente douce qui faisait face à l'ancien cœur de Jérusalem. La ville entourée d'un haut mur de pierre sommeillait sous la lune. L'impressionnante mosquée du dôme du Rocher était perchée sur une colline ; sa coupole dorée luisait même dans l'obscurité. Elle était située à distance du reste de la ville, pourvue de longues volées de marches et de hautes portes d'entrée. Au-delà des vieux murs, quelques tours modernes formaient une ligne d'horizon lointaine, mais à l'intérieur de la vieille cité, les bâtiments beaucoup plus anciens, plus petits, dessinaient un réseau de ruelles pavées qu'il valait mieux arpenter à pied.

Ils se posèrent au sommet de la Nouvelle Porte qui marquait l'entrée de la cité.

– C'est l'entrée la plus proche du quartier chrétien, là où se trouve la basilique, expliqua le desideratum.

Le groupe descendit les escaliers usés. Dee brandit une petite lampe électrique et les guida dans une ruelle pavée qui rétrécissait aux abords de l'église. La plupart des devantures étaient recouvertes de portes métalliques cadenassées.

Luce marchait à côté de Daniel en lui tenant la main. Plus ils s'enfonçaient dans la ville, plus les maisons étaient serrées les unes contre les autres. Des azalées grimpaient le long des murs, à la recherche d'eau. Ils passèrent sous les auvents de toiles rayées des marchés déserts, sous de longues arches de pierre et dans des corridors obscurs d'où montaient, par vagues, des odeurs d'agneau rôti, d'encens ou de lessive. À l'enseigne d'une laverie automatique écrite en caractères arabes succéda la devanture d'une boutique de fleurs revêtue d'inscriptions en hébreu.

Le silence n'était interrompu que par le bruit de leurs pas et le hurlement d'un animal dans les collines.

Partout, à travers une porte ouverte, ou au sommet d'un escalier de quelques marches, on apercevait d'étroites venelles qui partaient de la rue. Dee semblait compter les portes, car elle bougeait les doigts en marchant. À un moment, elle passa sous une arche de bois vermoulu, tourna à un angle, et disparut. Ses compagnons échangèrent un rapide regard, puis la suivirent dans une ruelle qui débouchait sur le toit d'une maison donnant sur une nouvelle rue bordée d'habitations à touche-touche.

– C'est là, annonça leur guide en hochant la tête, l'air sombre.

La basilique surplombait tous les toits alentour. En pierre de couleur claire, elle dominait les deux clochers élancés qui jaillissaient dans le ciel. Un énorme dôme bleu s'arrondissait au centre de l'édifice, pareil à un morceau de firmament drapé autour d'une pierre. Des briques géantes s'arquaient autour de portes en bois surmontées de vitraux cintrés. Une échelle, posée contre le rebord d'une fenêtre, au troisième niveau, ne menait nulle part.

Certaines parties de la façade, noircies par l'âge, étaient en mauvais état. Ailleurs, l'édifice semblait avoir été récemment restauré. De chaque côté, deux longs bras de pierre délimitaient une place pavée, et juste derrière, un minaret blanc se dressait dans le ciel.

Le groupe descendit jusqu'à la place par un escalier et s'approcha d'une immense porte double, peinte en vert, flanquée de trois piliers de pierre de chaque côté. Luce contempla les frises qui ornaient le dessus des portes, et la croix d'or resplendissante qui se découpait au sommet. L'édifice était silencieux, vibrant de spiritualité.

– Entrons, décida Dee.

– Nous ne pouvons pas, objecta Roland en s'éloignant de quelques pas.

– Ah oui, c'est vrai, l'incendie... Vous croyez que c'est un sanctuaire de Dieu...

– C'est *le* sanctuaire de Dieu. Je n'ai pas envie d'être responsable de sa destruction, dit l'ange.

– Détrompe-toi, Roland, ce n'est pas un sanctuaire, répondit la vieille dame. C'est exactement le contraire. C'est l'endroit où Jésus a souffert, et où il est mort. En conséquence, pour le Trône, il n'a jamais été un sanctuaire, et l'opinion du Trône est la seule qui compte réellement. Un sanctuaire est un endroit sûr, un refuge contre le mal, où les mortels viennent prier. Mais en ce qui concerne la malédiction, elle sera sans effet ici... Et c'est tant mieux, parce que Sophia et vos amis sont à l'intérieur.

– Comment le sais-tu ? s'enquit Luce.

Des bruits de pas résonnèrent sur les pierres de la cour. Dee scruta la rue étroite en plissant les yeux.

Daniel attrapa Luce d'un geste si rapide qu'elle se plaqua contre lui. Débouchant au coin d'une rue dont la plaque indiquait VIA DOLOROSA, deux vieilles religieuses peinaient sous le poids d'une énorme croix en bois. Elles portaient une robe bleu marine, d'épaisses sandales, et des rosaires pendaient à leur cou.

Luce se détendit à la vue des deux vieilles nonnes. Obéissant à l'instinct qui la poussait à aider les personnes âgées, elle voulut s'élancer à leur rescousse, mais Daniel la retint fermement.

Les religieuses s'approchaient des grandes portes avec une lenteur épouvantable. Il semblait impossible qu'elles ne voient pas le groupe d'anges à dix mètres d'elles, et pourtant, elles ne leur accordèrent pas un regard.

– Un peu tôt pour que les sœurs des Stations de la Croix soient de sortie, tu ne trouves pas ? chuchota Roland à Daniel.

Dee lissa sa jupe et arrangea une mèche rebelle derrière son oreille.

– J'avais espéré ne pas en arriver là, mais nous sommes tout simplement obligés de les tuer, annonça-t-elle.

– Quoi ? s'exclama Luce, en regardant l'une des deux vieilles femmes, dont les yeux gris étaient enfoncés comme deux galets au fond de son visage ridé. Tu veux tuer ces bonnes sœurs ?

Dee fronça les sourcils.

– Ce ne sont pas des religieuses. Ce sont des Anciennes, dont nous devons nous débarrasser, sous peine qu'elles se débarrassent de nous.

– Et puis elles ont l'air de sortir d'un débarras, s'amusa Arriane. Apparemment, Jérusalem recycle.

Au moment où les pseudo-nonnes atteignaient péniblement les portes de l'église, elles s'arrêtèrent et se retournèrent, pointant vers eux, comme un canon, la longue poutre qu'elles traînaient.

– C'est le moment de les envoyer définitivement à la déchetterie, prononça Dee entre ses dents.

La nonne aux yeux gris sourit en montrant des gencives en ruine et tâtonna sous la poutre. D'un geste vif, Daniel remit la sacoche qu'il portait à Luce, puis se plaça derrière Dee. Cette dernière n'était pas vraiment de taille à protéger Luce, mais la jeune fille comprit le message et se baissa. En un éclair, les anges déployèrent leurs ailes, Arriane et Annabelle sur la gauche, Roland et Daniel sur la droite.

La croix géante s'avéra être une énorme arbalète, chargée de flèches d'argent.

Déjà, l'une des religieuses envoyait la première flèche qui fendit l'air en grésillant, dirigée tout droit sur Luce. Sans hésiter, Dee bondit, ouvrant largement les bras, et grogna lorsque la pointe de la flèche l'atteignit à la poitrine. L'arme magique – inoffensive pour les mortels – rebondit sur son corps frêle et s'abattit sur le sol, la laissant un peu chancelante, mais indemne.

– Presidia, tu es vraiment idiote ! cria-t-elle à la nonne en repoussant la flèche du bout de son escarpin.

Luce s'empressa de ramasser le projectile et de le glisser dans la sacoche.

– Tu sais bien que tu ne peux pas me blesser avec ça ! poursuivit Dee, avec un geste protecteur pour ses compagnons qui fondaient sur l'Ancienne pour la désarmer.

– Traîtresse ! riposta ladite Presidia. Nous voulons la fille ! Rends-toi et nous...

Mais elle ne put finir sa phrase, car Arriane bondit sur son dos, descendit sa capuche et l'attrapa par ses cheveux blancs.

– Comme je respecte les Anciens, siffla l'ange entre ses dents, je me sens obligée de leur éviter des embarras.

Tenant Presidia par les cheveux, elle la souleva de terre. L'Ancienne pédala dans le vide. Arriane pivota sur elle-même et la projeta contre la façade de l'église avec une force inouïe. Presidia s'écroula sur le sol.

Sa complice essayait de s'échapper à toutes jambes dans une allée, à l'autre bout de la place. Annabelle leva la croix. Reculant d'abord comme un ressort, elle se jeta ensuite en avant pour relâcher le lourd T de bois.

La croix fendit les airs et atteignit l'ennemie au milieu du dos.

Un silence sépulcral s'abattit dans la cour. Instinctivement, tous se tournèrent vers Luce.

– Elle n'a rien ! s'exclama Dee en levant le bras de la jeune fille comme si elles venaient de gagner ensemble une course de relais.

Tout à coup, Luce aperçut une silhouette blanche qui se hâtait vers l'église et s'engouffrait à l'intérieur.

– Daniel ! s'écria-t-elle en la désignant du doigt.

Les doubles portes se refermèrent lentement sur un moine âgé, dont ils n'avaient pas noté la présence jusqu'alors, et dont ils entendirent résonner les pas sur la pierre.

– Suivez-le ! hurla Dee en enjambant le corps mutilé de Presidia.

Tous se précipitèrent derrière l'homme. L'église était obscure, et plongée dans le silence. Roland indiqua une volée de marches en pierre menant à une petite arcade donnant sur un escalier plus long, tellement étroit que les anges ne pouvaient y déployer leurs ailes. Il ne leur restait plus qu'à monter en vitesse.

– L'Ancien va nous conduire à Sophia, chuchota Daniel, le dos courbé. Si elle a les autres... si elle a la relique...

Dee posa une main ferme sur son bras.

– Il faut absolument empêcher cet Ancien de la rejoindre. Elle ne doit pas apprendre que Luce est avec nous.

Daniel échangea un signe de connivence avec Roland. Celui-ci se précipita dans l'escalier en le gravissant d'un pas léger, comme s'il était habitué à escalader les murailles des anciennes forteresses.

Il lui fallut moins de deux minutes pour atteindre le sommet, où il attendit ses compagnons. Quand ceux-ci le rejoignirent, ils constatèrent que l'Ancien gisait sur le sol. Mort. Il avait les lèvres bleues et les yeux vitreux. Derrière Roland, une entrée donnait sur la gauche. Là, quelqu'un chantait une sorte d'hymne.

Luce frissonna.

Daniel fit signe à ses amis de ne pas bouger et s'avança pour jeter un coup d'œil au-delà du palier. De sa place, plaquée contre le mur, Luce n'apercevait qu'une partie de la chapelle. Les murs étaient recouverts de fresques, éclairées par des dizaines de petites lampes en étain suspendues au plafond par des chaînes de perles. Une mosaïque représentant la crucifixion occupait tout un pan. Derrière, une rangée de colonnes voûtées, richement décorées, séparait cette chapelle d'une autre, plus vaste, qu'elle ne voyait pas. Entre les deux, un grand autel doré dédié à la Vierge disparaissait sous les bouquets de fleurs et les cierges à demi consumés.

Daniel passa la tête. Un éclair rouge disparut derrière une colonne.

C'était une femme en longue robe écarlate, penchée au-dessus d'un autel en marbre, décoré d'un napperon en dentelle blanche. Quelque chose était posé sur cet autel, mais on ne voyait pas ce que c'était.

La femme était frêle, avec des cheveux gris coupés au carré. Sa robe était serrée à la taille par une ceinture de couleur vive. Elle alluma un cierge. Les larges manches de sa robe remontèrent sur son bras quand elle s'agenouilla, dévoilant des poignets ornés de plusieurs rangées de perles.

Mlle Sophia.

Les monumentales colonnes obstruaient une grande partie de la chapelle. Pour lui permettre de mieux distinguer la scène, Daniel aida Luce à monter quelques marches. Il n'y avait pas *un* autel, mais *trois*. Et pas *une* femme en robe écarlate, mais *trois,* occupées à allumer rituellement des cierges tout autour d'elles.

Sophia semblait plus âgée et plus fatiguée qu'à l'époque où elle officiait à son bureau de bibliothécaire. Elle était maquillée ; ses lèvres étaient rouge sang, et sa robe, recouverte de poussière, tachée de sueur.

C'était Mlle Sophia qui chantait. L'entendant reprendre son chant dans un langage qui ressemblait à du latin, Luce se crispa. Elle reconnaissait cette mélodie.

C'était le rituel auquel la bibliothécaire s'était livrée à Sword & Cross, au moment où elle s'apprêtait à la tuer... quand Daniel avait jailli du plafond pour la sauver.

Les officiantes étaient si absorbées par leur sinistre cérémonie qu'elles ne sentirent pas la présence des anges tapis dans les escaliers.

– Passe-moi la corde, Vivina, ordonna la cruelle Ancienne. Gabrielle me semble un peu trop à l'aise. Je vais lui serrer la gorge.

Gabbe !

– Je n'en ai plus, malheureusement, déplora l'interpellée. Cambriel se tortillait tellement que j'ai été obligée de doubler la sienne. Et je vois qu'il continue !

– Oh, mon Dieu..., murmura Luce.

Elle parlait de Cam et de Gabbe ! Sans doute la troisième femme en rouge s'occupait-elle de Molly.

– Dieu n'a rien à voir avec ça, souffla Dee. Et Sophia est trop folle pour s'en rendre compte.

– Pourquoi les Déchus ne disent-ils rien ? s'étonna Luce. Pourquoi ne résistent-ils pas ?

– Je suppose qu'ils ignorent que ce lieu n'est pas un sanctuaire, expliqua Daniel. Ils sont sûrement en état de choc, et Sophia en profite. Elle se doute qu'ils ont peur de commettre un geste ou de prononcer un mot qui pourrait mettre le feu à l'église.

– Il faut intervenir ! chuchota Luce.

Elle avança d'un pas, enhardie par la victoire qu'ils avaient remportée contre les deux fausses religieuses, par le pouvoir des anges qui se trouvaient derrière elle, par l'amour de Daniel, par le fait de détenir déjà deux reliques... Mais une main ferme l'agrippa par l'épaule et l'attira en arrière.

– Personne ne bouge ! ordonna Dee en plongeant son regard dans celui de chacun des anges, un par un. S'ils vous voient, ils sauront que Luce est avec vous. Attendez-moi ici. C'est ma sœur. Je sais comment m'y prendre avec elle.

Sans un mot de plus, la transéternelle entra dans la chapelle en faisant claquer ses hauts talons sur le sol à damiers noirs et blancs.

– Sophia, lança-t-elle. Tu n'as que trop de corde !

– Qui est là ? jappa Vivina, arrêtée en pleine génuflexion.

Croisant les bras sur la poitrine, Dee tourna autour des autels, comme pour examiner le décor installé par les Anciennes. Puis, avec un petit rire moqueur, elle fit son commentaire :

– Plutôt miteux, pour un sacrifice à prétention cosmique et éternelle. Ma pauvre Sophia, on se croirait dans un film de série B !

Luce regrettait de ne pas voir la réaction de leur ennemie, mais Daniel la maintenait d'une main de fer. On entendit un frottement, un cri étouffé, mélodramatique, suivi d'un petit ricanement cruel.

– Ah, parfait! répliqua l'ancienne bibliothécaire. Voilà ma traîtresse de sœur! Tu reviens juste à temps pour assister à mon plus grand triomphe. Rien à voir avec tes récitals de piano minables.

– Ce que tu peux être bête!

– Pourquoi? Parce que je n'ai pas la marque de corde recommandée? persifla Sophia.

– Qui te parle de corde, imbécile? Et dire que tu t'imagines pouvoir te sortir de ce pétrin...

– Arrête de lui parler de cette façon! siffla la troisième Ancienne.

– Merci Lyrica, mais c'est une affaire entre Paulina et moi, répondit Sophia sans quitter sa sœur des yeux. Ah, c'est vrai, tu te fais appeler Dee..., ajouta-t-elle à l'adresse de cette dernière.

– Tu aimerais bien savoir pourquoi, n'est-ce pas?

– Ça m'est bien égal. Et puisque nous voilà réunies, fêtons ça!

– Sophia! Libère mes amis!

– Il n'en est pas question, ricana cette dernière. Je veux les voir morts.

Sa voix monta, et elle ajouta:

– C'est *elle*, surtout, que je veux voir morte!

Luce en eut la respiration coupée. C'était d'elle que parlait cette horrible créature!

– Ce n'est pas ça qui empêchera Lucifer de te supprimer, riposta Dee.

– Tu te souviens de ce que notre père disait ? « Quoi qu'il advienne, nous sommes tous voués à l'Enfer ! » Mieux vaut donc essayer d'obtenir ce que nous voulons tant que nous sommes sur cette Terre. Où est-elle, Dee ? cracha Sophia. Où est cette petite pleurnicharde de Lucinda ?

– Je ne sais pas, mentit sa sœur. Et tu ne le découvriras pas.

– Je te hais ! hurla Sophia en bondissant sur Dee.

Roland se retourna et interrogea Daniel du regard, prêt à intervenir. Mais l'ange paraissait confiant dans les capacités du desideratum.

Sous les yeux des assistantes de l'Ancienne, qui observaient la scène depuis les autels, les deux sœurs roulèrent sur le sol. D'abord, Dee prit le dessus. Puis ce fut Sophia, puis de nouveau Dee...

Celle-ci serra le cou de Sophia entre ses deux mains. Le visage écarlate, sa sœur se débattit, et lutta en s'arc-boutant contre sa poitrine, leva lentement les genoux et les enfonça dans son ventre. Dee ne lâcha pas prise. Les yeux brûlants de haine, elle dévisagea Sophia, dont les traits étaient déformés par la rage.

– Les ténèbres ont envahi ton cœur, dit-elle, d'une voix presque nostalgique. Nous avons tout fait pour t'empêcher de courir à ta perte. Hélas ! nous n'avons pas réussi.

Puis elle relâcha sa proie, ce qui lui permit de prendre une bouffée d'air.

– Tu m'as trahie, siffla Sophia, alors que sa sœur la reprenait par le col, prête à frapper sa tête contre le sol.

Un grand cri traversa alors la chapelle. D'un coup de pied administré avec une force surhumaine, l'Ancienne avait projeté son adversaire dans les airs. Dee retomba quelques mètres plus loin. Échevelée, Sophia se rua sur elle, le visage violacé et en sueur. Le desideratum gisait sur le sol, inerte, les yeux clos.

– Ha!

Avec un hurlement, la cruelle Ancienne se précipita vers l'autel où était ligoté Cam, se pencha et en retira un fourreau de flèches d'argent.

Cette fois, Roland et Daniel décidèrent de réagir.

En un instant, Arriane, Annabelle et l'ange aux dreadlocks jaillirent de leur cachette. Roland plongea sur la furie, mais au dernier moment, celle-ci se baissa et l'évita.

Prises en étau entre les anges, ses deux assistantes se recroquevillèrent, terrorisées. Annabelle les tenait en joue pendant qu'Arriane sortait un couteau de sa poche – celui que Luce avait utilisé pour lui tailler les cheveux quelques mois plus tôt – et sectionna la corde qui emprisonnait Gabbe.

Au même moment, Sophia sortait une poignée de flèches et les pointait sur Cam.

– Arrêtez, ou je le tue! gronda-t-elle.

Les mains blanches de sa proie tremblaient. Ce détail n'échappa pas à Sophia, qui eut un mauvais sourire.

– J'adore voir mourir les anges, ricana-t-elle en brandissant les flèches. Notamment les anges arrogants comme lui! Sa mort me causera un plaisir tout particulier.

– Vas-y, qu'est-ce que tu attends? Je n'ai jamais espéré que mon histoire se termine par un happy end.

En entendant la voix basse et égale de Cam, Luce faillit pousser un cri. Mais elle avait déjà vu la bibliothécaire tuer froidement Penn de ses propres mains. Elle ne la laisserait pas commettre un nouveau crime.

– Non ! hurla-t-elle en luttant pour se défaire de l'emprise de Daniel, tout en cherchant à l'entraîner à sa suite.

Lentement, Mlle Sophia se tourna vers elle, la main crispée sur ses flèches. Ses yeux jetèrent une lueur argentée et ses lèvres fines grimacèrent un sourire quand elle reconnut celle dont elle souhaitait la mort.

– Oh ! te voilà, jubila-t-elle. Et Daniel Grigori aussi ! C'est magnifique ! Je vous attendais.

Puis elle souleva les flèches et les pointa droit sur les deux amoureux.

XII

DE L'EAU NON BÉNITE

Tout se passa en un clin d'œil. Roland bondit sur Mlle Sophia et la jeta à terre. Mais une fraction de seconde trop tard. Cinq flèches d'argent fusèrent en silence à travers la chapelle vide. Leur faisceau se défit pendant leur course et, un instant, elles semblèrent en suspens à mi-chemin, entre Luce et Daniel. Luce plaqua son dos contre la poitrine de son ange, qui se retourna aussitôt pour l'enlacer et la coucher sur le sol.

Deux grandes paires d'ailes surgies de leur gauche et de leur droite traversèrent les airs devant eux. La première, d'une éclatante couleur cuivrée, la seconde d'un blanc

argenté. Tels d'énormes écrans de plumes, elles leur bou-
chèrent la vue... avant de s'évanouir aussitôt.

Un sifflement retentit à l'oreille de Luce. C'était une
flèche isolée, qui ricocha contre le mur et s'abattit sur le
sol. Les autres flèches avaient disparu.

Une fine poussière iridescente se posa alors tout autour
de la jeune fille.

Daniel était accroupi à côté d'elle. Dee, déchaînée, se
battait, perchée sur Mlle Sophia qui se défendait bec et
ongles. Annabelle semblait monter la garde près des corps
sans vie des autres Anciennes. Arriane tenait un bout de
corde et son couteau suisse dans ses mains tremblantes.
Cam, toujours attaché sur l'autel, semblait abasourdi.

Gabbe et Molly, libérées quelques instants auparavant
par Arriane, s'étaient volatilisées...

Non !

– Gabbe... Molly...

Luce tomba à genoux. Elle tendit ses mains et les
examina comme si elle ne les avait jamais vues avant.
La lueur des bougies qui jouait sur sa peau éclaira une
poussière dorée, et, dans ses paumes, elle vit miroiter de
l'argent.

Elle se retourna et plongea ses yeux dans ceux de Daniel.
Dans son visage livide, ils brillaient d'un violet d'une telle
intensité qu'il était difficile de soutenir son regard. Luce
sentit les larmes monter et brouiller sa vision.

– Pourquoi... ?

Un instant, il régna un silence total dans la chapelle.

Puis un rugissement d'animal remplit le vide.

Cam libéra une jambe de la corde qui l'emprisonnait, s'écorchant une cheville au passage. Puis il s'efforça de détacher les liens de ses poignets, parvint à extraire sa main droite, déchirant l'aile qui avait été fixée avec un piquet de fer et se disloquant l'épaule. Son bras se balança sur son articulation comme s'il avait été arraché.

Sautant à bas de l'autel, il plongea sur Sophia en repoussant Dee. Couché à plat ventre sur elle, il la plaqua sur le côté et essaya de l'écraser sous son poids. Avec un hurlement de douleur, l'Ancienne se protégea le visage avec ses bras quand elle vit Cam tendre les mains vers son cou.

– La strangulation est la manière la plus atroce d'administrer la mort, dit-il comme s'il donnait un cours. Nous allons voir si tu meurs en beauté.

La lutte de Mlle Sophia fut affreuse. Des gargouillements et des râles sortirent de sa gorge. Cam resserra son emprise, puis frappa brutalement sa tête contre le sol, une fois, deux fois, trois fois... Le sang commença alors à couler de la bouche de la vieille femme.

Daniel prit le menton de Luce dans sa main pour la détourner de l'horrible scène qui se jouait.

– Gabbe et Molly savaient ce qu'elles faisaient, chuchota Daniel.

– Elles avaient deviné qu'elles allaient mourir ?

Derrière eux, Sophia poussa un ultime gémissement, comme si elle acceptait sa mort inéluctable.

– Elles ont fait le sacrifice de leur vie pour contrer Lucifer. Cela doit te convaincre que ce que nous faisons ici est absolument nécessaire, dit Daniel.

Puis ce fut le silence. Plus aucun son ne sortait de la bouche de Sophia. Elle était morte.

Un bras vint entourer la taille de Luce. Une mèche de cheveux noirs se posa sur son épaule.

– Venez, vous deux, souffla Arriane. On va se nettoyer un peu.

Daniel lui confia Luce.

– Passez devant, leur dit-il.

Hébétée, Luce suivit Arriane et Annabelle à l'arrière de la chapelle. Derrière une petite porte noire s'ouvrait une pièce circulaire sans fenêtres. Annabelle alluma un candélabre sur une table placée près de la porte, puis un autre dans une niche de pierre. Ce réduit en briques rouges, grand comme un placard, n'était pas meublé. Il abritait des fonts baptismaux octogonaux et était décoré, à l'intérieur, de mosaïques vertes et bleues, et, à l'extérieur, de frises représentant des anges qui descendaient sur la Terre. Luce était submergée d'une tristesse sans nom. Les fonts baptismaux eux-mêmes paraissaient se moquer d'elle, dont l'âme maudite semblait avoir une grande importance. Elle n'avait jamais été baptisée, mais elle s'apprêtait à y laver la poussière de deux anges morts pour la sauver... Cela valait-il le prix de son âme et de celle de Daniel ? Ce « baptême » pulvérisait son cœur brisé.

– Ne t'inquiète pas, dit Arriane, lisant en elle. Il ne comptera pas.

Dans un angle se trouvait un évier. Annabelle y remplit des seaux de bois et vida l'eau fumante dans les fonts baptismaux. Arriane tenait Luce par la main, sans la regarder.

Quand le bassin au fond bleu-vert fut rempli d'eau miroitante, les deux anges soulevèrent Luce, toujours vêtue.

Annabelle lui enleva ses bottes. Arriane lui ôta son médaillon et le glissa à l'intérieur de l'une d'elles. Puis elles battirent des ailes et s'élevèrent du sol pour plonger Luce dans l'eau chaude.

La jeune fille ferma les yeux, mit la tête sous l'eau et resta ainsi un moment. C'était comme si Penn était morte une deuxième fois. La nouvelle douleur mettait à nu la première blessure de sa perte, qui n'avait pas guéri.

Après un long moment, elle sentit des mains se glisser sous ses bras et la soulever. La surface de l'eau était recouverte d'un film de poussière grise. Elle ne miroitait plus.

Annabelle débarrassa Luce de son sweat-shirt, puis du T-shirt qu'elle avait mis en dessous. Elle défit le bouton de son jean. Luce portait ces vêtements depuis si longtemps qu'elle eut l'impression que c'était sa peau qui gisait sur le sol. Elle passa une main dans ses cheveux mouillés pour dégager son visage.

Ensuite, elle s'assit sur le banc, à l'arrière du bassin, s'appuya contre le bord, et fut prise de tremblements. Annabelle rajouta de l'eau chaude, mais rien n'y fit.

– Si seulement j'étais restée dans le couloir comme Dee me l'avait dit...

– Dans ce cas, c'est Cam qui serait mort, objecta Arriane. Ou quelqu'un d'autre. Sophia et son clan allaient répandre la poussière, c'était inévitable. Nous, nous savions d'avance que ça arriverait, mais pas toi, évidemment... En tout cas, tu as fait preuve d'un sacré cran en te jetant à la rescousse de Cam !

– Mais *Gabbe*...

– Elle savait ce qu'elle faisait.

– C'est ce que m'a dit Daniel. Mais pourquoi se serait-elle sacrifiée pour sauver...

– Parce qu'elle avait parié sur le fait que nous finirions par gagner.

Arriane posa son menton sur son bras, au bord du bassin, et fit traîner son index dans l'eau en dessinant un trait sur la surface.

– Mais je suis d'accord, cela reste difficile à admettre, reprit-elle tristement.

– Elle n'est pas réellement partie.

– Si, elle est vraiment partie. Elle a quitté l'autel le plus élevé de la création.

– Pardon ?

Ce n'était pas ce que Luce voulait dire. Elle signifiait par là que Gabbe était son amie, et qu'elle ne pourrait jamais l'oublier.

L'ange fronça les sourcils et lui expliqua :

– Gabbe était l'archange le plus élevé dans la hiérarchie... tu ne le savais pas ? Son âme était parmi les plus précieuses.

Luce n'avait jamais réfléchi au rang qu'occupaient ses amis au Paradis. Elle repensa à l'époque où Gabbe avait pris soin d'elle, lui avait apporté de la nourriture, ou des vêtements, ou donné des conseils... Elle avait été sa mère céleste.

– Quelles sont les répercussions de sa mort ?

– Il y a bien longtemps, dit Annabelle, Lucifer occupait la première place, au premier rang. Et lorsqu'il s'est rebellé, Gabbe a été promue.

– Mais le fait d'être si près du Trône a des avantages et des inconvénients, murmura Arriane. Demande à ton vieux copain Bill.

Luce aurait aimé savoir qui arrivait après Gabbe, mais quelque chose la retint. C'était peut-être Daniel, et cette place était en péril, parce qu'il persistait à la choisir, elle.

– Et Molly ? préféra-t-elle demander. Est-ce que sa mort... annule celle de Gabbe ? En termes d'équilibre entre le Paradis et l'Enfer ?

Parler de ses amies comme si elles étaient des marchandises la mettait mal à l'aise, mais cette question n'était pas anodine, elle en avait bien conscience.

– Molly avait un rang important, elle aussi, mais un peu inférieur, dit Annabelle. C'était avant la Chute, bien sûr ; avant qu'elle se mette du côté de Lucifer. Je sais que nous ne devrions pas dire du mal des disparus, mais Molly m'énervait vraiment, elle était trop négative.

Luce approuva de la tête, non sans un petit sentiment de culpabilité.

– Récemment, elle avait changé, poursuivit l'ange. C'est comme si elle s'était réveillée... Pour répondre à ta question, l'équilibre entre le Paradis et l'Enfer peut encore pencher d'un côté ou de l'autre. Ça dépend de la manière dont tout ça va évoluer. Un certain nombre de choses qui ont de l'importance aujourd'hui deviendront caduques si Lucifer réussit.

Luce regarda Arriane, qui avait disparu derrière la porte, et éternua trois fois de suite.

– Pouah, c'est plein de naphtaline ! s'exclama-t-elle en réapparaissant, munie d'une serviette blanche et d'un peignoir beaucoup trop grand. Tiens, voilà, ça devrait faire l'affaire pour l'instant. On te trouvera d'autres vêtements avant de quitter Jérusalem.

Devant le manque de réaction de la jeune fille, elle claqua la langue comme pour la réveiller et lui tendit la serviette. Luce obtempéra et se laissa faire comme une petite fille tandis que son amie l'enveloppait dans la serviette, la séchait, puis lui passait l'épais peignoir bien chaud.

– Il faut qu'on mette les voiles avant que les meutes de touristes débarquent, la pressa Arriane en ramassant ses bottes.

Dans la chapelle, le soleil qui s'était levé jetait des rayons de lumière multicolore à travers le vitrail de l'Ascension. En dessous gisaient les corps de Mlle Sophia et des deux autres Anciennes, attachés ensemble.

Les trois jeunes filles retrouvèrent Cam, Roland et Daniel assis sur l'autel central de la grande chapelle. Cam était en train de boire le dernier reste de soda magique. Luce assista de ses yeux au miracle : sa cheville ensanglantée se recouvrit peu à peu d'une croûte, qui ne tarda pas à tomber. Ensuite, l'ange avala la dernière goutte de liquide et remit son épaule en place, d'un geste assuré.

Quand ils aperçurent leurs amies, les trois anges s'avancèrent vers elles, Cam le premier.

Luce le regarda s'approcher sans bouger, le cœur battant.

Dans son visage pâle, ses yeux verts ressortaient comme des émeraudes. Des gouttes de sueur perlaient à la racine de ses cheveux, et il avait une égratignure près de l'œil gauche. Les pointes de ses ailes ne saignaient plus. Elles étaient entourées d'une bande de fortune.

Il lui sourit et lui prit les mains. Elles étaient chaudes, pleines de vie. Pourtant, il y avait eu un moment où Luce avait cru ne jamais le revoir, ne plus jamais voir briller ses yeux, se déployer ses ailes dorées... ne plus entendre ses remarques pleines d'humour noir... Même si elle aimait Daniel au-delà de tout, elle refusait l'idée de perdre Cam. C'était ce sentiment qui l'avait poussée à bondir à sa rescousse.

– Merci, dit-il.

Les lèvres de Luce tremblèrent et ses yeux s'embuèrent. Avant de savoir ce qu'elle faisait, elle lui tomba dans les bras. Il l'étreignit et posa son menton sur sa tête. Elle se mit à pleurer.

– Tu es si courageuse ! murmura-t-il.

Lorsqu'il s'écarta légèrement d'elle, elle eut froid et se sentit vulnérable, mais déjà d'autres bras l'accueillirent. Elle l'aurait reconnu les yeux fermés. Aucun corps au monde ne s'adaptait aussi bien au sien.

– Daniel...

– Chut !

Il la tint amoureusement un long moment, la berçant entre ses ailes, jusqu'à ce que ses larmes tarissent et que son cœur s'allège.

– Quand les anges meurent, chuchota-t-elle au creux de son épaule, est-ce qu'ils vont au Paradis ?

– Non, répondit-il, il n'existe rien pour eux, après la mort.

– Comment est-ce possible ?

– Le Trône n'avait pas prévu que des anges pourraient se révolter, et encore moins que l'ange déchu Azazel passerait des siècles en Grèce, dans une grotte, à forger une arme capable de tuer les anges.

De nouveaux sanglots se formèrent dans la poitrine de Luce.

– Mais...

– Chut..., répéta Daniel. Ne te laisse pas dominer par le chagrin. C'est dangereux. Il faut que tu luttes contre ça.

Elle prit une profonde inspiration et se défit de son étreinte. Elle le regarda. Les yeux de Daniel étaient gonflés et trahissaient sa fatigue. Son T-shirt était trempé par ses larmes.

Derrière l'épaule de Daniel, posé sur l'autel où Gabbe avait été retenue prisonnière, se trouvait un objet luisant. C'était une énorme coupe en argent martelé, de forme oblongue.

– C'est ça ?

Était-ce la relique qui avait coûté la vie à ses amies ?

Cam la prit dans ses mains.

– Oui. Nous l'avons découverte sous le pont Saint-Bénezet juste avant que les Anciens s'emparent de nous. (Il secoua la tête.) J'espère que cette espèce de crachoir en vaut la peine.

– Où est Dee? s'inquiéta Luce, en regardant tout autour d'eux. Dee connaissait à coup sûr le rôle de cette relique.

– En bas, répondit Daniel. L'église vient d'ouvrir ses portes au public. Elle est descendue créer une petite patina pour masquer les corps des Anciens. Elle a disposé une pancarte disant que cette « aile » est fermée pour rénovation.

– Et ça marche? demanda Annabelle.

– Personne n'est passé jusqu'à présent. Les pèlerins ne sont pas des supporters de foot. Ils ne vont pas la piétiner pour aller prendre les prie-Dieu d'assaut! plaisanta Cam.

– Comment peux-tu rire dans un moment pareil? s'offusqua Luce.

– Et pourquoi pas? riposta-t-il. Tu préférerais que je pleure?

Un coup sec frappé sur une vitre retentit. Cela venait de l'autre côté de la chapelle. Les anges se figèrent. Cam alla à la fenêtre qui s'ouvrait à côté d'un vitrail. Il serra les mâchoires.

– Préparez les flèches d'argent! cria-t-il.

– Cam, attends! l'arrêta Daniel. Ne tire pas!

Le démon obéit. Une seconde plus tard, un garçon en trench-coat miteux se glissa par l'ouverture. Dès qu'il eut atterri, Phil leva sa tête blonde rasée et posa ses yeux morts sur Cam. Ce dernier lui jeta:

– Tu es fichu, Banni!

– Non, non, ils sont avec nous.

Daniel lui montra le pennon fixé sur le revers de Phil.

Cam accueillit la nouvelle avec un peu d'embarras.

– Mes excuses, dit-il. Je ne savais pas... Maintenant, je comprends. Quand nous sommes arrivés au pont d'Avignon, des Bannis se battaient contre les Anciens. Mais nous n'avons pas pu leur demander pourquoi, parce qu'ils ont tous été...

– Tués, compléta Phil. Oui. Les Bannis se sont sacrifiés pour votre cause.

– Non, chercher à sauver l'univers, c'est la cause de tout le monde, rectifia Daniel, et Phil approuva d'un geste bref de la tête.

Luce baissa le nez avec tristesse. Elle repensa à cette étrange poussière qui s'était déposée sur le pont... Trop préoccupée par le sort de ses trois amis, elle n'avait pas imaginé que ce pouvaient être les restes de leurs alliés.

– Les Bannis ont payé un lourd tribut ces derniers jours, souffla Phil, d'une voix trahissant son chagrin. Beaucoup ont été capturés à Vienne par ceux de l'Échelle. D'autres sont tombés entre les mains des Anciens à Avignon. Nous ne sommes plus que quatre. Puis-je les faire entrer?

Sur un geste de l'aveugle, trois Bannis se faufilèrent par la fenêtre ouverte : une fille que Luce ne reconnut pas, et que Phil présenta sous le nom de Phresia; Vincent, l'un de leurs gardes au mont Sinaï; et Olianna, la fille pâle chargée de sa protection sur le toit du palais de Vienne. Luce lui sourit, même si la pauvre ne pouvait pas la voir.

Ils se ressemblaient comme des frères, modestes et séduisants, d'une pâleur inquiétante.

Phil désigna les cadavres des Anciens qui gisaient sur le sol.

– J'ai l'impression que vous avez besoin d'aide pour vous débarrasser de ceux-là. Voulez-vous qu'on s'en charge ?

Daniel accepta en émettant un petit rire surpris :

– Je t'en prie !

– Surtout, promettez-moi de ne pas rendre hommage à ces vieux débris ! ajouta Cam.

Phil fit signe à Phresia, qui s'agenouilla devant les corps, les accrocha à ses épaules, déploya ses ailes marron et fila par la fenêtre. Luce la suivit des yeux tandis qu'elle emportait Mlle Sophia hors de sa vue.

– Qu'est-ce qu'il y a là-dedans ? demanda Cam en montrant le sac de toile bleu marine passé autour des épaules de Vincent.

Obéissant à un ordre muet de Phil, ce dernier posa son fardeau sur l'autel central. On entendit un bruit sourd.

– À Venise, Daniel Grigori m'a demandé de préparer quelques provisions pour Lucinda Price. Malheureusement, je n'avais rien à lui offrir de mieux que des friandises sucrées... le genre de choses qu'aime mon amie italienne. Cette fois, j'ai demandé conseil à une mortelle israélienne. Elle m'a emmené chez un traiteur où j'ai acheté ce qu'on appelle des falafels.

Phil haussa les épaules, comme pour exprimer son ignorance.

– Ne me dis pas que ce que je vois, c'est un sac rempli de falafels ? s'exclama Roland, incrédule.

– Oh non ! le détrompa Vincent. Les Bannis ont aussi acheté du houmous, de la pita, des pickles, une barquette remplie d'une salade nommée taboulé, de la salade de concombre et du jus de grenade frais. As-tu faim, Lucinda Price?

Il y avait une quantité impressionnante de mets appétissants. Ils s'installèrent par terre et les Bannis, les anges et la mortelle se servirent. L'humeur générale était sombre, mais ces plats délicieux étaient exactement ce dont tous semblaient avoir besoin. Luce montra à Olianna et à Vincent comment faire un sandwich aux falafels.

À un moment, Arriane interrompit son repas pour s'envoler par la fenêtre, à la recherche de vêtements pour Luce. Elle revint avec un jean délavé, un T-shirt à col en V, et une veste de l'armée israélienne munie d'un écusson arborant une flamme orange et jaune.

– J'ai dû embrasser un soldat pour avoir ça, dit-elle.

Mais dans sa voix, il manquait l'humour et la légèreté qu'elle aurait eus si Gabbe et Molly avaient été présentes.

Quand ils furent tous repus, Dee apparut sur le seuil. Elle salua poliment les Bannis et posa une main sur l'épaule de Daniel.

– As-tu la relique?

Daniel n'eut pas le temps de répondre. Déjà, elle avait aperçu la coupe. Elle la souleva, la tourna et la retourna dans ses mains en l'examinant soigneusement de tous les côtés.

– Le Pennon d'Argent, murmura-t-elle. Bonjour, mon vieil ami...

– Il semblerait qu'elle sache ce qu'il faut faire de cette chose, dit Cam.

La transéternelle désigna une plaque de laiton soudée dans l'une des larges parois de la coupe, et marmonna quelque chose, comme si elle lisait. Elle passa les doigts sur une image martelée dessus. Luce se pencha : le dessin représentait des ailes d'anges en chute libre.

Enfin, Dee leva sur ses compagnons des yeux où luisait une étrange expression.

– Tout prend son sens.

– Quoi donc ? interrogea Luce.

– Ma vie. Mon but. L'endroit où nous devons aller. Ce que nous devons faire. Il est temps.

Luce ne saisissait pas bien. Ils avaient rassemblé toutes les reliques, mais elle n'en était pas plus avancée pour autant.

– Temps de jouer ma pièce finale, ma chérie, précisa le desideratum. Ne t'inquiète pas, je vais vous y conduire, pas à pas.

– Au mont Sinaï ? demanda Daniel.

– Tout près.

La vieille dame ferma les yeux et prit une profonde inspiration, comme pour sortir le souvenir de ses poumons.

– Il y a deux arbres dans les montagnes, à environ deux mille mètres au-dessus du monastère de Sainte-Catherine. J'aimerais que nous nous réunissions là-bas. L'endroit s'appelle le *Qayom Malak*.

– *Qayom Malak... Qayom Malak*, répéta Daniel.

Ces mots ressemblaient à *kayome malaka*.

– C'est dans mon livre, reprit-il.

Il ouvrit la sacoche et feuilleta l'ouvrage, qu'il tendit ensuite à Dee. Luce s'avança pour regarder aussi. Au bas d'une page, Daniel posa son doigt sur une note à demi effacée, écrite dans une langue que la jeune fille ne reconnut pas. À côté, le même groupe de lettres était écrit trois fois :

QYWM'ML'K. QYWM'ML'K. QYWM'ML'K.

– Bravo, Daniel ! le félicita Dee. Tu l'as su dès le début. Mais aujourd'hui on prononce beaucoup plus facilement «Qayom Malak» que...

Ici, elle émit une succession de sons gutturaux compliqués.

– Je n'ai jamais su ce que cela signifiait, admit Daniel.

Par la fenêtre, Dee observa la Ville sainte éclairée par le soleil de l'après-midi.

– Tu le sauras bientôt, mon garçon. Très bientôt.

XIII

L'EXCAVATION

Des ailes bruissaient au-dessus de sa tête. Des volutes de nuages caressaient sa peau.

Luce fendait l'obscurité comme une flèche, plongée dans l'ivresse d'un nouveau voyage céleste. Elle se sentait légère comme le vent.

Une étoile solitaire était suspendue au cœur d'un ciel profond, à des milliers de mètres au-dessus de l'arc-en-ciel qui ceinturait l'horizon. Des lueurs scintillaient très loin sur la terre.

Éclairée par des ailes argentées, la jeune fille évoluait dans un autre monde et s'élevait vers l'infini.

Leur incessant mouvement la transportait plus haut, encore plus haut, dans un monde silencieux et tranquille. Plus haut... encore plus haut... le dais de lumière argentée était là, qui la protégeait.

Elle chercha la main de Daniel, pour partager cette paix avec lui, mais elle ne trouva que le vide. Daniel n'était pas là !

Elle était seule dans le ciel, à voler vers un horizon bouché, transpercé au loin par une unique étoile.

Elle se réveilla en sursaut, se redressa et retrouva les mains de son ange, bien à leur place : l'une autour de sa taille, et l'autre, sur son torse.

C'était la fin de l'après-midi. Ils étaient en train d'escalader une échelle de nuages blancs et gonflés qui masquaient les astres.

Ce n'était qu'un rêve... Le genre de rêve où on se réveille juste avant de toucher le sol. Mais Luce, qui volait tous les jours dans la vie réelle, avait ouvert les yeux au moment où elle avait compris qu'elle volait de ses propres ailes. Pourquoi ne les avait-elle pas regardées pour voir à quoi elles ressemblaient ?

Elle aurait tant voulu retourner dans cet univers apaisé, où Lucifer ne les menaçait pas, où Gabbe et Molly n'étaient pas mortes.

– Je ne sais pas si j'y arriverai, soupira Daniel.

Quand elle reprit conscience, elle vit les pics de granite rouge de la péninsule du Sinaï. Ils étaient si déchiquetés qu'ils ressemblaient à des tessons de verre brisé...

– Arriver à quoi? répéta Luce. À retrouver le lieu de la Chute? Ne t'inquiète pas, Dee est là pour nous aider. Je crois qu'elle sait exactement où c'est.

– Bien sûr, répondit-il d'un ton peu convaincu. Dee est formidable, et nous avons de la chance de l'avoir. Mais même si nous trouvons le site de la Chute, je ne sais pas si nous pourrons arrêter Lucifer. Et si nous ne réussissons pas (sa poitrine se souleva contre le dos de Luce), je ne supporterai pas de passer de nouveau six mille ans à te perdre encore et encore.

Au cours de ses vies, Luce avait vu Daniel maussade, en colère, inquiet, passionné, tendre, hésitant, affreusement triste. Mais jamais elle ne l'avait vu baisser les bras. Son découragement la frappa de plein fouet.

– Mais non! Nous y parviendrons! protesta-t-elle.

– Je pense sans cesse à ce qui nous attend si Lucifer réussit...

Il se détacha légèrement de la formation: Cam et Dee se trouvaient en tête, Arriane, Roland et Annabelle derrière, les Bannis étaient déployés autour d'eux. Puis il descendit un peu pour s'isoler et éviter que leurs compagnons n'entendent leur conversation.

– C'est trop difficile, Luce. Voilà pourquoi les anges choisissent un côté ou l'autre, pourquoi les gens s'inscrivent dans des clubs, des partis. C'est trop dur de se battre en solitaire.

Avant, Luce se serait instinctivement repliée sur elle-même. Les doutes de Daniel l'auraient déstabilisée, lui auraient fait perdre foi en la force de son amour. Mais les leçons du passé lui avaient donné des armes. Elle savait que Daniel l'aimait au-delà de tout, même en ce moment où la fatigue prenait le dessus.

— Je n'ai pas envie de revivre de nouveau ces années passées sans toi, toutes ces attentes, mon optimisme idiot, l'espoir qu'un jour ce ne serait plus pareil..., poursuivit-il.

— Ton optimisme n'était pas idiot ! s'écria-t-elle. Regarde-moi. Regarde-nous. Ce n'est *vraiment* plus pareil. Je le sais. Je nous ai vus à Helston, au Tibet, à Tahiti. Nous étions amoureux, bien sûr, mais ça n'avait rien à voir avec le lien qui nous unit maintenant. Et je suis là. Parce que tu as cru en nous et en moi.

— Oui, j'ai cru... je crois en toi.

— Moi aussi, dit-elle avec un sourire dans la voix. J'ai toujours cru en toi.

Non, ils n'échoueraient pas dans leur mission !

Ils atterrirent au milieu d'une tempête de sable, suspendue au-dessus du désert comme si d'énormes souffleries avaient projeté le Sahara dans les airs. Le sol était recouvert de sable tourbillonnant ; l'horizon disparaissait sous des voiles bruns poussés par le vent. C'était le chaos, un avant-goût de ce qui les attendait si Lucifer parvenait à ses fins.

Luce avait le nez et la bouche remplis de sable. Il s'infiltrait sous ses vêtements et lui écorchait la peau. Il lui rappelait la sinistre poussière qui était restée après la mort de Gabbe et Molly.

Luce ne savait plus où elle était et fut surprise lorsque ses pieds effleurèrent le sol caillouteux. Sur sa gauche, elle sentit la présence de grands rochers, qui pouvaient aussi être des montagnes. On n'y voyait pas à plus de un mètre... Seule la lumière prodiguée par les ailes des anges, tamisée par les rideaux de sable, leur permettait de se repérer.

Ils se rassemblèrent tous en cercle, au pied d'une montagne. Dee se tenait au milieu d'eux, les mains placées en visière sur son front, calme comme un placide guide de musée.

– Ne vous inquiétez pas, c'est souvent comme ça l'après-midi, cria-t-elle d'une voix forte pour dominer le bruit du vent. Ce sera bientôt fini. Quand nous aurons atteint le lieu du *Qayom Malak*, nous mettrons les trois reliques ensemble. Ce sont elles qui nous raconteront la véritable histoire de la Chute.

– Où se trouve exactement ce *Qayom Malak*? interrogea Daniel.

– Pour y parvenir, nous devons escalader cette montagne.

La vieille dame désigna, derrière elle, le promontoire incroyablement escarpé à peine visible au pied duquel ils avaient atterri.

– On va voler jusque-là? s'enquit Arriane. Parce que moi, je n'ai jamais été forte en grimpette.

Dee la contredit d'un mouvement de tête. Elle prit le sac de toile que tenait Phil, l'ouvrit, et en sortit une paire de solides chaussures de marche.

– Je constate que vous êtes tous bien chaussés, dit-elle en enlevant ses hauts talons et en commençant à lacer ses chaussures. Ce ne sera pas une partie de plaisir, mais les conditions atmosphériques ne nous permettent pas de voler. Il vaut mieux y aller à pied. Vous pourrez utiliser vos ailes au besoin pour vous équilibrer.

– Pourquoi n'attendons-nous pas que la tempête soit terminée? suggéra Luce, dont les yeux pleuraient à cause de la poussière.

– Nous n'avons pas le temps. Il faut y aller maintenant.

Aussi se mirent-ils tous en file indienne derrière Dee. Daniel prit Luce par la main. Leur conversation ne semblait pas avoir amélioré son humeur, mais, toujours fidèle au poste, il la tenait fermement.

– Bon, ben... salut! J'ai été contente de vous connaître! plaisanta Arriane quand ils attaquèrent la montée.

– Si vous me cherchez, vous n'avez qu'à demander à la poussière! renchérit Cam.

La transéternelle les entraîna sur un sentier rocailleux quasi impraticable tant il était étroit et raide. Le soleil couchant ressemblait à la lune, pâle derrière l'épais rideau de sable.

La poussière faisait tousser Luce. Elle grimpait en zigzaguant sans voir où elle allait. Cramponnée à Daniel, elle se concentrait sur le gilet jaune de Dee qui flottait devant, comme un drapeau sur son petit corps frêle.

Çà et là, le sable tourbillonnait autour d'un rocher. À un moment, Luce aperçut une tache vert pâle, très haut au-dessus d'eux, sur la droite. Cette flaque de couleur impromptue dans la tempête, Luce la contempla comme si c'était un mirage.

Elle sentit alors sur son épaule la main de leur guide qui disait:

– C'est notre destination, ma chérie. La récompense. Essaie de ne pas la perdre de vue.

Puis les tourbillons de sable qui entouraient un rocher se déplacèrent, effaçant la tache verte.

Dans le sable en furie, Luce crut voir se former l'image de Bill. Elle revit son ricanement lors de leur première rencontre, quand il s'était fait passer pour Daniel avant de se transformer en crapaud... Son expression indéchiffrable quand elle avait fait la connaissance de Shakespeare au Globe... Non, elle ne renoncerait pas avant d'avoir vaincu le diable! Le souvenir de Gabbe et Molly, également, avait le pouvoir de la stimuler. Elle revoyait leurs ailes formant deux grands arcs dorés et argentés, et cette image magnifique lui donnait de nouvelles forces.

«Tu n'es pas fatiguée, se persuadait-elle. Tu n'as pas faim...»

Enfin, au crépuscule, ils atteignirent un grand rocher en forme de flèche, à la pointe dressée vers le ciel. Dee leur fit signe de se regrouper là et, peu après, le vent retomba enfin. Les montagnes drapées d'argent s'assombrissaient. Ils se trouvaient sur un plateau d'environ trente mètres carrés. À l'exception d'une petite brèche, à la sortie du sentier, il était bordé de rochers escarpés qui formaient un amphithéâtre naturel offrant une protection efficace contre le vent et constituant une cachette idéale.

Ici, personne ne pouvait les voir. L'Échelle elle-même aurait peu de chances de les trouver.

Les vestiges d'anciens torrents avaient laissé des nervures sinueuses dans la terre. Sur la gauche du rocher en forme de flèche se trouvait une caverne. De l'autre côté du plateau, légèrement à droite du lieu, un éboulement avait terminé sa course contre le mur de pierre arrondi, formant un amas de blocs de roches de toutes les tailles, couvertes de lichen.

Un olivier aux feuilles claires et un figuier nain s'efforçaient de pousser là. Luce se dit que ce devaient être les taches vertes qu'elle avait aperçues plus tôt. D'après Dee, ce lieu était leur destination. C'était pour le rejoindre qu'ils avaient grimpé si longtemps au milieu de la poussière.

Les ailes des anges avaient pris une teinte marron. Sales et défraîchies comme celles des Bannis, elles ne brillaient que très faiblement. Quant à celles des vrais Bannis, elles ressemblaient à des toiles d'araignée.

Dee utilisa une manche de son sweat-shirt pour essuyer la poussière collée sur son visage, puis s'engagea dans la grotte. Ses compagnons entendirent sa voix étouffée :

– Allez, venez ! On n'a plus beaucoup de temps !

Ils la suivirent dans le noir et s'arrêtèrent au bout de quelques pas, là où la pénombre se transformait en obscurité complète. Luce s'adossa contre un mur rougeâtre, à côté de Daniel qui devait se baisser, ainsi que les autres anges, car l'antre était étroit et bas.

Ils entendirent une sorte de frottement, puis virent l'ombre de la transéternelle s'étendre dans la partie éclairée, à l'entrée de la grotte. Dee apparut ensuite en poussant un grand coffre en bois.

Cam et Roland se précipitèrent pour l'aider, leurs ailes poussiéreuses diffusant une lueur ambrée. Ils soulevèrent le coffre et le portèrent jusqu'à une niche naturelle que Dee leur désigna. Sur un signe d'elle, ils le déposèrent contre le mur.

– Merci, messieurs, dit-elle en caressant des doigts le bord cuivré de la malle. J'ai l'impression que nous l'avons montée hier, alors que cela doit bien faire deux cents ans. Le temps passe tellement vite ! À l'époque, je l'ai transportée jusqu'ici avec Gabbe, mais elle n'a jamais pu se souvenir de l'endroit exact, avec ces tempêtes de sable... C'était un ange prévoyant. Elle savait que ce jour arriverait.

Le desideratum prit une ravissante clé en argent dans la poche de son gilet et l'introduisit dans la serrure de la malle. Luce se pencha, s'attendant à la révélation de quelque objet magique, ou, au moins, historique. Mais Dee n'en sortit que six gourdes, trois petites lanternes de bronze, une lourde pile de couvertures et de serviettes, et une série de pieds-de-biche, de pioches et de pelles.

– Buvez si vous avez soif, les invita-t-elle.

Elle distribua les gourdes, qui étaient remplies d'une eau fraîche, délicieuse. Luce but et s'essuya les lèvres du dos de la main.

– Ça va mieux, non ? lui demanda Dee en souriant.

Ensuite, elle ouvrit une boîte d'allumettes et mit le feu à une bougie dans chaque lanterne. Les flammes vacillantes projetèrent les ombres des anges sur les murs.

Arriane et Annabelle époussetèrent leurs ailes avec les serviettes. Les garçons préférèrent se débarrasser du sable en tapant les leurs contre les rochers. Et les Bannis, eux, restèrent comme ils étaient.

Bientôt, la grotte fut éclairée par une lumière angélique, comme si on avait fait flamber un feu de joie.

– Et maintenant ? s'enquit Roland en vidant ses bottes du sable qui les encombrait.

Le desideratum sortit sur la petite avancée de pierre et attendit qu'ils le rejoignent avant de répondre. Ils se placèrent en demi-cercle devant l'éboulis et les deux petits arbres qui se battaient si vaillamment pour pousser.

– Il faut entrer là-dedans, annonça la vieille dame.

– Entrer où ? demanda Luce.

Elle examina les environs. La caverne dont ils venaient de sortir était le seul endroit où on pouvait entrer. Ailleurs, il n'y avait qu'un sol plat et l'amas de roches amoncelées contre la falaise.

– Les sanctuaires sont bâtis les uns au-dessus des autres, expliqua leur mentor. Le premier à avoir été construit sur la Terre se trouvait juste ici, sous ces rochers écroulés. La pièce finale de l'histoire originelle des anges déchus se trouve là. C'est le *Qayom Malak*. Après la destruction du premier sanctuaire, plusieurs autres l'ont remplacé, mais celui-là est toujours resté à l'intérieur.

– Tu veux dire que les mortels ont utilisé le *Qayom Malak*, eux aussi ? demanda Luce.

– Oui, bien sûr. Sans se poser de questions et sans comprendre sa signification. Et au fil du temps, ils ont construit d'autres temples par-dessus sans s'interroger davantage. Ce site a été considéré comme un lieu maléfique. (Ses yeux se posèrent sur Arriane, qui parut mal à l'aise.) Mais ce n'est la faute de personne. Cela s'est passé il y a bien longtemps... Cette nuit, nous allons enfin découvrir ce qui a été perdu.

– C'est-à-dire l'endroit de la Chute ? s'enquit Roland en faisant le tour de l'amoncellement de pierres. C'est ce que le *Qayom Malak* va nous révéler ?

Une fois de plus, Dee eut un sourire énigmatique.

– Ces mots sont de l'araméen. Ils signifient... Oh ! il vaut mieux que vous voyiez par vous-mêmes.

Raide et immobile, Arriane mâchait à grand bruit une mèche de ses cheveux, les mains enfouies dans sa salopette. Elle semblait hypnotisée par le figuier et l'olivier. Luce vit alors pourquoi ces arbres paraissaient étranges. S'ils semblaient pousser en diagonale, c'était parce que leurs troncs étaient enfouis sous les blocs de pierre.

– Les arbres..., souffla-t-elle.

– Oui, confirma Dee, en se baissant pour caresser les feuilles étiolées du petit figuier. Autrefois, ils étaient entièrement à l'air libre. Tout comme le *Qayom Malak*. Et ce plateau était beaucoup plus grand. C'est difficile à imaginer maintenant, mais c'était un joli endroit plein de couleurs.

– Comment le sanctuaire a-t-il été détruit ?

– Le plus récent a été recouvert par cet éboulement, il y a environ sept cents ans, après un tremblement de terre particulièrement violent. Mais même avant, ce lieu avait subi nombre de calamités : des inondations, des incendies, des meurtres, des guerres, des explosions... La partie importante pour nous est la seule à subsister encore. Tout du moins, je l'espère... Voilà pourquoi nous devons entrer là-dedans.

Cam se pencha sur l'un des plus gros blocs et s'y appuya, bras croisés.

– Je sais faire des tas de choses, dit-il, et, en particulier, danser le rock. Mais *passer à travers* un roc, non, ça, je ne sais pas le faire.

Dee répliqua du tac au tac :

– C'est pourquoi, il y a deux cents ans, j'ai apporté des pelles ! Il faut déblayer tout ça, parce que ce que nous cherchons est en dessous.

– Pardon ? s'insurgea Annabelle en mordillant l'un de ses ongles laqués de rose.

Sans s'émouvoir du vent d'incrédulité qui montait, la vieille dame se contenta de caresser une zone moussue au centre de l'amas de pierres.

– Si j'étais vous, je commencerais par ici, déclara-t-elle avec le plus grand sérieux.

Roland fut le premier à réagir en distribuant les outils qu'elle avait sortis du coffre. Et ils se mirent au travail.

– Vous veillerez à ce que cette zone reste accessible, leur recommanda la vieille dame en désignant la sortie du sentier où s'étendait une petite bande de terre plane. Nous en aurons besoin.

Sur ce, elle marqua l'endroit en délimitant un espace de trois mètres carrés.

Luce attrapa une pioche et tapa d'un geste incertain contre la roche.

– Tu sais à quoi ressemble ce *Qayom Malak* ? demanda-t-elle à Daniel, qui avait calé son pied-de-biche autour d'un rocher, derrière le figuier.

– Il n'y a pas d'illustration dans mon livre. Espérons que Dee le reconnaîtra.

L'ange fendit la pierre en un tournemain et, les muscles tremblants, souleva les deux morceaux dans ses bras puissants. Il les lança derrière lui en veillant à ne pas les faire tomber dans le carré dessiné par Dee. À présent, les deux arbres étaient dégagés. Leurs troncs avaient été déformés par les tonnes de pierre.

Luce évalua le gigantesque amas qu'il leur faudrait enlever. Il montait bien jusqu'à six mètres de hauteur. Était-il vraiment possible que quelque chose ait résisté à la puissance de cet éboulement?

– Ne t'inquiète pas, lui cria Dee, comme si elle lisait en elle. Il est là, quelque part, bien protégé, comme ton premier souvenir d'amour.

D'un coup d'ailes, les Bannis étaient montés au sommet. Ils avaient bien organisé le travail: Phil montrait où lancer les blocs, et ses troupes les jetaient dans la pente.

– Hé! Je vois de la brique jaune vraiment très vieille! cria Annabelle en battant des ailes.

Elle était perchée sur le point le plus élevé de l'éboulis. Elle enleva quelques débris avec sa pelle.

– Je crois que c'est un mur du sanctuaire, ajouta-t-elle.

– Un mur, ma chérie? Très bien, approuva Dee. Il devrait y en avoir d'autres, c'est souvent comme ça, avec les murs. Continue à creuser.

La transéternelle était distraite. Elle faisait les cent pas sur le rectangle qu'elle avait délimité près du sentier, sans s'intéresser aux progrès des travaux de déblaiement. Elle semblait se livrer à un calcul, les yeux rivés au sol. Luce, qui l'observait, comprit qu'elle comptait ses pas.

Dee leva la tête et croisa son regard.

– Viens avec moi, dit-elle.

Abandonnant Daniel qui, la peau luisante de sueur, s'échinait contre un gros rocher difficile à déloger, la jeune fille suivit Dee dans la grotte.

La lanterne clignotait. Privée de la lumière dispensée par les ailes des anges, la caverne était infiniment plus sombre et froide.

Dee farfouilla dans le coffre en pestant :

– Où est ce satané balai ?

Luce vint à sa rescousse. Munie d'une lanterne, elle se pencha au-dessus de la malle, y plongea la main et sentit bientôt les brosses raides d'un balai.

– Voilà ! annonça-t-elle.

– Merveilleux ! la remercia Dee. On cherche toujours au mauvais endroit, surtout quand on n'y voit pas clair. Je veux te montrer quelque chose pendant que les autres continuent à déblayer.

La vieille dame posa le balai sur son épaule, et elles ressortirent toutes les deux. Lorsqu'elles furent arrivées devant le fameux rectangle délimité, Dee se mit à passer le balai sur le sol, qui semblait être fait dans la même pierre rouge que le reste. Or, après plusieurs passages de la brosse, une plate-forme de marbre apparut ; puis un motif, un dessin compliqué formé de pierres jaune pâle qui alternaient avec de la roche blanche. Luce finit par discerner un symbole : une longue ligne jaune bordée de lignes blanches descendant en diagonale, de longueur décroissante. Du doigt, elle suivit ce qui ressemblait à une flèche désignant le sommet de la montagne, du côté d'où ils étaient arrivés.

– C'est la Dalle de la Flèche, expliqua Dee. Quand tout sera prêt, nous l'utiliserons comme une scène. C'est Cam qui a fabriqué la mosaïque il y a de nombreuses années, mais je ne crois pas qu'il s'en souvienne. Il a traversé tellement de choses depuis. Le chagrin d'amour provoque une forme d'amnésie.

– Tu sais que Cam a eu le cœur brisé par une femme ? murmura Luce, se souvenant que Daniel lui avait recommandé de ne jamais en parler.

Sans répondre, Dee fronça les sourcils et indiqua la flèche jaune incrustée dans les carreaux de marbre.

– Que penses-tu de ce dessin ?

– Je le trouve très beau.

– Moi aussi. J'en ai un similaire tatoué sur mon cœur.

En souriant, la vieille dame défit les deux premiers boutons de son gilet, qui s'ouvrit sur un caraco jaune. Elle descendit un peu le haut et montra le tatouage noir qui ornait sa poitrine. Il avait exactement la même forme que le symbole incrusté dans la pierre.

– Quelle est sa signification ? demanda Luce.

Dee remonta son caraco.

– J'ai hâte de te l'apprendre, dit-elle avec un nouveau sourire, mais commençons par le commencement.

Se retournant vers les travailleurs, elle ajouta :

– Regarde comme ils se débrouillent bien !

Les anges et les Bannis avaient dégagé une partie des rochers. Deux vieux murs émergeaient maintenant des débris. Ils étaient fortement endommagés, le toit avait disparu, et des briques avaient été noircies par le feu. D'autres étaient moisies, comme rescapées d'une inondation préhistorique. Mais la forme rectangulaire du premier temple commençait à apparaître.

Roland appela le desideratum et lui fit signe de venir inspecter ses progrès.

Luce retourna auprès de Daniel. Entre-temps, il avait déplacé un monceau de pierres qu'il avait proprement entassées sur la droite. Un peu honteuse de ne pas avoir participé aux travaux, la jeune fille reprit sa pioche.

Ils travaillèrent pendant des heures. À plus de minuit, ils n'avaient déblayé que la moitié du mur de rochers. Le plateau était éclairé par les lanternes de Dee, mais Luce restait bien à côté de Daniel pour profiter de la lumière projetée par ses ailes. Elle avait mal partout : au dos, aux épaules, aux mains... Pourtant, elle ne s'arrêta pas, et ne se plaignit pas.

Piochant sans relâche, elle leva son outil au-dessus d'un carré de pierre rose mis à nu par Daniel, en s'attendant à tomber sur de la roche solide. Or, la pièce de métal s'enfonça dans une matière molle. Luce la reposa et se mit à creuser avec les mains cette zone qui ressemblait à de l'argile. C'était une couche de grès si friable qu'elle se désagrégeait d'une simple pression du doigt. Elle continua à creuser, approchant sa lanterne. Enfin, sous plusieurs centimètres, elle sentit un contact lisse et dur sous ses doigts.

– J'ai trouvé quelque chose ! s'écria-t-elle.

Abandonnant leurs outils, ses compagnons accoururent. Ils découvrirent en même temps qu'elle un carreau d'environ soixante centimètres de largeur. Elle le nettoya du bout des doigts, et il révéla les fins contours d'un personnage à la tête entourée d'une auréole.

– C'est ça ? demanda-t-elle à Dee, tout excitée.

La vieille dame s'approcha. Elle passa le pouce sur le carreau.

– Je crains que non. Ceci n'est qu'une simple représentation de notre ami Jésus. Nous devons chercher plus au fond.

– Plus au fond ?

– Plus loin à l'intérieur. Ce carreau fait partie de la façade du sanctuaire le plus récent, un monastère médiéval qui abritait des moines particulièrement asociaux. Nous devons creuser jusqu'à la structure originelle, derrière ce mur.

Elle remarqua l'hésitation de Luce.

– N'aie pas peur de détruire une ancienne iconographie. C'est indispensable pour parvenir à ce qui est *vraiment* ancien.

Elle leva la tête vers le ciel, comme si elle cherchait le soleil, mais les étoiles l'avaient remplacé depuis de nombreuses heures.

– Mais le temps passe... Allez, continuez ! Vous travaillez comme des anges !

Phil se décida à approcher avec son pied-de-biche et tapa sur le carreau représentant le Christ. À travers le trou qu'il avait fait, un espace creux et sombre qui dégageait une étrange odeur musquée apparut.

Les Bannis élargirent le trou en sautant dessus, afin de pouvoir creuser plus loin. C'étaient des ouvriers efficaces. Le sanctuaire n'ayant plus de toit, les rochers de l'éboulis s'étaient accumulés à l'intérieur. Ils s'employèrent à les déblayer, les uns tapant, et les autres jetant les débris.

Arriane se tenait à l'écart du groupe, dans un coin obscur du plateau. L'air sombre, elle s'amusait à donner des coups de pied dans un tas de pierres. Intriguée, Luce la rejoignit.

– Hé, dis donc, qu'est-ce que tu as ? lui demanda-t-elle.

L'ange leva la tête. Un sourire bizarre lui éclaira fugitivement le visage.

– Tu te souviens du jour où on a été collées toutes les deux ? Quand ils nous ont fait nettoyer le cimetière, à Sword & Cross ? On a récuré un ange ensemble, tu te rappelles ?

– Oui, bien sûr.

Comment aurait-elle pu oublier ? Elle avait passé une sale journée. Elle avait été descendue en flammes par Molly, elle s'inquiétait pour Daniel dont elle était en train de tomber amoureuse et elle ne savait si Arriane l'aimait bien ou avait seulement pitié d'elle.

– On s'était bien amusées, non ? dit son amie d'une voix lointaine. C'est un souvenir que je n'oublierai jamais.

– Écoute, répliqua Luce, arrête avec ça. Depuis que tu es ici, tu te caches, tu fuis les autres... Pourquoi ?

Les pieds posés sur sa pelle, Arriane se balançait d'avant en arrière, en évitant le regard de son amie. Puis, soudain, elle ferma les yeux et lâcha :

– C'est à cause de moi que ce sanctuaire n'existe plus. C'est à cause de moi qu'il porte malheur.

– Ah bon ? Mais... Dee a affirmé que ce n'était la faute de personne. Raconte ce qui s'est passé.

– Après la Chute, j'étais complètement à bout de forces. J'ai cherché un abri, un moyen de réparer mes ailes. Je ne me rappelais plus qui j'étais... J'étais seule, j'ai vu cet endroit et j'ai...

– Tu es entrée dans ce sanctuaire, compléta Luce, alors que les anges déchus ne doivent pas s'approcher des églises.

– Je ne savais pas ! s'exclama Arriane, qui semblait sur le point de pleurer.

– Bien sûr..., dit Luce en la prenant par la taille dans un geste de consolation. Et alors ? Il a explosé ?

Son amie posa sa tête sur son épaule et confirma d'un geste.

– Oui. Comme tu le *faisais* dans tes autres vies. Il s'est entièrement consumé. Pouf ! Sauf que – excuse-moi de dire ça – ce n'était ni magnifiquement tragique, ni romantique. C'était moche, noir et irrévocable. Comme si on m'avait claqué une porte à la figure. C'est là que j'ai compris que j'étais vraiment chassée du Paradis. (Elle tourna vers Luce des yeux bleus immenses et innocents.) Je n'ai jamais eu l'intention de partir. C'était un accident. Nous avons été des tas à être emportés dans... le combat de quelqu'un d'autre.

Elle haussa les épaules et eut un sourire en coin.

– Peut-être que je me suis habituée à être rejetée, reprit-elle. Mais d'un côté, ça me va bien, tu ne trouves pas? (Elle pointa les doigts comme un pistolet dans la direction de Cam.) Ça ne me dérange pas, finalement, de parcourir le monde avec cette bande de hors-la-loi.

Soudain, son expression changea et toute trace d'espièglerie s'effaça de son visage. Elle agrippa Luce par les épaules.

– Ça y est! chuchota-t-elle.

– Quoi?

Luce pivota sur elle-même. L'amoncellement de roches avait disparu. Les anges et les Bannis avaient déblayé plusieurs tonnes de pierre. Au bout d'une nuit de labeur, ils avaient enfin triomphé des rochers. Et tout autour d'eux s'élevaient les vestiges du sanctuaire original que Dee leur avait promis.

Il ne restait que deux murs fragiles, mais le liseré de carreaux gris qui ornaient le sol donnait à penser qu'un motif d'environ six mètres carrés se trouvait là autrefois. Le bas des murs était en marbre, et le haut, en briques de grès plus petites, en train de s'effriter. La structure était en partie décorée de frises décolorées par le temps, représentant des créatures ailées, si anciennes qu'elles se confondaient presque avec la pierre. En haut, un incendie avait roussi partiellement les corniches décoratives. Il manquait le toit.

Le figuier et l'olivier, complètement dégagés à présent, marquaient la limite entre la Dalle à la Flèche et le sanctuaire mis au jour. Luce imagina le lieu tel qu'il se présentait jadis, et vit en pensée des pèlerins agenouillés en prière. Il n'était pas difficile de deviner où ils se tenaient.

En effet, quatre colonnes ioniques en marbre, à la base cannelée et au chapiteau à volutes, se dressaient autour d'une estrade située au centre de la salle. Et, sur cette estrade, s'élevait un énorme autel rectangulaire en pierre brun clair.

Luce avait l'impression d'avoir déjà vu ce monument et pourtant, elle ne connaissait rien de semblable. Au sommet, on distinguait l'ombre d'un décor sculpté. C'étaient deux anges de pierre qui se faisaient face. Sans doute avaient-ils été autrefois recouverts d'une peinture dorée, mais à présent, il ne restait plus que quelques traces de leur éclat ancien. Ils étaient agenouillés en prière, la tête baissée, sans auréole, et les pointes de leurs ailes, magnifiquement travaillées, se touchaient, arrondies vers l'avant.

– Oui, confirma Dee en prenant une profonde inspiration. C'est lui. Le *Qayom Malak*, le «Gardien des Anges». Ou, comme j'aime à le dire «l'Assistant des Anges». Il contient un secret que nul n'a jamais décrypté : la clé de l'endroit où les anges sont tombés sur la Terre. Tu t'en souviens, Arriane ?

– Je crois..., fit-elle en s'approchant de la sculpture. Elle resta un long moment silencieuse devant les anges sculptés. Puis elle se mit à genoux et effleura la pointe de leurs ailes, à l'endroit où les deux anges se touchaient. Elle frissonna.

– Je ne l'ai vu qu'une seconde avant...

– Oui, se souvint Dee, tu as été projetée hors du sanctuaire. La force de l'explosion a causé la première avalanche qui a enterré le *Qayom Malak*, mais le figuier et l'olivier sont restés à l'extérieur, comme une balise de reconnaissance pour les autres sanctuaires construits au cours des années qui ont suivi. Les chrétiens sont venus, les Grecs, les Juifs, les Maures... Leurs sanctuaires ont été détruits à leur tour par les avalanches de pierres, le feu, le scandale ou la peur, et cela a créé un mur quasi impénétrable autour du *Qayom Malak*. Vous aviez besoin de moi pour le retrouver. Et vous ne pouviez me trouver avant d'avoir *vraiment* besoin de moi.

– Et ensuite ? demanda Cam. On doit faire une prière ?

Sans quitter l'autel des yeux, Dee lui lança la serviette qui lui entourait les épaules et répondit :

– Oh ! c'est bien pire, Cam. Maintenant, il va falloir nettoyer. Astiquer les anges, surtout leurs ailes. Frotter jusqu'à ce qu'elles brillent. Nous aurons besoin que les rayons de la lune les éclairent exactement comme il le faut.

XIV

LA RÉVÉLATION

Ce fut comme un coup de tonnerre ou l'annonce d'un puissant orage. Luce, qui dormait dans la caverne, la tête sur l'épaule de Daniel, se réveilla en sursaut. Dee avait insisté pour qu'ils se reposent avant l'instant crucial, où elle leur expliquerait le rôle du *Qayom Malak*. Sans doute s'était-il écoulé des heures précieuses depuis qu'ils s'étaient couchés. Elle transpirait dans son sac de couchage. Sa chaîne et son médaillon collaient à sa peau. À côté d'elle, Daniel ne bougea pas. Il avait les yeux fixés sur l'entrée de la grotte.

Le grondement cessa.

Luce se redressa et vit que Dee dormait, roulée en boule perpendiculairement à elle, ses cheveux roux défaits. À sa gauche, les sacs de couchage des Bannis étaient vides. Les étranges créatures montaient la garde, tapies à l'arrière de la caverne, coincées dans un étroit espace où leurs ailes se chevauchaient. À sa droite, Annabelle et Arriane étaient allongées, ailes emmêlées, comme des sœurs.

Mais tout était calme. Sans doute avait-elle imaginé ce coup de tonnerre... Elle se tourna sur le côté et se blottit contre Daniel, qui la serra tendrement. Elle ferma les yeux, puis les rouvrit : elle se retrouva face à face avec Cam.

Il était couché sur le côté à quelques centimètres d'elle, la tête posée sur sa main, ses yeux verts dardés sur les siens, comme pour l'hypnotiser. Il ouvrit la bouche pour dire quelque chose...

BOUM !

L'intérieur de la grotte trembla. L'espace d'un instant, l'air devint étrangement transparent. Le corps de Cam scintilla, à la fois présent et flou, comme si son existence même semblait vaciller.

— Un tremblement de temps, dit Daniel.

— Et un sérieux, confirma Cam.

Luce se redressa d'un bond et resta bouche bée. Son corps, dans son sac de couchage, oscillait. La main de Daniel posée sur son genou aussi. Arriane prononça d'une voix assourdie : « C'est pas moi », et Annabelle la réveilla d'un coup d'aile. Tous étaient présents en chair et en os, puis, l'instant suivant, désincarnés comme des fantômes.

Le tremblement de temps avait ébranlé une dimension dans laquelle ils n'étaient même pas *là*.

La caverne entière oscillait autour d'eux. Le sable dégringolait des murs. Mais la roche rouge restait inébranlable comme pour prouver que seules les âmes risquaient de disparaître.

– Le *Qayom Malak*! Il pourrait y avoir un nouvel éboulement! Il risque de disparaître encore! s'écria Phil, en se précipitant vers la sortie.

– C'est un tremblement de temps, lui lança Dee, d'une voix qui résonnait étrangement. Il n'y a rien à faire. Il suffit d'attendre que ça passe.

Il se produisit encore un dernier fracas; un long, un terrible grondement, durant lequel ils devinrent invisibles. Puis ils réapparurent, bien réels. Un silence se posa soudain sur eux, si absolu que Luce entendit son cœur cogner dans sa poitrine.

– Voilà, conclut Dee. Le pire est passé.

– Tout le monde va bien? s'enquit Daniel.

– Oui, lui assura la vieille femme. C'était extrêmement déplaisant, mais nous n'aurons plus à subir d'autre tremblement. C'était le dernier.

Elle se leva et se dirigea vers la sortie. En échangeant des regards intrigués, ses amis lui emboîtèrent le pas.

– Que veux-tu dire? demanda Luce. Lucifer est déjà si près?

Elle s'efforça de compter le nombre de levers et de couchers du soleil écoulés, mais tout se brouillait dans sa tête.

Elle savait juste que, quand elle s'était endormie, l'aube venait de poindre.

Ils s'arrêtèrent devant l'autel. Luce se tint sur la Dalle de la Flèche, en face des deux anges sculptés. Roland et Cam se soulevèrent de terre et se mirent à planer à environ quinze mètres du sol en scrutant l'horizon. Puis ils se rejoignirent pour s'entretenir à voix basse. Leurs immenses ailes cachaient le soleil, étonnamment bas sur l'horizon.

– Nous sommes au soir du sixième jour suivant le départ de Lucifer pour sa chute solitaire, murmura Dee.

– Nous avons dormi toute la journée ? s'exclama Luce, horrifiée. Nous avons perdu tout ce temps ?

– Non, nous n'avons rien perdu du tout, la rassura la transéternelle. Une très longue nuit m'attend, et vous aussi... Vous serez bientôt contents de vous être reposés.

– Alors, allons-y avant qu'il y ait un nouvel incident, les pressa Cam en retouchant terre avec Roland.

– Cam a raison, renchérit Daniel. Nous n'avons plus de temps à perdre.

Daniel sortit la sacoche noire qui contenait l'auréole. Puis il se défit du sac de toile qu'il portait en bandoulière, dans lequel il avait transporté la coupe, le Pennon d'Argent. Il plaça les deux sacs fermés devant Dee afin que les trois reliques puissent être alignées.

Mais Dee ne bougea pas.

– Dee ? Qu'est-ce qu'il faut faire ? interrogea Daniel.

La vieille dame restait mutique.

Roland lui effleura le dos en disant :

– Cam et moi, nous avons vu des signes de la présence de l'Échelle à l'horizon. Ils ne savent pas où nous sommes, mais ils ne sont pas loin. Il vaudrait mieux se dépêcher.

Dee fronça les sourcils.

– Je crains que ce ne soit impossible.

– Mais tu as dit..., commença Luce.

Devant le regard placide de son interlocutrice, elle s'interrompit, avant de reprendre :

– Le tatouage... Le symbole, sur le sol...

– Je me ferai un plaisir de tout vous expliquer, mais rien ne nous pousse à agir.

Ses yeux parcoururent le cercle formé par les anges, les Bannis, et Luce. Quand elle fut sûre d'avoir toute l'attention, elle se lança dans son récit.

– Comme nous le savons, l'histoire de la Chute originelle n'a jamais été consignée par écrit. Même si vous ne vous en souvenez pas clairement, dit-elle en embrassant les anges du regard, vous avez témoigné de vos premiers jours sur la Terre par l'intermédiaire d'*objets.* Les éléments essentiels de vos connaissances ont été inscrits, de manière cryptée, dans la matière de ces différents objets, et ils s'y trouvent toujours. Ceux-ci ont par ailleurs une autre fonction visible à l'œil nu.

Dee prit l'auréole et la tint au soleil.

– Vous voyez, dit-elle en passant le doigt sur une série de craquelures, anodines au premier regard, cette auréole de verre est également une lentille.

Derrière le verre, son visage apparut légèrement déformé par la courbe convexe, et ses yeux dorés semblèrent énormes.

Elle reposa l'objet et sortit ensuite le Pennon d'Argent du sac. Caressant doucement l'intérieur de la coupe illuminée par les derniers rayons du soleil, elle poursuivit:

– Et ceci, dit-elle en désignant les ailes martelées dans le métal, illustre l'exode à partir du site de la Chute, la première diaspora des anges. Pour pouvoir retourner à l'endroit qui vous a accueillis sur la Terre, vous devez d'abord remplir cette coupe. Quand elle sera pleine, nous la viderons au fond de la Dalle de la Flèche, qui abrite des images du monde tel qu'il était autrefois.

– Quand la coupe sera pleine de quoi? demanda Luce.

– Commençons par le commencement, rétorqua Dee.

Elle s'approcha de la Dalle. Après l'avoir débarrassée de quelques grains de sable, elle plaça la coupe sur le symbole jaune gravé dans la pierre en précisant:

– Je crois que ça va là.

Captivée, l'assemblée la regarda faire un lent aller-retour le long de la plate-forme. Elle reprit ensuite l'auréole et l'emporta vers le *Qayom Malak* en faisant claquer ses semelles sur le marbre. Elle respira à fond, et souleva la relique au-dessus de sa tête en murmurant une prière. Enfin, elle examina la sculpture des anges en prière et introduisit l'auréole dans le cercle vide formé par l'arrondi de la pointe de leurs ailes jointes. Elle s'y adaptait exactement.

– Alors ça! murmura Arriane abasourdie à Luce.

Dee était en train d'accomplir un rituel sacré. Elle se retourna ensuite vers ses compagnons, comme pour faire une déclaration. Mais elle se mit à genoux, puis s'allongea sur le dos, au pied de l'autel. La pointe de ses chaussures était posée sur le socle du *Qayom Malak,* et ses bras fins étendus au-dessus de sa tête, de sorte que ses doigts effleuraient le Pennon d'Argent. Son corps comblait exactement la distance. Elle ferma les yeux et resta étendue sans bouger pendant plusieurs minutes. Au moment où Luce se demandait si elle s'était endormie, elle dit :

– C'est une bonne chose que j'aie arrêté de grandir il y a deux mille ans !

Puis elle se releva en prenant la main que Roland lui tendait et s'épousseta en poursuivant :

– Tout est en ordre. Quand la lune arrivera juste ici...

Elle désigna un point dans le ciel, au-dessus de l'endroit où les rochers s'effilaient.

– La lune ? répéta Cam, en échangeant un regard avec Daniel.

– Oui. Il faut qu'elle brille précisément ici, expliqua Dee en tapotant le centre de l'auréole, où une craquelure était devenue soudain plus apparente. D'après ce que je sais de la lune, et je la connais bien, car, après tant d'années, on crée des liens intimes avec ses compagnons, ses rayons tomberont exactement là où il le faut. Cette nuit, sur le coup de minuit.

– Alors, qu'est-ce qui se passera ? s'enquit Luce.

Dee lui caressa la joue :

– Tout, ma chérie.

Puis, la vieille dame sortit une grande montre à gousset de la poche de son gilet.

– Mais il nous reste encore quelques menues choses à accomplir.

Ils suivirent ses instructions dans les moindres détails. Chacun des objets fut soigneusement épousseté, nettoyé et astiqué. La nuit était déjà bien avancée quand Luce comprit ce que Dee prévoyait pour la cérémonie.

– Deux autres lanternes, s'il vous plaît, demanda-t-elle. Cela nous en fera trois, une pour chaque relique.

Il était étrange de l'entendre parler des trois reliques, comme si elle n'en était pas une elle-même. Et plus étrange encore était la manière dont elle papillonnait autour du plateau fermé, comme une hôtesse en pleins préparatifs d'un dîner, soucieuse que tout soit parfait.

Les quatre Bannis allumèrent les lampes avec des gestes rituels. La première illumina le *Qayom Malak*. La deuxième le Pennon d'Argent qui se trouvait sur la flèche dorée de la Dalle, devant l'autel, à une distance qui couvrait exactement sa taille, c'est-à-dire, un mètre cinquante. Un peu plus tôt, les anges avaient disposé en demi-cercle des rochers plats en guise de bancs autour de la Dalle, qui se retrouva transformée en scène. Ainsi, l'espace avait pris l'aspect d'un amphithéâtre, et Annabelle avait même épousseté les rochers, comme une ouvreuse préparant les sièges pour les spectateurs.

À mi-voix, Luce demanda à Daniel s'il savait ce que Dee projetait. Pour toute réponse, l'ange la dévisagea, les yeux pleins de mystère. Mais elle n'eut pas le temps d'insister, car la vieille dame lui mit soudain la main sur les épaules.

– Mettez ces robes, s'il vous plaît. Je trouve que les costumes aident à se concentrer sur la cérémonie. Tiens, Daniel, je pense que cela devrait t'aller. (Elle lui remit une lourde cape marron.) Et ça, c'est pour notre gracieuse Arriane. Il reste Luce... Il y en a des plus petites au fond de mon coffre. Prends ma lanterne et va te servir.

La jeune fille s'exécuta. Elle allait entraîner Daniel vers la caverne, lorsque Dee le prit par le bras.

– Je peux te dire un mot ?

Daniel fit un signe à Luce, qui se dirigea seule vers la grotte, en se demandant ce que signifiaient ces cachotteries. Elle souleva le couvercle du vieux coffre et en sortit une longue robe marron. Ce vêtement, en grosse laine, sentait le moisi et faisait presque un mètre de trop. C'était le dernier qui restait. Cela accrut la curiosité de Luce, qui se demanda pourquoi Dee l'avait éloignée. Elle posa alors la lanterne par terre et passa maladroitement la robe par-dessus sa tête.

– Tu veux que je t'aide ? lança quelqu'un.

C'était Cam. Il était entré dans la grotte sans se faire entendre. Il se posta derrière elle, ramassa le tissu en surplus, le replia pour le passer sous la ceinture de la robe et le noua de manière qu'il ne dépasse pas ses chevilles.

Luce se retourna. La flamme de la lanterne se refléta sur le visage de l'ange. Il se tenait tout à fait immobile.

Luce passa le pouce dans la ceinture qu'il venait de nouer.

– Merci, dit-elle, en se dirigeant vers la sortie.

– Luce, attends !

Elle s'arrêta. Visiblement, Cam s'était débrouillé pour se retrouver en tête à tête avec elle. Il baissa le nez, parut chercher ses mots. Enfin, il se jeta à l'eau :

– Tu ne crois toujours pas que je suis de ton côté.

– Ça n'a plus d'importance, maintenant, répondit-elle, la gorge serrée.

– Écoute !

Il s'avança et s'arrêta à quelques centimètres d'elle. Elle s'attendit à ce qu'il l'attrape par les épaules, mais non. Il ne la toucha même pas ; il se contenta de rester planté devant elle.

– Avant, ce n'était pas pareil. Regarde-moi. (Elle s'exécuta, mal à l'aise.) Aujourd'hui, je porte peut-être l'or de Lucifer sur mes ailes, mais ça n'a pas toujours été le cas. Tu me connaissais avant que je prenne cette décision, Lucinda, et nous étions amis, tous les deux.

– Comme tu dis, les choses changent...

Cam émit un grognement de contrariété.

– Comment veux-tu t'excuser auprès d'une fille qui a une mémoire aussi sélective ? Attends, laisse-moi deviner : depuis que tu es vraiment toi, tu sors de ta mémoire toutes sortes de souvenirs extraordinaires, dans lesquels Daniel et toi, vous tombez amoureux, et Daniel tourne de belles phrases, et il joue au poète en admirant le soleil couchant...

– Pourquoi pas ? Nous nous appartenons l'un à l'autre. Daniel est tout pour moi. Et toi, tu es...

– Qu'est-ce qu'il a dit sur moi ? l'interrompit-il en fermant à demi les yeux.

Luce fit craquer ses jointures et aussitôt se souvint qu'à Sword & Cross, au tout début, Daniel avait posé ses mains sur les siennes pour lui faire perdre ce tic. Immédiatement, son contact lui avait paru familier.

– Il dit qu'il te fait confiance.

Il y eut un silence, que Luce refusa de combler. Elle était pressée de tourner les talons. Et si Daniel les observait, et s'il s'apercevait qu'ils étaient seuls dans cette grotte plongée dans le noir? De quoi auraient-ils l'air? Elle leva les yeux, et vit le regard de Cam clair, vert, et profondément triste.

– Et toi, tu me fais confiance? insista-t-il.

– Pourquoi me poses-tu cette question, à ce moment précis?

Il écarquilla les yeux et s'écria avec excitation:

– Justement, tout est important en ce moment! C'est là que le vrai spectacle commence! Le reste n'a été que quelques tours de chauffe! Écoute, pour que tu puisses accomplir ce que tu as à faire, tu ne peux pas te permettre de me considérer comme un ennemi. Tu ne te rends pas compte de ce qui t'attend.

– De quoi parles-tu?

Mais il n'eut pas le temps de répondre, car ils furent interrompus par la voix joyeuse de Dee, qui l'appelait depuis le seuil, avec Daniel. Mais elle était la seule à sourire...

– Luce, nous sommes prêts, nous t'attendons!

– Moi?

– Toi.

Soudain, la jeune fille fut saisie de peur.

– Qu'est-ce que je dois faire?

La transéternelle lui tendait la main, et pourtant, elle se sentait incapable de bouger. Elle jeta un coup d'œil à Cam. Celui-ci regardait Daniel qui, lui, continuait à la couver des yeux comme s'il mourait d'envie de la prendre dans ses bras et de l'embrasser. Mais il n'en fit rien et les trois mètres qui les séparaient lui parurent des kilomètres.

– J'ai fait quelque chose de mal? demanda-t-elle.

– Non. Tu es sur le point de faire quelque chose de merveilleux, répondit le desideratum, la main toujours tendue. Ne perdons pas de temps.

Sa main était si froide que Luce en fut effrayée. La vieille dame avait l'air plus pâle, plus fragile, plus âgée qu'à la bibliothèque de Vienne. Mais, malgré sa peau ridée et son corps osseux, elle dégageait encore une aura lumineuse et vibrante.

– J'ai si mauvaise mine que ça? Pourquoi me dévisages-tu ainsi?

– Non, pas du tout, protesta Luce. C'est juste que...

– Mon âme brille, n'est-ce pas?

La jeune fille acquiesça.

– C'est bien, approuva Dee.

Cam et Daniel se croisèrent sur le seuil sans échanger un mot.

– Dee, déclara Luce en se tournant vers cette dernière. Je n'ai pas envie de sortir. J'ai peur et je ne sais pas pourquoi.

– C'est normal. Mais tu ne peux pas échapper à ce calice.

– Est-ce que quelqu'un peut me dire ce qui se passe?

– Oui, répondit la transéternelle en poussant Luce gentiment, mais fermement en avant. Dès que nous serons sortis d'ici.

Éclairés par la lanterne que tenait Daniel, ils contournèrent le rocher en forme de flèche. Il protégeait en partie l'entrée de la grotte. Assaillie par le vent froid qui soufflait sans s'arrêter, Luce eut un mouvement de recul et se protégea le visage du sable qui lui fouettait la peau. Ils se hâtèrent vers la partie du plateau protégée par les pics formant une barrière contre les bourrasques. La tempête de sable faisait de nouveau rage derrière cette muraille rocheuse, à l'abri de laquelle tout semblait tout à coup trop calme, trop clair...

Deux lanternes brûlaient sur la Dalle de marbre – l'une devant le *Qayom Malak*, l'autre derrière le Pennon d'Argent. Les deux lueurs attiraient des nuées de moucherons qui rebondissaient sur les fines parois de verre des lampes. Étrangement, ce détail apaisa Luce. Cela signifiait qu'au moins elle se trouvait encore dans un monde où la lumière attirait les insectes, un monde qu'elle connaissait.

La lumière éclairait les deux anges dorés courbés l'un vers l'autre, en prière ; elle effleurait les bords de la lourde auréole craquelée, nichée entre les ailes des anges.

Sur les falaises qui dominaient le plateau, quatre Bannis, perchés sur des replats, observaient chacun un point cardinal différent. Leurs ailes, rabattues sur les côtés, étaient à peine visibles, mais on distinguait les flèches magiques placées dans leurs arcs d'argent ; chacun semblait redouter l'irruption de l'Échelle d'un instant à l'autre.

Les quatre amis de Luce occupaient les sièges de pierre entourant les reliques disposées pour la cérémonie. Arriane et Annabelle étaient assises d'un côté, le dos bien droit, les ailes rentrées. Sur l'autre, Luce vit Cam et Roland, séparés par un siège vide.

Pour qui était-il prévu ? Pour elle ou pour Daniel ?

– Bien. Tout le monde est là, sauf la lune, déclara Dee en regardant le ciel. Elle va arriver dans cinq minutes. Daniel, tu veux bien t'asseoir?

Ce dernier remit sa lanterne à la vieille dame, traversa la Dalle de marbre et s'arrêta devant le *Qayom Malak*. Luce allait le suivre, mais sans lui laisser le temps de bouger, Dee resserra sa poigne autour de sa main.

– Toi, tu restes avec moi, ma chérie.

Daniel prit place et tourna vers Luce un regard inexpressif.

– Permettez-moi de vous expliquer, commença Dee, de sa voix calme et claire qui se répercuta en écho sur les murs rougeâtres. Ainsi que je vous l'ai déjà dit, nous avons besoin que la lune paraisse, et elle ne va pas tarder à venir nous rendre visite au-dessus de ce pic. Elle va nous sourire à travers la lentille de l'auréole. Nous avons la chance que le ciel soit dégagé cette nuit. Rien n'obscurcira les ombres de ses jolis cratères quand ils rejoindront les craquelures du verre de l'auréole.

«Ensemble, ces éléments projetteront les contours des continents et les dessins des pays, qui, avec les gravures de la plate-forme, composeront la Carte de la *Simulacra Terra Prima*. Juste ici. (Elle désigna un endroit sur la longueur de marbre où elle s'était couchée la nuit précédente.) Vous verrez une représentation du monde tel qu'il était quand vous, les anges, vous êtes tombés sur la Terre. Oui... Voilà!

Le sommet de la lune émergea des rochers escarpés qui se dressaient derrière l'autel. Alors qu'elle était décroissante, et d'un blanc très pâle, elle resplendissait comme l'aurore. Tous gardèrent le silence pendant plusieurs minutes, les yeux rivés sur l'astre qui montait, diffusant à chaque minute un peu plus de lumière à travers la surface translucide de l'auréole. Derrière, la Dalle de marbre s'assombrit. Enfin, sous le projecteur magique, sa surface devint claire et distincte. Des lignes, des intersections – des *continents* –, des frontières, des pays et des mers firent leur apparition.

La carte ne paraissait pas complète. Certaines lignes n'aboutissaient nulle part ; certaines frontières n'étaient pas fermées. Mais Luce se dit que c'était à l'évidence une carte de la Terre, telle qu'elle avait dû se présenter au moment où Daniel était tombé. Quelque chose resurgit dans les tréfonds de sa mémoire. Une impression de déjà-vu.

– Vous voyez la pierre jaune au centre ? demanda Dee.

Elle montrait un carreau d'un jaune un peu plus soutenu, comme celui où était placée la coupe.

– C'est nous, précisa-t-elle. Juste ici, au milieu de tout. Et maintenant, Lucinda, est-ce que tu as compris ton rôle dans cette cérémonie ?

Luce se dandina d'un pied sur l'autre, mal à l'aise. Qu'attendaient-ils d'elle ? C'était leur histoire, pas la sienne. Finalement, elle n'était qu'une fille ordinaire, entraînée dans cette aventure par la promesse de l'amour. Daniel l'avait rencontrée sur la Terre quand il avait perdu les faveurs du Ciel. C'était à lui qu'il fallait poser cette question.

– Je suis désolée, mais je ne sais pas, répondit-elle.

– Je vais te donner un indice. Est-ce que, sur cette carte, tu vois l'endroit où les anges sont tombés ?

Luce soupira, pressée d'en arriver au fait.

– Non.

– Il y a des millénaires de cela, il fut ordonné que ce lieu ne serait révélé que par le sang. Le sang qui coule dans nos veines en sait beaucoup plus long que nous-mêmes. Regarde bien ces sillons sur le marbre : ce sont les lignes qui délimitent la Terre angélico-pelapsarienne. Elles deviendront claires une fois que le sang sera versé, et qu'il s'accumulera à un endroit particulier. La connaissance réside dans le sang.

– Le site de la Chute, prononça l'un des anges d'un ton plein de ferveur.

Était-ce Arriane, ou Annabelle ?

– Oui, le point d'impact, le site de la Chute, sera marqué par une étoile de sang à cinq branches. Maintenant...

Dee poursuivit, mais Luce n'entendait plus ce qu'elle disait. C'était donc ça qu'il faudrait pour arrêter Lucifer ! Voilà ce que voulait dire Cam quand il parlait de ce qui l'attendait. Voilà pourquoi Daniel ne la regardait pas. Sa gorge était si serrée qu'elle crut ne pas pouvoir sortir un son. Quand elle ouvrit la bouche, sa voix sortit, étouffée, comme si elle parlait la tête sous l'eau.

– Vous avez besoin...

Puis elle ajouta :

– ... de mon sang.

Dee réprima un rire et posa une main glacée sur sa joue brûlante.

– Dieu du Ciel, non, mon enfant ! Tu garderas ton sang ! C'est moi qui donnerai le mien.

– Quoi ?

– Oui : quand je quitterai ce monde, tu en rempliras le Pennon d'Argent. Tu le verseras dans ce creux, juste à l'est de la marque que tu vois sur la flèche dorée (elle indiqua une entaille sur la gauche de la coupe, puis agita démonstrativement les mains vers la carte) et tu l'observeras pendant qu'elle suivra les rainures, ici, et là, et là, et là, jusqu'à ce que tu trouves l'étoile. Alors, tu sauras où rencontrer Lucifer pour déjouer son plan.

Comment Dee pouvait-elle parler de sa propre mort avec tant de détachement ?

– Pourquoi ferais-tu ça ? s'insurgea Luce.

– Eh bien, parce que c'est pour ça que j'ai été créée, comme les anges ont été faits pour adorer.

Elle sortit alors une longue dague d'argent de la profonde poche de sa cape.

– Mais c'est...

La dague que Mlle Sophia avait utilisée pour tuer Penn. Celle qu'elle avait entre les mains à Jérusalem, dans la chapelle.

– Je l'ai ramassée au Golgotha, expliqua Dee en admirant le beau travail d'artisanat réalisé sur l'arme qui brillait. Cette lame a une histoire bien sombre. Il était temps qu'elle soit utilisée pour une bonne cause. Il est très important pour moi que ce soit toi qui verses mon sang, mon enfant. Pas seulement parce que tu m'es très chère, mais aussi parce que ce *doit* être toi.

– Moi ?

– Oui. C'est toi qui dois me tuer, affirma-t-elle en lui tendant la dague.

XV

LE CADEAU

– Je ne peux pas !

– Si, tu peux, affirma Dee. Tu le dois. Personne d'autre ne peut le faire.

– Pourquoi ?

La transéternelle dévisagea Daniel. Celui-ci était toujours assis, les yeux rivés sur Luce, mais il ne semblait pas la voir. Aucun des anges ne se leva pour aller à son secours.

Dee murmura :

– Si, comme tu le dis, tu es fermement résolue à briser ta malédiction...

– Tu sais que oui !

– Eh bien, tu dois te servir de mon sang pour le faire.

Non ! Comment sa malédiction pouvait-elle avoir un lien avec la mort de quelqu'un d'autre ? Dee les avait amenés jusque-là pour que leur soit révélé le site de la chute des anges. C'était son rôle en tant que desideratum. Cela n'avait rien à voir avec sa malédiction.

À moins que si ?

Rompre la malédiction. Évidemment qu'elle le voulait. Elle ne voulait que ça ! Mais ici, maintenant ? Comment pourrait-elle se regarder dans une glace si elle tuait Dee ?

Cette dernière la prit par la main.

– Tu n'as pas envie de connaître la vérité sur ta vie originelle ?

– Bien sûr que si ! Mais pourquoi dois-je te tuer pour découvrir mon passé ?

– Cela révélera toutes sortes de choses...

– Je ne comprends pas.

– Oh, mon Dieu ! soupira Dee en regardant leurs compagnons. Ces anges ont bien fait de te garder saine et sauve, mais ils t'ont aussi protégée et ont été trop indulgents envers toi. Il faut te réveiller, Lucinda, et pour cela, tu dois *agir*.

Luce tourna la tête. Le regard de Dee était trop suppliant, trop intense.

– J'ai vu assez de morts..., protesta-t-elle.

Un ange se leva dans l'obscurité du cercle qu'ils formaient autour du *Qayom Malak*.

– Si elle dit qu'elle ne peut pas le faire, c'est que c'est vrai !

– Ferme-la, Cam, gronda Arriane. Assieds-toi.

Cam s'avança et s'approcha de Luce. Son ombre mince s'agrandit sur la Dalle.

– Nous avons réussi jusqu'ici, dit-il. On ne peut pas affirmer que nous n'ayons pas fait de notre mieux. Mais peut-être qu'elle ne peut pas, tout simplement. On ne peut pas demander l'impossible. Elle ne serait pas la première pouliche à faire perdre une fortune à ceux qui ont misé dessus. Et si elle est la dernière, quelle importance ?

Son ton ne s'accordait pas avec ses paroles, ni avec ses yeux, qui disaient avec une sincérité désespérée : « Tu peux le faire. Tu dois. »

Luce soupesa la dague dans sa main. Elle avait vu sa lame transpercer Penn et lui ôter la vie. Elle avait senti sa piqûre sur sa peau quand Sophia avait essayé de l'assassiner dans la chapelle de Sword & Cross. Si elle était encore vivante, c'était parce que Daniel l'avait sauvée. Si elle ne portait pas de cicatrice, c'était grâce aux mains de Gabbe qui l'avait soignée. Ses amis lui avaient sauvé la vie dans l'attente de ce moment précis. Pour qu'elle puisse l'ôter à une autre.

Dee, qui avait suivi le cheminement de ses pensées, fit signe à Cam de s'asseoir.

– Il vaudrait mieux que tu ne considères pas cela comme le fait de m'ôter la vie. Tu me ferais plutôt le plus grand des cadeaux, Lucinda. Tu ne vois pas que je suis prête à partir ? (Elle sourit.) Je sais que c'est difficile à comprendre, mais il arrive un moment où le corps d'un mortel arrive au terme de son voyage, où il aspire à mourir de la manière la moins désagréable possible. On appelle cela une « belle mort ».

Il est temps pour moi de partir, et si tu me fais le cadeau de cette *très* belle mort, je te promets que tu ne le regretteras pas.

Les yeux brûlants de larmes, Luce se tourna vers Daniel.

– Je ne peux pas t'aider, Luce, dit celui-ci, en prenant les devants. Il vaudrait mieux en finir rapidement.

– Il ne reste plus beaucoup de temps, traduisit Dee et elle posa la main sur l'épaule de la jeune fille.

Celle-ci avait du mal à tenir la lourde poignée d'argent dans ses mains tremblantes et moites. Derrière la vieille dame, aux pieds de laquelle était posé le Pennon d'Argent, elle voyait la Dalle et sa carte incomplète, et plus loin, le *Qayom Malak* auquel était fixée l'auréole de verre.

Luce avait déjà participé à un sacrifice, à Chichén Itzá, quand elle avait fusionné avec sa version antérieure, Ix Cuat. Ce rituel avait paru incompréhensible. Pourquoi quelqu'un de cher était-il obligé de mourir pour que d'autres personnes continuent à vivre ? Cela ne méritait-il pas une explication ? C'était comme l'histoire d'Abraham, à qui Dieu avait demandé de sacrifier Isaac. Dieu avait-il créé l'amour pour aggraver la douleur ?

– Tu vas le faire, pour moi ? la pressa Dee.

Rompre la malédiction...

– Tu vas le faire, pour toi ? reprit la transéternelle.

Luce présenta la dague dans ses paumes ouvertes.

– Comment faut-il procéder ?

– Je vais te guider.

Dee posa sa main gauche sur celle de Luce, qui se referma sur la dague. De sa main libre, elle se débarrassa de sa cape et apparut vêtue d'une longue tunique blanche. Le haut de sa poitrine dénudé révélait la flèche tatouée.

Luce gémit à cette vue.

– Ne t'inquiète pas, reprit le desideratum. Je suis une créature unique, depuis toujours destinée à ce moment. Allez! Un coup de lame rapide en plein cœur, et je serai délivrée.

Dee guida la lame vers le tatouage, sa main entourant celle de Luce qui tremblait. Mais elle ne pouvait aller plus loin. Bientôt, Luce devrait tenir l'arme toute seule.

– C'est très bien, continue, l'encouragea-t-elle.

– Attends! s'écria la jeune fille au moment où la lame égratignait sa chair, faisant couler le sang, juste au-dessus de la tunique. Qu'est-ce que tu deviendras une fois morte?

Dee eut un sourire paisible.

– Eh bien, je ferai partie du chef-d'œuvre.

– Tu monteras au Paradis, n'est-ce pas?

– Lucinda, ne parlons pas de...

– Je t'en prie. Je ne peux pas te faire quitter cette vie sans savoir si je te reverrai. Est-ce que tu t'en iras tout simplement, comme un ange?

– Oh non! ma mort sera une vie secrète. Ce sera comme si je dormais. Ce sera encore meilleur, en réalité, parce que, pour une fois, je pourrai rêver. Dans la vie, les transéternels ne rêvent jamais. Je rêverai du Dr Otto. Il y a si longtemps que je n'ai pas vu mon bien-aimé, Lucinda. Tu comprends, n'est-ce pas?

Luce lutta contre les larmes. Oui, elle comprenait. Évidemment!

Tremblant de plus en plus fort, elle approcha la lame du tatouage. La vieille dame lui serra doucement les mains.

– Sois bénie, mon enfant. Sois bénie en abondance. Et maintenant, dépêche-toi. (Elle regarda le ciel avec inquiétude et cligna des yeux, éblouie par les rayons de lune.) Allez, vas-y.

Luce plongea la dague dans la poitrine de son amie. La lame s'enfonça profondément avant de pénétrer dans son cœur, jusqu'à la garde. Leurs deux visages se touchèrent presque. Leurs haleines se mélangèrent.

Serrant les dents, la vieille femme attrapa la main de la jeune fille pour retourner la dague vers la gauche d'un geste vif. Ses yeux dorés s'écarquillèrent, puis s'immobilisèrent sous le choc... ou la douleur.

– Sors la lame, murmura-t-elle. Verse mon sang dans le Pennon d'Argent.

En grimaçant, Luce retira la dague. Elle sentit quelque chose se déchirer à l'intérieur de la poitrine de Dee. La blessure laissait un trou noir et béant. Du sang affluait à la surface. Les yeux de la mourante se voilèrent, puis son corps s'affaissa sur le plateau baigné de lune.

Au loin, le cri d'un membre de l'Échelle retentit. Les anges levèrent tous la tête.

– Luce, il faut agir vite, dit Daniel, d'un ton faussement calme, qui l'inquiéta d'autant plus.

Elle tenait toujours la dague, glissante et couverte de sang. Elle la jeta sur le sol, où l'arme atterrit avec un petit bruit métallique anodin. Avec rage, elle pensa qu'en dépit de ce son trompeur c'était une arme puissante qui avait tué deux êtres qu'elle aimait.

Elle essuya ses mains ensanglantées sur sa cape. Elle manquait d'air. Ses jambes faillirent se dérober sous elle, mais Daniel la rattrapa.

– Je suis désolé, Luce, dit-il en l'embrassant avec une tendresse particulière, mais je ne pouvais pas t'aider.

– Pourquoi ?

– Parce que tu as réalisé ce qu'aucun de nous ne pouvait faire. Et tu l'as fait seule.

Il la prit par les épaules, puis la retourna pour lui montrer ce qu'elle ne voulait pas voir.

– Non, s'il te plaît, ne me force pas...

– Regarde, insista-t-il.

Dee était assise. Elle avait pris le Pennon d'Argent dans ses bras et l'appuyait contre sa poitrine. Le sang s'écoulait à flots de son cœur, jaillissant à chaque battement, comme si c'était une substance magique venue d'un autre monde. La vieille dame avait fermé les yeux, et le visage qu'elle offrait à la lune rayonnait, comme si elle n'avait pas souffert une seconde.

Quand la coupe fut remplie, Luce s'avança pour la prendre et la replacer sur la flèche jaune de la Dalle. Quand elle n'eut plus le Pennon entre les mains, la mourante s'efforça de se lever. Prenant appui sur le sol, elle se mit d'abord sur un pied, puis sur l'autre. Les jambes tremblantes, elle se traîna, secouée de légers soubresauts, et attrapa sa cape. Luce comprit qu'elle essayait de la remettre sur ses épaules pour recouvrir la plaie. Arriane se précipita à sa rescousse, en vain. Le sang continuait à couler, traversant la cape.

Les yeux dorés de Dee étaient plus pâles, sa peau, presque transparente. Ses traits, son corps tout entier semblaient doux, estompés, comme si elle était déjà entrée dans un autre monde. Elle s'avança en hésitant vers Luce, qui sentit un sanglot monter en elle.

– Dee ! s'écria la jeune fille en se précipitant vers elle pour la prendre dans ses bras.

– Chut ! articula doucement la mourante, je voudrais te dire merci, ma chérie. Et te faire ce cadeau de départ.

Elle plongea la main sous sa cape et la ressortit, le pouce noir de sang.

– C'est le don de la connaissance de soi. Que le souvenir de ce que tu sais déjà te revienne en rêve. Il est temps pour moi de dormir ; et pour toi, de te réveiller.

Ses yeux parcoururent le visage de Luce, et il sembla qu'elle y voyait tout : son passé et son avenir. Enfin, elle passa son pouce ensanglanté sur son front.

– Voilà...

Sur ce, elle s'écroula.

– Dee ! Non !

La jeune fille se précipita, mais la vieille dame était morte.

Daniel prit Luce par les épaules pour lui donner de la force. Mais personne ne pourrait ramener son amie à la vie, ni lui faire oublier que c'était elle qui l'avait tuée.

Le vent d'ouest s'engouffra en sifflant depuis les falaises, apportant avec lui un nouveau hurlement de l'Échelle.

C'était comme si le monde était plongé dans le chaos pour toujours. Aveuglée par les larmes, Luce toucha la trace sanglante qui barrait son front.

Tout à coup, une lumière blanche jaillit. Il lui sembla qu'elle brûlait de l'intérieur. Déséquilibrée, elle vacilla, tendit les bras et se sentit envahie de... lumière.

La voix de Daniel qui l'appelait lui parvint de loin. Était-elle en train de mourir ?

Puis, sous l'effet puissant de la trace qui marquait son front, elle fut soudain galvanisée.

Le ciel n'était pas gris, mais d'un blanc éclatant. Si resplendissant qu'elle ne voyait pas les anges qui l'accompagnaient. Pourtant, elle s'entendit demander :

– Est-ce qu'il y a un nouveau tremblement de temps ?

– Non, répondit la voix de Roland.

– C'est toi, Luce, prononça Daniel en frissonnant.

Luce sentit ses pieds quitter le sol et son corps s'élever avec une merveilleuse légèreté. Pendant quelques instants, le monde parut vibrer, en totale harmonie, baigné d'une lumière resplendissante.

Maintenant, il est temps que tu te réveilles.

L'air sembla tressauter et, bientôt, le blanc se transforma en gris trouble. Puis, dans le lointain, apparut le visage parcheminé de Bill. Ses vastes ailes noires qui s'étendaient au-delà du ciel, au-delà des galaxies, emplirent son esprit, s'infiltrèrent dans l'univers, jusque dans la moindre fissure, et engloutirent Luce.

Cette fois, c'est moi qui gagnai ! prononça-t-il d'une voix coupante comme du silex.

À quelle distance se trouvait-il à présent?

Luce atterrit brutalement sur le sol. La lumière s'était éteinte. Elle tomba à genoux, près de Dee qui était allongée sur le côté, la tête posée sur un bras, ses longs cheveux roux ruisselant dans son dos comme des rigoles de sang. Ses yeux étaient clos, son visage serein. La jeune fille essaya de se relever, mais son corps était lourd. Daniel vint s'asseoir avec elle sur la Dalle et la prit dans ses bras. L'odeur de ses cheveux et le contact de ses mains lui apportèrent un peu de réconfort.

– Je suis là, Luce, tout va bien, murmura-t-il.

Elle ne voulait pas lui dire que la vision de Bill la hantait. Elle avait envie de retourner dans cette lumière blanche... Elle porta la main à son front, toucha la trace, mais il ne se passa rien. Le sang avait séché.

Daniel la dévisageait, lèvres serrées. Il balaya les mèches de cheveux qui retombaient sur ses yeux et lui tâta le front.

– Tu es brûlante, constata-t-il.

– Ça va aller, lui assura-t-elle alors qu'elle se sentait fiévreuse.

Elle se leva maladroitement et regarda la lune. Elle était juste au-dessus d'eux, au milieu du ciel. Dee leur avait recommandé d'attendre cet instant, car c'était celui où sa mort en vaudrait la peine.

– Luce, Daniel! les héla Roland. Venez voir!

Il était en train de verser les dernières gouttes de sang de la coupe sur la carte. La plupart des fissures creusées dans le marbre étaient déjà remplies. Dee les avait prévenus que la Terre se présentait différemment à l'époque de la chute des anges, mais le dessin qu'ils avaient sous les yeux ressemblait de plus en plus à une carte contemporaine.

L'Amérique du Sud était plus rapprochée de l'Afrique et le nord-est de l'Amérique du Nord se poussait davantage vers l'Europe. Mais les différences n'étaient pas flagrantes. On voyait le bout de mer où le golfe de Suez séparait l'Égypte de la péninsule du Sinaï, et, au centre de celle-ci, la pierre jaune marquant le plateau où ils se trouvaient. Au nord, c'était la Méditerranée, parsemée d'un millier d'îles minuscules, et, de l'autre côté, là où l'Asie touchait l'Europe, une flaque de sang prenait lentement la forme d'une étoile.

Luce entendit Daniel déglutir péniblement. Fascinés, les anges suivaient des yeux le parcours du sang de Dee, qui remplissait les branches de l'étoile et indiquait la Turquie, puis...

– Troie ! murmura enfin Daniel en secouant la tête, incrédule. Comment imaginer...

– Encore là-bas ! souffla Roland, faisant allusion à l'histoire tourmentée de la ville.

– J'ai toujours pensé que cet endroit était maudit, renchérit Arriane avec un frisson. Mais je...

– ... n'ai jamais su pourquoi, compléta Annabelle.

– Cam ? lança Daniel.

Tous les regards se tournèrent vers le démon.

– Je viens aussi, déclara distinctement ce dernier.

– Donc, ça y est..., souffla Daniel comme s'il ne pouvait y croire.

Puis il leva la tête et cria :

– Phil !

Phil et ses trois Bannis apparurent.

– Préviens les autres.

«Quels autres ? Qui reste-t-il encore ?», se demanda Luce avec étonnement.

– Que dois-je leur dire ? demanda Phil.

– Dis-leur que nous connaissons le site de la Chute. Nous partons pour Troie.

– Non ! s'écria Luce, stoppant les Bannis dans leur mouvement. Nous ne pouvons pas partir tout de suite. Et Dee ?

Tout bien considéré, il n'était pas surprenant que la transéternelle ait prévu jusqu'aux détails de ses funérailles. Annabelle découvrit les instructions enfouies dans une lamelle du couvercle du vieux coffre en bois, lequel, ainsi que l'expliquait la lettre de Dee, quand on le retournait, se transformait en catafalque.

Le soleil était bas dans le ciel quand ils commencèrent à fabriquer le mémorial. C'était la fin du septième jour ; dans sa lettre, Dee affirmait que ce ne serait pas une perte de temps.

Roland, Cam et Daniel portèrent le catafalque au centre de la Dalle de marbre. Ils recouvrirent complètement la carte, pour que l'Échelle ne la découvre pas, lorsqu'elle atterrirait.

Annabelle et Arriane apportèrent le corps de la défunte. Avec précaution, elles le déposèrent au centre, afin que son cœur soit placé exactement au-dessus de l'étoile formée de son sang. Dee n'avait-elle pas expliqué que les sanctuaires étaient construits sur d'autres sanctuaires? Ainsi, son corps formerait un sanctuaire pour la carte qu'il dissimulait.

Cam enveloppa son corps dans sa cape, mais laissa son visage exposé au ciel. Dans sa dernière demeure, Dee, leur desideratum, semblait petite, mais puissante. Elle avait trouvé la paix. Luce se persuada qu'elle se promenait de rêve en rêve avec Otto, l'homme qu'elle avait tant aimé.

– Elle veut que ce soit Luce qui la bénisse, lut Annabelle dans sa lettre.

Daniel serra très fort la main de la jeune fille, pour l'encourager.

Luce n'avait jamais rien fait de tel. Pourtant, loin d'être embarrassée, ou de se sentir coupable de prendre la parole aux obsèques de celle qu'elle avait tuée, elle se sentit honorée.

Elle s'avança vers le catafalque, puis rassembla ses idées quelques instants.

– Dee était le desideratum, commença-t-elle avec gravité. Mais elle était bien davantage qu'une simple chose désirée.

Elle prit une inspiration et s'aperçut alors qu'elle n'était pas seulement en train de prononcer l'éloge funèbre de Dee, mais aussi ceux de Gabbe et de Molly, dont les corps s'étaient désintégrés en poussière... et celui de Penn, à qui elle n'avait pas pu dire un dernier adieu. C'en fut trop pour elle. Sa vision se troubla et les mots lui manquèrent. Elle se souvint seulement que Dee avait marqué son front de sang sacrificiel.

Elle lui avait fait ce cadeau.

Que le souvenir de ce que tu sais déjà te revienne en rêve.

Le sang affluait à ses tempes. La tête et le cœur en feu, elle glissa ses mains dans celles de la défunte.

– Il se passe quelque chose, dit-elle.

Elle baissa les paupières et, derrière ses yeux clos, apparut une lumière blanche.

– Luce...

Quand elle les rouvrit, elle vit que les anges avaient enlevé leurs capes et déployé leurs ailes. Le plateau était baigné de lumière et la nuée de l'Échelle criaillait au-dessus d'eux.

– Qu'est-ce qu'il y a ? s'enquit la jeune fille, aveuglée par la clarté.

– Daniel, il faut faire vite ! cria Roland d'en haut.

Les autres anges étaient-ils déjà partis ? D'où provenait cette lumière ?

Daniel lui passa les bras autour de la taille. Il la serra contre lui, mais sa peur ne disparut pas.

– Je suis avec toi, Lucinda. Je t'aime, quoi qu'il arrive.

Elle sentit ses pieds quitter le sol. Daniel prit son envol et la transporta dans les airs. Mais elle eut à peine conscience de ce voyage à travers le ciel illuminé, tant elle était transportée par cette nouvelle et étrange pulsation qu'elle ressentait dans tout son être.

XVI

L'APOCALYPSE

Au cours de leur vol, il se mit à pleuvoir. Les gouttes de pluie crépitaient sur les ailes de Daniel, au gré des roulements de tonnerre. Les éclairs zébraient la nuit. Sans doute Luce était-elle en train de dormir, ou, du moins, de somnoler, quand la tempête s'était déclenchée, car elle avait glissé dans un état de veille peuplée de rêves.

Ils affrontaient un vent contraire, brutal, incessant, mais ils fendaient les airs à une vitesse inouïe. Chaque battement d'ailes leur faisait franchir des villes entières, des chaînes de montagnes. Ils survolaient des nuages qui émergeaient comme des icebergs géants et les dépassaient en un clin d'œil.

Luce ignorait depuis combien de temps ils voyageaient. Elle ne posait pas de questions.

De nouveau, il faisait nuit. Combien de temps leur restait-il? Il lui semblait impossible de faire le calcul. Et pourtant, elle avait toujours aimé résoudre les problèmes compliqués. Elle sourit en se souvenant qu'il fut un temps où elle avait passé des heures assise à un pupitre de bois, à côté de vingt enfants comme elle en train de mâchouiller le bout de leur crayon. Cela lui parut irréel.

La température baissa. La pluie s'intensifia et ils se retrouvèrent au cœur d'une tempête déchaînée. À présent, les gouttes qui rebondissaient sur les ailes de Daniel résonnaient comme des grêlons martelant le sol.

L'humidité la transperçait jusqu'aux os. Tantôt des vagues de chaleur la mettaient en sueur, tantôt des frissons la faisaient claquer des dents. Daniel s'efforçait cependant de la protéger.

Des visions lui apparaissaient à travers la tempête. Dee, échevelée, lui murmurait: «Il faut que tu rompes la malédiction!» Puis ses cheveux se transformaient en mèches ensanglantées qui s'entortillaient autour d'elle en l'emmitouflant comme une momie... avant que son corps se transforme en une énorme colonne de sang épais et ruisselant.

Une lueur dorée se rapprocha soudain, transperçant la brume. C'était Cam qui se plaçait sous eux.

– C'est là? cria-t-il pour dominer le bruit du vent.

– Je l'ignore, répondit Daniel.

– Comment le saurons-nous?

– Nous le saurons, c'est tout.

– Daniel... le temps passe...

– Ne me bouscule pas, s'il te plaît. Nous ne pouvons pas nous permettre de nous tromper. Il faut nous rendre au bon endroit.

– Elle dort?

– Elle a de la fièvre... Je ne sais pas. Chut!

Un grognement de frustration accompagna la disparition de l'éclat doré des ailes du démon.

La jeune fille battit des paupières. Dormait-elle vraiment? Les cauchemars se succédaient. À présent, elle voyait Mlle Sophia et ses yeux noirs luisants à travers les gouttes de pluie. La voilà qui levait sa dague, lui plongeait la lame dans le cœur en faisant cliqueter ses bracelets de perles. Ses paroles – «Faire confiance, c'est faire preuve d'imprudence» – revenaient inlassablement en écho dans sa tête, et lui donnaient envie de hurler. Puis l'image de Mlle Sophia oscilla, tourbillonna, et disparut, avalée par la gargouille à laquelle Luce avait si imprudemment donné sa confiance.

Le petit Bill s'était fait passer pour un ami en dissimulant depuis le début une vérité surnaturelle, terrifiante. Peut-être était-ce ainsi que le diable comprenait l'amitié. Peut-être que, pour lui, l'amour était toujours teinté de mal... Le corps de cette gargouille renfermait des forces ténébreuses et indomptables. Celui qu'elle voyait dans son demi-sommeil était pourvu de griffes noires, pourries, et exhalait des nuages de rouille. Il rugissait, mais silencieusement, dans un silence pire que les paroles, qui laissait le champ libre à son imagination. Il était Lucifer, le Mal, la Fin.

Elle ouvrit soudain les yeux et serra les bras de Daniel qui la tenait contre lui.

« Tu n'as pas peur, décida-t-elle silencieusement. Quand tu te retrouveras en face de lui, tu n'auras pas peur. »

La peur était bien sa pire ennemie depuis le début de ce voyage. Elle avait beaucoup de mal à l'affronter, à se convaincre qu'elle ne la ressentait pas.

– Hé, regardez ! dit Arriane en se rangeant à côté de Daniel.

Les nuages étaient moins épais, à présent. En bas s'étirait une vallée, une large bande de terre agricole caillouteuse qui allait à la rencontre d'un étroit bras de mer à l'ouest. Un énorme cheval de bois, érigé en l'honneur d'un lointain passé, se dressait absurdement dans le paysage aride. Non loin de là, on distinguait des ruines, un théâtre romain, et un parking contemporain.

Les anges poursuivirent leur vol. La vallée était plongée dans le noir. Seule la lueur d'une lampe brillant à la fenêtre d'une cabane brillait dans l'obscurité.

– On met le cap sur la maison, décréta Daniel.

Il piqua brutalement, alors que Luce était en train d'observer un troupeau de chèvres qui traversait les champs détrempés pour aller se rassembler sous un bosquet d'arbres.

Ils touchèrent terre à environ cinq cents mètres de leur objectif.

– On y va, dit Daniel en lui prenant la main. Ils nous attendent.

Il se mit en route; Luce à son côté luttait vaillamment contre la pluie, ses cheveux noirs lui fouettant le visage, et traînant sa robe de laine trempée.

Ils gravissaient péniblement un sentier boueux lorsqu'une grosse goutte d'eau tomba sur les cils de Luce et pénétra dans son œil. La jeune fille cligna des paupières pour s'en débarrasser... et rouvrit les yeux sur un monde entièrement différent. Une image surgit dans son esprit, un souvenir oublié depuis bien longtemps.

Le sol humide qu'elle foulait n'était plus vert, mais noir et calciné; plus loin, gris et plein de cendres. La vallée qui les entourait était parsemée de profonds cratères fumants. Une odeur de carnage, de chair brûlée, pourrie, empestait l'air, si forte, si pénétrante, qu'elle lui brûlait les narines et lui collait au palais. Les cratères grésillaient en faisant un bruit de serpents à sonnette. La poussière – de la poussière d'ange – flottait dans l'air, se posait sur le sol et les rochers, retombait sur son visage comme une pluie de flocons de neige.

Du coin de l'œil, elle vit luire un éclat argenté. Il provenait de ce qui ressemblait à un miroir brisé, mais la chose était phosphorescente. Luce lâcha la main de Daniel, se mit à genoux et avança à quatre pattes sur le sol boueux, vers les fragments de verre argenté.

Elle ignorait ce qui la poussait à agir ainsi. Elle savait seulement qu'il fallait qu'elle les touche. Elle tendit la main vers un gros débris en gémissant sous l'effort. Elle l'attrapa d'un geste ferme... Puis elle cligna des yeux et ne trouva dans sa main qu'une poignée de boue. Elle regarda Daniel, les yeux remplis de larmes.

– Qu'est-ce qui m'arrive ? lui demanda-t-elle.

Sans répondre à sa question, Daniel s'adressa à Arriane.

– Fais entrer Luce.

Celle-ci sentit qu'on la relevait.

– Tout va bien se passer, ma puce, dit Arriane. Promis.

La porte de la cabane s'ouvrit et une lumière chaude illumina le seuil... où les anges furent accueillis par Steven Filmore, le professeur préféré de Luce à Shoreline.

– Je suis content que vous ayez réussi à venir, dit Daniel.

– Et de même pour vous, répondit Steven de sa voix professorale, rassurante. Elle va bien ?

« Non ! Elle perd les pédales ! », fulmina intérieurement Luce.

– Oui, affirma Daniel, avec une assurance qui la surprit.

– Qu'est-ce qu'elle a au cou ?

– Nous sommes tombés sur des membres de l'Échelle, à Vienne.

Mais qu'est-ce qu'il racontait ? Elle n'allait pas bien du tout ! Tremblante, elle croisa le regard de Steven. Il était calme, réconfortant.

« Tu vas bien. Il le faut. Pour Daniel », s'enjoignit-elle.

Steven les fit entrer. La petite maison était pourvue d'un sol en terre battue et d'un toit de chaume. Le seul mobilier était constitué d'un tas de couvertures, de quelques tapis jetés dans un coin, d'un fourneau rudimentaire, et de quatre fauteuils à bascule qui occupaient le centre de la pièce.

Devant les fauteuils se tenait Francesca – la femme de Steven –, l'autre professeur Néphilim de Shoreline. Phil et ses trois Bannis montaient la garde le long du mur du fond. Les nouveaux arrivants s'entassèrent dans la cabane éclairée par le feu qui dispensait une bonne chaleur.

Francesca demanda aussitôt :

– Et maintenant, Daniel ?

– Rien, répondit vivement l'ange, rien encore.

Rien ? Ils n'avaient tout de même pas subi toutes ces épreuves, découvert l'endroit de la Chute et fait tout ce chemin pour rester enfermés dans une cabane et attendre ?

– Daniel, dit Luce, j'aimerais avoir quelques explications.

Mais ce dernier se contenta de jeter un regard à Steven, lequel entraîna la jeune fille vers un rocking-chair en lui disant :

– Je t'en prie, assieds-toi.

Luce s'y laissa tomber et hocha la tête pour le remercier de la tasse de thé, qu'il lui tendait. D'un geste circulaire, il désigna la cabane.

– Ce n'est pas grand-chose, mais, au moins, ça protège de la pluie et du vent...

Les yeux d'Annabelle firent le tour de la pièce et s'arrêtèrent sur la pluie qui frappait sur les carreaux.

– C'est ça, le site de la Chute ? C'est quand même difficile à imaginer... C'est vraiment bizarre.

Steven finit de nettoyer ses lunettes sur son pull, les reposa sur son nez et expliqua, toujours aussi professoral :

– La zone de la Chute est très vaste, Annabelle. Pense à l'espace qu'il faut pour accueillir cent cinquante millions huit cent vingt-sept mille huit cent soixante et un...

– Tu veux dire cent cinquante millions huit cent vingt-sept mille sept cent quarante-six, l'interrompit Francesca.

– C'est vrai, tout le monde n'est pas d'accord sur les chiffres, admit Steven, préférant ne pas discuter avec sa femme. Le problème, c'est que vu le nombre d'anges qui sont tombés, l'impact a eu lieu sur un très large territoire. (Il lança un bref regard à Luce.) Mais, oui, vous vous trouvez sur une partie de l'endroit où les anges sont tombés sur Terre.

– Nous avons suivi l'ancienne carte du monde, intervint Cam tout en tisonnant le feu, qui se remit à ronfler joyeusement. Mais je me demande encore comment nous pouvons être sûrs que c'est ici. Il ne reste plus beaucoup de temps...

« Nous le savons parce que j'en ai des visions ! s'écria Luce intérieurement. Parce que, d'une manière ou d'une autre, j'étais là. »

– Je suis content que tu poses la question, dit Francesca en déroulant un parchemin sur le sol. La bibliothèque des Néphilim, à Shoreline, a une carte du site. Elle a été dessinée à si petite échelle que le lieu est impossible à déterminer.

– Autant chercher une aiguille dans une botte de foin, ajouta Steven. Nous attendons le signal de Daniel depuis que Luce est sortie des Annonciateurs. Nous avons suivi vos progrès et pris des dispositions pour pouvoir être disponibles au moment où vous auriez besoin de nous.

– Les Bannis nous ont retrouvés dans notre résidence d'hiver au Caire, juste après minuit, compléta Francesca. Par bonheur, celui-ci avait votre pennon, sinon nous aurions pu...

– Il s'appelle Philip. Les Bannis sont avec nous, maintenant.

C'était étrange... Phil s'était fait passer pour un élève à Shoreline pendant des mois, et Francesca ne le reconnaissait pas? En même temps, c'était le genre de professeur snob qui n'accordait son attention qu'aux élèves « doués ».

– J'espérais que vous le reconnaîtriez comme un des nôtres, reprit Daniel. Comment se présentait la situation, à Shoreline, quand vous êtes partis?

– Pas bien, répondit Francesca. Nous avons vécu de mauvais moments aussi. L'Échelle est passée par Shoreline le lundi.

Daniel serra les dents. Puis il lâcha:

– Non!

– Miles et Shelby! s'écria Luce.

– Rassurez-vous, vos amis vont tous bien. L'Échelle n'a rien trouvé à nous reprocher...

– C'est vrai, confirma Steven d'un ton fier. Ma femme dirige parfaitement sa barque. Elle est au-dessus de tout reproche.

– Il n'empêche que les élèves ont eu très peur. Quelques-uns parmi nos plus gros donateurs ont retiré leurs enfants de l'école... J'espère que le jeu en vaut la chandelle...

Arriane se leva d'un bond et s'écria, hors d'elle:

– Évidemment que oui!

Roland s'empressa de faire rasseoir Arriane dans son fauteuil. Steven prit sa femme par le bras et l'entraîna près de la fenêtre. Bientôt, tout le monde se mit à chuchoter et Luce ne put entendre que la voix courroucée d'Arriane: « Tu sais ce que j'en fais, de ses gros dons? »

Dehors, de fins rayons de lumière roussâtre enlaçaient les montagnes. Luce les contempla, l'estomac noué. Ils marquaient l'aube du huitième jour, la dernière journée complète avant...

Elle sentit la main de Daniel sur son épaule, chaude et ferme.

– Et toi, Luce, comment te sens-tu ?

– Ça va, dit-elle en se redressant pour montrer qu'elle était en pleine forme. Qu'est-ce qu'il faut faire maintenant ?

– Dormir.

Elle protesta :

– Je ne suis pas fatiguée ! Le soleil se lève, et Lucifer...

Daniel se pencha et l'embrassa sur le front.

– Il vaut mieux que tu te reposes.

Francesca, en pleine conversation avec son mari, leva les yeux.

– Tu penses que c'est une bonne idée ?

– Si elle est fatiguée, il faut qu'elle dorme. Nous ne sommes pas à quelques heures près, puisque nous sommes déjà sur place.

– Je ne suis pas fatiguée ! répéta la jeune fille, mais c'était un mensonge évident.

Francesca déglutit.

– Tu as sans doute raison. Soit ça marche, soit ça ne marche pas.

– Qu'est-ce qu'elle entend par là ? demanda Luce à Daniel.

– Rien, répondit-il d'une voix douce.

Puis, se tournant vers Francesca, il murmura :

– Ça *va* marcher.

Il se glissa dans le rocking-chair, à côté de Luce, et la prit par la taille. La dernière chose qu'elle sentit fut son baiser sur sa tempe et sa voix qui murmurait à son oreille :

– Laissez-la dormir une dernière fois.

Ils étaient côte à côte devant la cabane, dans un champ en jachère. Une brume matinale s'élevait du sol, et le ciel était de la couleur bleu profond qui suivait les tempêtes. Les collines, à l'est, étaient recouvertes de neige, mais la plaine exhalait une douceur printanière. Des fleurs s'épanouissaient sur les bords du champ. Partout, on voyait voleter des papillons blancs, roses et dorés.

– Tu es prête ?

– Oui.

Une seconde après son réveil, Luce avait senti les mains de Daniel la soulever et la transporter à l'extérieur. Sans doute l'avait-il tenue dans ses bras durant tout son sommeil.

– Prête pour quoi ? rectifia-t-elle.

Leurs compagnons la dévisageaient, réunis en cercle comme s'ils attendaient un évènement exceptionnel. Les anges et les Bannis avaient écarté leurs ailes, sur lesquelles se dessinèrent un instant les ombres d'une nuée de cigognes qui traversaient le ciel, voilant le soleil.

– Pour me dire qui je suis, répondit Daniel d'un ton ferme.

Jusqu'alors, il avait été le seul à garder les ailes dissimulées dans ses vêtements.

À cet instant, il s'éloigna de celle qu'il aimait, ferma les yeux et les fit jaillir. Elles se déplièrent avec une suprême élégance, et se déployèrent de part et d'autre, envoyant un souffle de vent qui écarta les branches des abricotiers alentour.

Paré de ses ailes magnifiques qui se dressaient au-dessus de lui, il était d'une beauté indescriptible. Son corps tout entier irradiait ce que les anges appelaient leur gloire. Luce, hypnotisée, ne pouvait détacher ses yeux de lui.

– Tu es un ange, souffla-t-elle.

Il ouvrit ses yeux violets.

– Quoi d'autre ?

– Tu es... tu es Daniel Grigori, poursuivit Luce. Tu es l'ange qui m'aime depuis des milliers d'années. Tu es le garçon que j'aime en retour depuis... chaque instant où je t'ai vu pour la première fois. (Elle regarda le soleil jouer sur la blancheur éclatante de ses ailes avec l'envie de se blottir dedans.) Tu es l'âme qui va avec la mienne.

– Parfait, répondit Daniel. Maintenant, dis-moi qui tu es, toi.

– Eh bien... Je suis Lucinda Price. Je suis la fille dont tu es tombé amoureux.

Il régnait parmi les anges un silence tendu. Tous semblaient retenir leur souffle.

Les yeux de Daniel se remplirent de larmes. Il murmura :

– Quoi de plus ?

– Ce n'est pas assez ?

– Non, Lucinda.

Sa façon de prononcer son nom, avec tant de gravité, fit mal à la jeune fille. Que voulait-il d'autre ? Elle cligna des yeux, et ce mouvement déclencha une sorte de coup de tonnerre. Une nuit noire tomba sur la plaine de Troie. La terre se craquela, se recouvrit de fissures en zigzag. Le champ où ils se trouvaient disparut, remplacé par des cratères fumants. L'univers ne fut plus que poussière et cendres. À l'horizon, les arbres étaient en feu et le vent charriait une odeur de pourriture. C'était comme si son âme l'avait projetée des millénaires plus tôt. Il n'y avait plus de neige sur les montagnes, plus de cabane, plus de visages d'anges inquiets autour d'elle.

Mais il y avait Daniel.

Ses ailes étincelaient à travers l'air poussiéreux. Sa peau nue était parfaite, humide de rosée. Ses yeux irradiaient toujours la même lumière violette enivrante, mais ils n'étaient pas dirigés sur elle. Ils fixaient le ciel. L'ange ne semblait pas se rendre compte qu'elle était à côté de lui.

Tout à coup, le monde se mit à tourbillonner.

L'air chargé de poussière avait perdu son odeur de pourriture. Elle était de retour en Égypte, dans la tombe obscure où elle avait été enfermée, où elle avait presque perdu son âme. Devant ses yeux se déroula la scène qu'elle avait vécue. Elle sentit la flèche d'argent, chaude sous sa robe, vit la panique se dessiner sur son visage, sentit le baiser qui la ramenait – et Bill qui papillonnait autour du sarcophage du pharaon, formant déjà son plan le plus ambitieux. Son ricanement éraillé résonna à ses oreilles.

Puis ce souvenir s'effaça, faisant place à une autre vision. Dans un passé encore plus lointain, Lucinda était allongée sur le ventre, dans un champ où poussaient de grandes fleurs. Elle portait une robe en peau. Elle avait à la main une fleur de pissenlit dont elle cueillait un à un les pétales. Le dernier s'envola au vent et elle pensa : « Il m'aime. » La lumière était aveuglante. Soudain, le visage de Daniel traversa les rayons du soleil. Ses yeux violets débordaient d'amour et ses cheveux blonds formaient une auréole lumineuse autour de sa tête. Il souriait.

Ensuite, son visage disparut, remplacé par une nouvelle vision, une autre vie. Un feu de joie lui réchauffait la peau, le désir lui brûlait la poitrine... Elle entendait les accents d'une musique étrange, forte. Des gens, ses amis, sa famille riaient... Elle était lancée avec Daniel dans une danse endiablée, dont elle ressentit au fond d'elle le rythme, les pas, alors même que la musique s'était déjà tue et que les flammes qui léchaient le ciel étaient passées du rouge vif à une douce couleur argentée...

Une cascade d'eau glacée coulait le long d'une falaise calcaire, sous laquelle elle se baignait parmi les nénuphars. Quand elle sortit de l'eau, ses cheveux mouillés vinrent recouvrir ses épaules, puis retombèrent dans son dos. De l'autre côté de la cascade, debout sur la pierre humide, se tenait Daniel. Il l'attendait là, comme s'il avait attendu depuis une éternité. Il plongea alors d'un rocher en l'éclaboussant. Il nagea à sa rencontre, l'attira à lui, referma ses bras autour d'elle. Elle lui enlaça la nuque et il l'embrassa. Elle ferma les yeux...

Boum !

Un nouveau coup de tonnerre ramena Luce sur la plaine fumante de Troie. Mais cette fois, elle était prise dans un cratère, coincée sous un rocher, incapable de bouger son bras et sa jambe gauches. Elle se débattit, hurla, entourée de taches rouges et de débris de ce qui semblait être un miroir. Prise de vertige, en proie à un violent mal de tête, elle hurla :

– Au secours !

C'est alors qu'arriva Daniel, planant au-dessus d'elle avec, dans ses yeux violets, une indescriptible expression d'horreur. Il s'écria :

– Qu'est-ce qui t'est arrivé ?

Elle ne savait ni qui elle était, ni ce qu'elle faisait là. Cette Lucinda ne reconnaissait même pas Daniel. Mais Luce, si.

Soudain, elle comprit : c'était la première fois qu'ils se rencontraient sur la Terre ! C'était le moment vers lequel elle tendait depuis toujours, le moment dont Daniel refusait de parler.

Ils furent instantanément amoureux.

Comment cet endroit pouvait-il être celui de leur première rencontre ? Ce paysage sinistre, désolé, empestait l'horreur et la mort. Et elle était blessée, ensanglantée, cassée en mille morceaux. Comme si elle était tombée d'une hauteur inimaginable.

Luce leva la tête vers le ciel. C'était étrange... Il était constellé d'innombrables étincelles infinitésimales, comme si le Paradis avait été électrocuté et que les ondes de choc se répercutaient depuis la nuit des temps.

Mais les étincelles se rapprochaient. Des formes noires soulignées de lumière pleuvaient du firmament infini. Il y en avait des millions, rassemblées en une foule chaotique et sans contours précis ; une masse à la fois sombre et brillante, à la fois suspendue en l'air et projetée en bas, qui ne semblait obéir à aucune pesanteur.

Avait-elle été parmi eux ? Elle n'était pas loin de le penser. Puis soudain, une évidence la frappa : c'étaient les anges. C'était la Chute...

Oui, elle avait assisté à leur chute. C'était un souvenir insoutenable. C'était comme si elle voyait tomber toutes les étoiles.

Plus ils tombaient, plus leurs rangs se clairsemaient. Elle n'imaginait pas que ses amis aient pu un jour ressembler à ces entités perdues, hors de contrôle, plus vulnérables que le plus démuni des mortels au pire moment de sa vie. Arriane était-elle parmi eux ? Et Cam ?

Elle suivit des yeux une sphère de lumière en pleine descente, juste au-dessus d'elle, qui grossissait à mesure qu'elle se rapprochait. Daniel leva la tête, lui aussi. Luce comprit qu'il ne reconnaissait pas les formes qui tombaient. Le choc causé par sa chute sur la Terre avait été si important qu'il avait effacé sa mémoire. Il ne savait pas qui il était, ni d'où il venait, ni à quel point il avait été magnifique. Dans ses yeux se lisait une terreur sans nom.

Un petit groupe d'anges tombés du ciel se rapprocha. Ils n'étaient plus qu'à quelques centaines de mètres... Lorsqu'ils furent assez près, Luce put mieux distinguer ces étranges créatures noires à l'intérieur de leurs vaisseaux de lumière. Elles ne bougeaient pas, mais semblaient indéniablement vivantes. Les anges se dirigeaient droit sur elle ! Elle cria... La grande masse sombre et brillante s'écrasa dans le champ, à côté d'elle.

Une explosion de feu et de fumée noire projeta alors Daniel hors de sa vue. D'autres créatures célestes se rapprochaient. Elles étaient plus d'un million, elles allaient réduire en bouillie la Terre et toute la vie avec elle ! Luce se baissa, protégea ses yeux, ouvrit la bouche, prête à pousser un nouveau hurlement. Mais le son qui en sortit n'eut rien d'un hurlement...

Sa mémoire était partie fouiller une époque antérieure. Antérieure à la Chute ?

Luce ne se trouvait plus dans le champ rempli de cratères fumants et d'anges chutant tels des météorites, mais elle était au milieu d'un paysage de pure lumière. La terreur n'était pas de mise en ce lieu qu'elle connaissait, sans le connaître vraiment. Ce ne pouvait être réel...

Il sortait de son âme une musique si belle qu'elle colora de blanc tout ce qui l'entourait. Le cratère avait disparu. La Terre avait disparu. Son corps était... Elle n'en avait aucune idée. Elle ne voyait rien en dehors de ce fantastique éclat argenté teinté de blanc. La clarté sembla se dérouler devant ses yeux, comme un tapis menant à une vaste prairie blanche, bordée de part et d'autre de splendides bosquets d'arbres éclatants.

Au loin se trouvait un siège imposant en argent. Puis Luce vit qu'il y en avait d'autres qui formaient une grande voûte autour d'une entité si resplendissante qu'elle en était aveuglante. Elle posa son regard sur le troisième à partir de la gauche. Elle ne put en détourner les yeux. Pourquoi ? Parce que... Sa mémoire fouilla, plus loin en arrière... Parce que...

Parce que ce siège, c'était sa place. C'était là que, autrefois, il y avait bien longtemps, elle venait s'asseoir avec... qui ? Cela semblait important. Sa vision se troubla et le siège disparut. La blancheur qui subsistait convergea, se sépara en deux formes, en...

Des visages. Des corps. Des ailes. En toile de fond, un ciel bleu.

Elle était de retour dans le présent, dans sa vie réelle. Autour d'elle se trouvaient ses professeurs Francesca et Steven ; ses alliés, les Bannis ; ses amis Roland, Arriane, Annabelle et Cam. Et son amour, Daniel. Elle les observa les uns après les autres et les trouva très beaux. Ils la contemplaient en pleurant, une expression de joie muette sur le visage.

« Le cadeau de la connaissance de soi, lui avait dit sa chère Dee. Que le souvenir de ce que tu sais déjà te revienne en rêve. »

Tout cela existait au fond d'elle depuis toujours ; c'était là, chaque moment de chacune de ses vies. Mais elle ne se réveillait qu'à cet instant, tous les sens en éveil. Un vent léger soufflait sur sa peau, apportant avec lui l'odeur lointaine de la Méditerranée, et lui confirmant qu'elle était toujours à Troie. Sa vue, aussi, était plus claire qu'elle n'avait jamais été. Un papillon doré passa, et elle vit jusqu'aux points brillants qui constituaient le pigment de ses ailes.

Elle inspira l'air froid, s'en remplit les poumons, et sentit les différentes composantes de la glaise du sol, le zinc qui le rendrait fertile au printemps.

– J'y étais, murmura-t-elle. J'étais au...

Paradis.

Mais elle n'arrivait pas à prononcer ce mot. Elle en savait trop, maintenant, pour refuser de l'admettre... et pas assez pour le dire.

Daniel. Il allait l'aider. «Vas-y», disaient ses yeux.

Par où commencer? Elle toucha le médaillon contenant la photo prise lorsqu'elle vivait à Milan avec lui.

– Quand j'ai visité ma vie passée à Helston, commença-t-elle, j'ai appris que la profondeur de notre amour dépassait la personne que j'étais dans chacune de mes vies...

– Oui, confirma Daniel. Notre amour transcende tout.

– Et... quand je me suis rendue au Tibet, j'ai appris que le déclencheur de ma malédiction n'était pas un simple contact, ou un simple baiser.

– Ce n'était pas le contact, intervint Roland, mais le fait que tu n'avais pas conscience de ce que tu étais. Tu n'y étais pas encore prête... alors que tu l'es désormais.

– Oui, acquiesça Luce en se touchant le front, comme pour y chercher tout ce qui se trouvait encore dans sa mémoire. Versailles... J'étais condamnée à épouser un homme que je n'aimais pas. Et ton baiser m'a délivrée, Daniel. Ma mort était une chose merveilleuse, parce qu'elle nous permettait de toujours nous retrouver.

– Pour toujours et à tout jamais, quel que soit le temps, chantonna Arriane en essuyant une larme.

Luce avait la gorge si serrée qu'elle pouvait à peine parler.

– À Londres, j'ai enfin compris que ta malédiction était pire que la mienne, poursuivit-elle. J'ai vu à quel point tu souffrais de me perdre...

– Cela n'avait pas d'importance, murmura Annabelle, dont les ailes s'agitaient tant que ses pieds avaient quitté le sol. Il savait qu'il t'attendrait toujours.

– Chichén Itzá..., poursuivit Luce en fermant les yeux. Là-bas, j'ai appris que la gloire d'un ange pouvait être mortelle... pour les mortels.

– Oui, confirma Steven, mais tu n'es pas morte...

– Continue, Luce, l'encouragea Francesca, d'une voix plus confiante qu'elle ne l'avait jamais été à Shoreline.

– La Chine antique...

Luce se tut un instant. Ce qu'elle y avait appris avait une signification différente de ce qu'elle avait découvert dans ses autres vies.

– C'est là que tu m'as montré que notre amour était plus important que n'importe quelle guerre arbitraire.

Personne ne fit de commentaire. Daniel hocha faiblement la tête. Et c'est alors que Luce comprit non seulement qui elle était, mais à quoi cela menait. Au cours de son voyage à travers les Annonciateurs, elle avait vécu quelque chose dont elle devait parler. Elle prit une profonde inspiration et s'ordonna :

« Ne pense pas à Bill. Tu n'as pas peur. »

– En Égypte, enfermée dans une tombe, j'ai su une fois pour toutes que je choisirais toujours ton amour.

Les anges mirent un genou à terre et levèrent la tête, dans l'expectative... tous, à l'exception de Daniel. Ses yeux violets brillaient avec une intensité inouïe. Il tendit les mains mais ne put la toucher, car, au même instant, Luce poussa un cri et se tordit de douleur. C'était comme si elle avait reçu un coup de poignard dans le dos. Ses yeux se remplirent de larmes, ses oreilles sifflèrent et elle crut défaillir. Mais, lentement, la douleur se déplaça et gagna la pointe de ses omoplates.

Elle passa la main derrière ses épaules. Il y avait une blessure à vif, et il lui semblait qu'on lui retirait quelque chose dans le dos. Elle ne souffrait pas, mais cette sensation inconnue était terrifiante. Elle tourna la tête, affolée. Elle sentait et entendait seulement sa peau se déchirer, de nouveaux muscles se former...

Puis elle ressentit une soudaine lourdeur dans les épaules, comme si quelqu'un y avait attaché des poids. Alors, sur les côtés, une forme argentée apparut de part et d'autre de son corps. Un cri de surprise s'échappa des lèvres de ses compagnons.

– Lucinda! murmura Daniel en se couvrant la bouche d'une main.

Et simplement, sans aucune difficulté, elle écarta les ailes.

Elles étaient flamboyantes, majestueuses, légères et délicates, en un mot: divines. Elle les tâta du bout des doigts, et les trouva duveteuses et épaisses. Leur couleur argentée évoquait la surface d'un miroir. Elles étaient incroyablement belles et grandes.

C'étaient ses ailes.

Elles étaient puissantes, tendues de toute la force qu'elle avait emmagasinée au cours des millénaires. Elle leur donna une petite impulsion et elles se mirent à battre.

« Maintenant, je suis capable de tout faire », se dit-elle intérieurement.

Sans un mot, elle prit Daniel par la main. Les pointes de leurs ailes s'inclinèrent en avant pour échanger une sorte de baiser, comme les anges du *Qayom Malak*.

Ils éclatèrent de rire, émus aux larmes, puis ils s'embrassèrent passionnément.

Elle était plus heureuse qu'elle ne l'avait jamais été. C'était irréel et inespéré... Mais alors elle prononça la vérité à haute voix, devant Daniel et les autres anges déchus pris pour témoins :

– Je suis Lucinda. Je suis votre ange.

XVII

L'INVENTION DE L'AMOUR

Voler, c'était comme nager, et Luce était douée pour les deux.

Ses pieds quittèrent le sol. Cela ne lui demanda aucune réflexion. Ses ailes battirent intuitivement. Le vent fredonna contre les fibres de ses ailes et la transporta dans le rose ouaté du ciel. En l'air, elle sentait le poids de son corps, mais aussi une légèreté nouvelle, inimaginable, qui lui permettait de flotter au-dessus des nuages, comme une brise caressant un carillon.

Elle contemplait ses ailes avec ravissement, l'une après l'autre, admirant la couleur perle argentée de leurs plumes lustrées. C'était comme si le reste de son corps leur était soumis, désormais. Elles répondaient au moindre de ses ordres par des battements élégants qui l'emportaient à une vitesse folle.

Pourtant, ce n'était pas son premier vol. Ce qu'elle savait à présent, aussi parfaitement que ses ailes savaient voler, c'était qu'il avait existé un *avant*. Avant Lucinda Price, avant que son âme eût jamais aperçu la courbure de la Terre. Durant ses vies terrestres qu'elle avait visitées grâce aux Annonciateurs, dans toutes les enveloppes charnelles qu'elle avait habitées, elle avait à peine touché la surface de son être. Il existait une histoire plus ancienne, une vie durant laquelle elle avait déjà fait battre ces ailes.

Elle voyait les autres l'observer depuis le sol. Les larmes brillaient sur le visage de Daniel. Il savait tout cela depuis le début. Il l'avait attendue. Elle eut envie de le toucher, de le voir monter dans les airs à sa rencontre, de voler avec lui... Soudain, il disparut de son champ de vision, et la lumière céda à l'obscurité...

Un autre souvenir lui revint. Elle ferma les yeux, s'y soumit, et se laissa transporter en arrière. Elle sut que c'était son tout premier souvenir, le moment qui la ramenait aux frontières les plus lointaines de son âme. Lucinda avait été là depuis le commencement du commencement.

La Bible ne racontait pas cette partie. D'abord n'existait que le noir. Et d'une seconde à l'autre, les anges furent extraits du néant par une douce main, chaude et magnifique. Dieu créa la foule des anges célestes en un seul instant. Leurs épaules, leurs bras et leurs jambes prirent forme, jetant des éclats scintillants, préfigurant ceux des mortels lors de leur propre création. Tous les anges découvrirent leurs ailes simultanément, chaque paire ayant sa singularité et reflétant l'âme de son possesseur.

Lucinda, Daniel, Roland, Annabelle, Cam, et des millions d'autres faisaient partie des trois cent dix-huit millions d'anges parfaits, glorieux, créés pour adorer leur Créateur. Leurs corps étaient nés de la substance qui composait le firmament du Paradis, d'une matière divine, issue de la lumière elle-même, merveilleuse à voir. Depuis la genèse des anges, les ailes de Lucinda resplendissaient, comme la lumière des étoiles. Depuis l'aube des temps, elles jetaient l'éclat de leur gloire singulière.

La Création se fit à la vitesse de la Volonté divine, mais, dans la mémoire de Luce, elle se déroula comme une histoire, et se créa dans le temps.

Au commencement, il n'y avait rien, puis le Paradis se remplit d'hôtes ailés. Dans l'infini céleste, le sol était formé d'une matière blanche et douce qui rappelait les nuages de brume. Les pieds des anges et la pointe de leurs ailes s'y enfonçaient quand ils marchaient.

Le Paradis s'élevait sur d'innombrables niveaux. Tous fourmillaient de niches et de sentiers sinueux s'égaillant dans toutes les directions sous un ciel couleur de miel. L'air embaumait, parfumé par de délicates fleurs blanches et rondes, des ancêtres des pivoines blanches, qui formaient de magnifiques buissons s'épanouissant jusque dans les moindres recoins.

Un verger d'arbres argentés donnait les fruits les plus délicieux imaginables. Les anges s'en nourrissaient en remerciant Dieu de leur avoir offert leur première et seule maison. Ils unissaient leurs voix pour louer leur Créateur, avec un chant qui, plus tard, serait connu chez les humains sous le nom d'*harmonie*.

Une Prairie, qui n'existait pas jusqu'alors, prit place, divisant le verger en deux. Et quand le Paradis fut entièrement créé, Dieu plaça un Trône impressionnant en tête de cette Prairie.

– Venez, approchez! ordonna Dieu en s'installant dans ce profond fauteuil avec une satisfaction justifiée. Désormais, vous me connaîtrez sous le nom du Trône.

Les anges se rassemblèrent dans la plaine du Paradis et s'avancèrent vers lui en se réjouissant. Ils se rangèrent avec naturel l'un derrière l'autre en une seule file, déterminant leur rang instantanément, et pour toujours. Lucinda se souvint qu'arrivée à la lisière de la Prairie elle ne put voir distinctement le Trône, dont la clarté l'aveugla. Elle se remémora sa place, la troisième dans la file...

Un, deux, trois.

Ses ailes s'étendirent et se gonflèrent devant cet honneur.

Huit sièges en argent repoussé surplombaient le Trône, formant un dôme semblable à un dais. Dieu appela les huit premiers anges de la file pour occuper ces sièges et devenir ses Archanges. Lucinda prit place sur le troisième à partir de la gauche. Il s'adaptait parfaitement à son corps, car il avait été créé pour elle. C'était là qu'était sa place. Son âme déborda d'adoration pour Dieu. C'était la perfection.

Mais cela ne dura pas. Dieu avait d'autres projets pour l'univers. Un autre souvenir surgit, et Lucinda frissonna. Dieu avait décidé d'abandonner les anges.

Tout était joyeux dans la Prairie lorsque, tout à coup, le Trône fut vide. Dieu franchit le seuil du Paradis et commença à créer les étoiles, la Terre et la Lune. L'homme et la femme n'allaient pas tarder à exister.

Quand Dieu le quitta, le Paradis s'obscurcit. Lucinda se sentit affreusement inutile. Ce fut à partir de ce moment que les anges commencèrent à se regarder d'un autre œil, à remarquer les différences de couleur de leurs ailes. Quelques-uns répandirent le bruit que Dieu s'était lassé de leurs chants de louange harmonieux. Certains disaient que les humains prendraient bientôt la place des anges.

Lucinda se rappela qu'un jour, alors qu'elle était installée à sa place près du Trône, elle s'était fait la réflexion que ce siège d'argent semblait bien terne, sans la présence vivifiante de Dieu. Elle tenta d'adorer son Créateur de loin, mais sans réussir à repousser son sentiment de solitude. Elle qui avait été créée pour adorer Dieu ne ressentait plus qu'un grand vide. Que faire ?

Elle posa les yeux sur un ange qui errait en contrebas, sur le sol de brume, empli de mélancolie. Il leva la tête. Leurs regards se rencontrèrent, et il sourit. Elle se rappela combien il était beau, avant le départ de Dieu... Ils n'eurent pas à réfléchir. Leurs mains se serrèrent. Leurs âmes s'entremêlèrent.

« Daniel », pensa Luce. Mais elle n'en était pas sûre. La Prairie était sombre et sa mémoire embrumée...

Était-ce le moment de leur première rencontre ?

Elle se souvint d'une autre période où la Prairie était d'un blanc éclatant. Le temps avait passé. Dieu était revenu. Le Trône était éblouissant de gloire sublime. Lucinda n'était plus assise sur son siège d'argent à côté du Trône. Elle était perdue au milieu des légions d'anges, et on lui demandait de faire un choix.

L'Appel. Elle y était aussi, évidemment. Elle avait chaud et se sentait nerveuse. Elle brûlait à l'intérieur comme chaque fois qu'elle visitait une vie antérieure et était sur le point de mourir. Elle ne parvenait pas à calmer le tremblement de ses ailes.

Elle avait choisi... Son estomac se serra. L'air lui manqua. Elle était en train de tomber.

Luce cligna des yeux et vit le soleil raser les montagnes. Et elle sut alors qu'elle était de retour à Troie, au présent. Elle était en train de chuter dans le ciel. Elle battit des bras comme si elle était une simple mortelle, comme si elle ne savait pas voler. Puis elle écarta les ailes, mais trop tard.

Elle atterrit avec un bruit sourd dans les bras de Daniel. Ses amis l'entouraient, debout dans l'herbe. Le décor était tel qu'elle l'avait laissé : des cèdres à la cime aplatie autour d'une jachère boueuse ; une cabane abandonnée au milieu d'un terrain ; des collines violettes ; des papillons... Des visages d'anges déchus qui la scrutaient avec inquiétude.

– Ça va ? demanda Daniel.

Son cœur battait toujours la chamade. Pourquoi ne se souvenait-elle pas de ce qui s'était passé pendant l'Appel ?

Cela ne les aiderait peut-être pas à stopper Lucifer, mais elle voulait absolument le savoir.

– J'étais arrivée si près ! gémit-elle. J'ai presque compris ce qui s'est passé.

Daniel la déposa doucement sur le sol et l'embrassa.

– Tu réussiras, Luce. Je le sais.

C'était le crépuscule du huitième jour. Le soleil se glissait au-dessus des Dardanelles, jetant une lumière dorée sur les champs. Luce regretta de ne pouvoir le faire retourner en arrière.

Et si la dernière journée ne suffisait pas ?

Elle ne cessait de faire jouer ses épaules. Elle n'était pas habituée au poids de ses ailes, légères comme des pétales de rose dans le ciel, mais lourdes comme du plomb quand ses pieds reposaient sur le sol.

En jaillissant, ses ailes avaient mis en pièces son T-shirt et sa veste. Ses vêtements gisaient par terre, en lambeaux, comme d'étranges preuves de sa transformation. Annabelle était aussitôt arrivée avec un autre T-shirt bleu, orné d'une sérigraphie de Marlene Dietrich, et muni de discrètes fentes dans le dos.

– Au lieu de penser à tout ce dont tu ne te souviens pas, dit Francesca, fais le compte de ce que tu es parvenue à apprendre.

– Eh bien, répondit la jeune fille en arpentant le pré, ses ailes rebondissant derrière elle à chaque pas. Je sais que la malédiction m'a empêchée de connaître ma vraie nature, m'a fait mourir chaque fois que je commençais à me rapprocher d'un souvenir de mon passé. C'est pour cela qu'aucun de vous ne m'a jamais dit qui j'étais.

– Il fallait que tu traverses cette vallée solitaire par tes propres moyens, fit remarquer Cam.

– Et la raison pour laquelle tu le découvres durant cette vie fait aussi partie de la malédiction, ajouta Daniel.

– J'ai été élevée sans religion spécifique, sans règles pour déterminer mon destin, ce qui me permet de choisir par moi-même...

Elle se tut, repensant à l'Appel.

– Tout le monde n'a pas ce luxe, intervint Phil depuis son poste.

– C'est pour ça que les Bannis voulaient s'emparer de moi ? demanda-t-elle, comprenant qu'elle était dans le vrai au moment même où elle posait la question. Mais est-ce que je n'avais pas déjà choisi Daniel ? Je ne me rappelais pas avant, mais quand Dee m'a fait cadeau de la connaissance, c'était comme si le choix était déjà là, en moi.

Elle tendit la main vers Daniel.

– Tu sais qui tu es, désormais, répondit ce dernier. Tu sais ce que tu veux. Tout peut être à ta portée.

Ses mots s'insinuèrent en elle. Oui, c'était ainsi qu'elle était, à présent.

Son regard se posa sur les Bannis qui se tenaient à distance du groupe. Luce ne savait pas dans quelle mesure ils avaient vu sa transformation... si leurs yeux aveugles étaient capables de percevoir la métamorphose d'une âme. Elle guetta un signe d'Olianna. Mais, en observant cette dernière, elle s'aperçut qu'elle aussi avait changé. Mais oui ! Elle l'avait connue au Paradis.

– Je me souviens de toi, dit-elle en s'approchant de la mince jeune fille blonde aux yeux blancs enchâssés. Tu étais l'un des douze anges du Zodiaque. Tu gouvernais le Lion.

Olianna prit une profonde inspiration et acquiesça :

– Oui.

– Et toi, Phresia, tu étais un Luminaire, ajouta Luce en fermant les yeux. Tu étais l'un des quatre qui émanaient de la Volonté divine, n'est-ce pas ?

Phresia redressa ses épaules affaissées et releva son pâle visage.

– Personne ne m'a vraiment vue depuis des siècles.

Vincent, celui qui semblait le plus jeune des Bannis, s'avança.

– Et moi, Lucinda Price, tu te souviens de moi ?

Luce toucha l'épaule du garçon et se rappela son état pitoyable après qu'il eut été torturé par l'Échelle. Puis un souvenir plus lointain lui revint.

– Tu es Vincent, l'ange du Vent du nord.

Les yeux aveugles du Banni se voilèrent. C'était comme si son âme voulait pleurer, mais que son corps s'y refusait.

Enfin, Luce s'adressa à ce Banni qui l'avait tant effrayée quand il était venu l'enlever chez ses parents. Il semblait nerveux et serrait ses lèvres blanches.

– Phil, tu étais l'un des anges du Lundi, n'est-ce pas ? Tu avais reçu les pouvoirs de la Lune.

– Merci, Lucinda Price, répondit Phil en s'inclinant d'un geste gracieux, quoique retenu. Les Bannis avouent qu'ils se trompaient quand ils ont essayé de t'arracher à ton âme sœur et à tes obligations. Mais nous savions, ainsi que tu viens de le prouver, que toi seule pourrais nous voir tels que nous étions auparavant. Et que toi seule pourrais nous restituer notre gloire.

– Oui, dit-elle, je vous vois.

– Les Bannis aussi, avoua Phil. Tu rayonnes.

– C'est vrai! confirma Daniel.

Luce se tourna vers lui. Ses cheveux blonds et ses yeux violets, les contours de ses épaules, les lèvres pleines qui l'avaient ramenée à la vie un millier de fois... Ils s'aimaient depuis plus longtemps qu'elle ne l'avait imaginé. Leur amour durait, indéfectible, depuis les premiers temps du Paradis. Leur relation couvrait toute l'histoire du monde. Elle avait rencontré Daniel pour la première fois ici, dans les champs calcinés de Troie, pendant la chute des anges – mais il y avait une histoire qui précédait cela. Un autre début de leur amour.

Quand? Comment cela s'était-il passé? Elle chercha la réponse dans ses yeux, mais elle ne la trouverait pas là. Il fallait qu'elle ausculte son âme. Elle ferma les yeux.

Les souvenirs venaient plus facilement depuis qu'elle avait des ailes. C'est comme si le mur qui s'élevait entre la jeune fille, Lucinda, et l'ange qu'elle avait été avant s'était fissuré. Ce qui la séparait de son passé était devenu fragile et cassant comme une coquille d'œuf.

Elle eut de nouveau un flash. Dans la Prairie, assise sur son siège d'argent, elle se languissait du retour de Dieu. Elle baissait les yeux sur l'ange aux cheveux clairs, celui dont elle avait aperçu la démarche lente et triste, sur le sol de brume. Le Paradis était calme. Luce et l'ange restèrent seuls pendant un moment rare, loin des autres.

Il avait un visage carré, des cheveux châtains, et des yeux bleus couleur de glace qui se plissèrent quand il lui sourit. Luce ne le reconnaissait pas.

Non, ce n'était pas lui... Longtemps avant, Lucinda avait aimé cet ange.

Mais ce n'était pas Daniel.

Sans savoir pourquoi, elle eut envie de chasser ce souvenir, de faire semblant de ne pas l'avoir vu, de cligner des yeux et de retourner dans les plaines rocheuses de Troie auprès de son amour. Mais son âme restait focalisée sur cette scène. Elle ne pouvait pas tourner le dos à cet ange qui n'était pas Daniel.

Il lui tendit la main. Leurs ailes s'entremêlèrent. Il lui chuchota à l'oreille :

– Notre amour est infini. Il ne peut rien y avoir d'autre. Non !

Ses yeux l'avaient sans doute trahie !

Elle repoussa ce souvenir pour revenir à Troie, le souffle court. Affolée, paniquée.

– Qu'est-ce que tu as vu ? s'enquit Annabelle en chuchotant.

Luce ouvrit la bouche, mais il n'en sortit pas un mot.

« Je ne sais pas qui c'était, mais je l'ai trompé. Il y a eu quelqu'un avant Daniel, et... »

– Je ne suis pas encore débarrassée de la malédiction, parvint-elle enfin à prononcer. Même si je sais qui je suis,

même si j'ai choisi Daniel, il y a autre chose, n'est-ce pas?
Quelqu'un d'autre. C'est lui qui m'a maudite.

Daniel passa ses doigts sur le bord de ses ailes. Elle frissonna, car chaque fois qu'il les touchait, ce contact l'embrasait autant que le plus passionné des baisers.

– Tu es arrivée très loin, Lucinda, dit-il. Mais il te reste encore du chemin à parcourir. Fouille dans ton passé. Tu sais déjà ce que tu cherches. Trouve-le.

Elle ferma les yeux et parcourut les millénaires dans sa mémoire.

La Terre s'effaça sous ses pieds, tout se brouilla et devint blanc. Son cœur se mit à cogner dans sa poitrine.

Le Paradis, encore.

Il resplendissait à nouveau depuis le retour de Dieu sur le Trône. Le ciel était couleur d'opale. Le sol de brume était particulièrement épais ce jour-là, et les nuages cotonneux arrivaient presque sous la taille des anges. Les grands arbres blancs qui se dressaient sur la droite poussaient dans le Bois de la Vie, et leurs fleurs argentées largement épanouies porteraient bientôt les fruits du Verger de la Connaissance. Ils avaient beaucoup poussé depuis le dernier souvenir de Luce.

La jeune fille était de retour dans la Prairie, au centre d'un grand rassemblement. Les anges étaient réunis devant le Trône, qui avait retrouvé une clarté si intense que Lucinda devait plisser les yeux pour la supporter.

Le siège d'argent de Lucifer avait été repoussé à l'autre bout, rabaissé par Dieu à un niveau humiliant. Entre Lucifer et le Trône, les anges formaient une grande foule unie, mais bientôt, ainsi que le comprit Lucinda, ils seraient séparés.

Cette fois, Luce chercherait à retrouver dans sa mémoire la manière dont l'Appel s'était déroulé.

Chacun au Paradis allait devoir choisir son côté : celui de Dieu ou celui de Lucifer. Celui du bien ou celui du... Non, le mal n'existait pas encore.

Chaque ange était magnifique, unique au milieu de la foule, et pourtant, impossible à distinguer de son voisin. Il y avait Daniel, au centre. C'était lui qui irradiait la lumière la plus pure. Dans son souvenir, Lucinda changeait de place et s'avançait vers lui.

Mais où était-elle avant ?

La voix de Daniel lui rappela : « Cherche dans ton passé. »

Elle n'avait pas encore regardé Lucifer. Elle répugnait à le faire.

« Regarde là où tu ne veux pas regarder. »

Elle se tourna alors vers l'autre côté de la Prairie. Une lumière splendide, ostentatoire, nimbait Lucifer, comme s'il voulait rivaliser avec tout ce qui l'entourait : le Verger, la musique céleste, le Trône lui-même. Lucinda dut faire un effort pour arriver à le distinguer clairement.

Il était... très beau. Ses cheveux châtains retombaient en boucles brillantes sur ses épaules. Il avait un corps magnifique, sublimement musclé, et des yeux d'un bleu fascinant.

Elle le dévisageait, incapable de détacher son regard. C'est alors que, mêlé à la mélodie de la louange céleste, elle entendit son chant. Elle ne reconnut pas l'air, en revanche, elle connaissait les paroles. Et de même qu'on n'oublie pas les comptines de son enfance, elle ne les oublierait jamais :

Des couples dont le Trône approuve le lien,
Aucun ne resplendit de gloire
Autant que Lucifer, l'Étoile du Matin,
Et Lucinda, sa Lumière du Soir.

Les paroles résonnaient dans sa tête. Un à un, les mots donnèrent forme au souvenir.

Lucinda, sa Lumière du Soir ?

Atterrée, nauséeuse, Luce dut se rendre à l'évidence. C'était Lucifer qui avait écrit cette chanson. Elle faisait partie de son dessein.

Avait-elle été amoureuse de *Lucifer ?*

Au moment même où elle se posait la question, elle sut que c'était la plus ancienne, la plus implacable des vérités. Elle s'était trompée du tout au tout. Son premier amour avait été Lucifer, et elle avait été le sien. Même leurs noms se répondaient en écho. Un jour, leurs âmes avaient été sœurs.

Elle se sentit laide, étrangère à elle-même, comme si elle venait de s'apercevoir qu'elle avait tué quelqu'un pendant son sommeil.

Au cours de l'Appel, les regards de Lucinda et de Lucifer se croisèrent à travers la Prairie. Elle écarquilla les yeux, incrédule, tandis que ceux de Lucifer se paraient d'un sourire indéfinissable.

Puis un autre souvenir se forma. Luce s'enfonçait toujours plus loin dans les ténèbres, se dirigeant vers l'endroit où elle avait le moins envie d'aller. Lucifer la serrait contre lui. Ses ailes caressaient les siennes, en lui causant devant tout le monde un plaisir indicible, alors qu'elle était sur son siège d'argent près du Trône vide.

Notre amour est infini. Il ne peut rien exister d'autre que notre amour.

Par leurs baisers, Lucinda et Lucifer devinrent les premiers êtres à éprouver de l'amour pour un autre que Dieu. Ces baisers étaient étranges, merveilleux, et Lucinda ne s'en rassasiait pas. Mais elle avait peur de ce que penseraient les anges. Elle craignait aussi qu'ils ne marquent ses lèvres. Et, surtout, elle avait très peur que Dieu ne l'apprenne quand il reprendrait possession du Trône.

– Dis-moi que tu m'adores, la supplia Lucifer.

– On n'adore que Dieu, répondit Lucinda.

– Pas forcément, murmura-t-il. Imagine à quel point nous serions forts si nous pouvions déclarer ouvertement notre amour devant le Trône. Si tu m'adorais, et si je t'adorais, unis dans l'amour, nous serions plus grands que le Trône qui n'est qu'un.

– Quelle est la différence entre l'amour et l'adoration ? demanda Lucinda.

– L'amour, c'est prendre l'adoration que tu ressens pour Dieu et la donner à quelqu'un qui est vraiment *là*.

– Mais je n'ai pas envie d'être plus grande que Dieu.

Le visage de Lucifer s'assombrit à ces mots. Il tourna les talons, et la rage prit racine dans son âme. Lucinda remarqua en lui un inexplicable changement, mais cela lui était si étranger qu'elle ne l'identifia pas, et elle commença à le craindre. Lui semblait ne redouter qu'une seule chose : qu'elle le quitte. Il lui apprit la chanson qu'il avait composée sur la grandeur de leur union, et elle devait sans arrêt la chanter, si bien qu'elle se considéra comme la Lumière du Soir de Lucifer. Pour lui, l'amour, c'était cela.

Luce se tordit de douleur en se remémorant ces moments. À chaque rencontre, à chaque caresse, Lucifer devenait plus possessif, plus jaloux du Trône qu'elle adorait. Il lui répétait que, si elle l'aimait sincèrement, l'amour qu'elle éprouvait pour lui devrait lui suffire.

Mais un jour, durant cette période sombre, alors qu'elle pleurait dans la Prairie, à l'abri de la brume, elle sentit l'ombre d'un ange planer au-dessus d'elle.

– Laisse-moi tranquille ! s'écria-t-elle.

Mais l'ange ne l'écouta pas. Il recouvrit son aile de la sienne et la berça. Il semblait savoir mieux qu'elle ce dont elle avait besoin. Lentement, Lucinda leva la tête. Celui qui la consolait ainsi avait les yeux violets. Elle le connaissait. C'était le sixième archange, chargé de veiller sur les âmes perdues.

– Daniel, demanda-t-elle, pourquoi es-tu venu ?

– Parce que je t'observe, répondit-il.

Il la dévisagea. Luce savait qu'avant cela personne n'avait jamais vu pleurer un ange. Elle avait été la première à verser des larmes.

– Que t'arrive-t-il ? s'enquit-il.

Pendant un long moment, elle chercha ses mots, puis réussit à articuler :

– J'ai l'impression que je perds ma lumière.

Elle lui raconta son histoire. Les mots se bousculaient sur ses lèvres, et Daniel les laissa venir. Personne n'avait écouté Lucinda depuis très longtemps. Quand elle se tut, elle vit que les yeux de l'archange étaient troubles.

– Ce que tu appelles l'amour ne paraît pas beau, dit-il lentement. Pense à la façon dont nous adorons le Trône. Cette adoration fait ressortir le meilleur de nous-mêmes. Nous nous sentons encouragés à rester tels que nous sommes, et non pas à nous transformer au nom de l'amour. Si nous nous étions promis l'un à l'autre, je voudrais que tu sois exactement comme tu es. Jamais je ne t'imposerais mes désirs.

Lucinda prit la main chaude et forte de l'ange bienveillant. Peut-être Lucifer avait-il découvert l'amour, mais Daniel, lui, savait comment en faire une chose merveilleuse.

Soudain, Lucinda embrassa Daniel, et, pour la première fois, ressentit le besoin de donner son âme entièrement à quelqu'un d'autre. Ils se serrèrent l'un contre l'autre, et la lumière de leurs âmes resplendit plus fort et rayonna magnifiquement parce qu'elles formaient un tout.

Hélas ! Lucifer revint la trouver. La rage qui l'habitait était si forte qu'il se dressa pour la dominer, alors qu'avant ils se regardaient d'égal à égal.

– Je ne supporte plus ce joug, déclara-t-il. Viendras-tu devant le Trône avec moi pour déclarer ton allégeance à notre amour, et rien qu'à lui ?

– Lucifer, attends... !

Lucinda avait envie de lui parler de Daniel, même si elle savait qu'il ne l'écouterait pas. Mais Lucifer poursuivit, imperturbable.

– Je mens en jouant les anges adorateurs, alors que je t'ai et qu'il ne me faut rien de plus. Forgeons des projets, Lucinda. Ensemble, préparons notre gloire.

– Comment cela peut-il être de l'amour ? s'écria-t-elle. Ce que tu adores, ce sont tes rêves, ton ambition. Tu m'as appris l'amour, mais je ne peux pas aimer une âme si noire qu'elle dévore la lumière des autres.

Il ne la crut pas, ou fit semblant de ne pas l'entendre. Pour toute réponse, il mit le Trône au défi de rassembler tous les anges dans la Prairie et de faire l'Appel. Il alla trouver Dieu, mais lorsqu'il commença à parler, son attention fut distraite et Luce réussit à lui échapper. Elle pénétra dans la Prairie et se fraya un passage parmi les anges aux âmes brillantes. Alors, elle vit celui qu'elle cherchait depuis le début.

Lucifer s'adressa aux anges.

– Une ligne a été tracée dans le sol de brume de la Prairie, aboya-t-il. Aujourd'hui, vous êtes tous libres de choisir. Je vous offre l'égalité, une existence sans hiérarchie arbitraire.

Or Luce savait parfaitement que la seule liberté qu'il lui offrait, c'était celle de le suivre. Lucifer pensait peutêtre l'aimer, mais en réalité, ce qu'il aimait, c'était son pouvoir sur elle ; c'était exercer sur elle une fascination sombre, destructrice, comme si elle n'était qu'une facette de lui-même.

Pendant tout ce temps, elle était restée blottie contre Daniel, baignant dans la chaleur d'un amour naissant, un amour pur qui la comblait, lorsque le nom de celui-ci résonna à travers la Prairie. Il avait été appelé.

S'élevant au-dessus de l'intense lumière angélique, Daniel prononça calmement :

– Avec tout le respect que je vous dois, je ne me mettrai ni du côté de Lucifer ni du côté du Paradis.

Un grondement monta parmi les anges qui se tenaient près du Trône, mais aussi du camp de Lucifer. Lucinda en resta stupéfaite.

– À la place, je choisis l'amour, poursuivit Daniel. Je choisis l'amour et je vous laisse à votre guerre.

S'adressant à Lucifer, il ajouta :

– Tu agis mal en faisant tomber sur nous ce malheur.

Puis, au Trône :

– Tout ce qui est bon au Paradis et sur la Terre est fait d'amour. Peut-être n'était-ce pas votre dessein, quand vous avez créé l'univers... Peut-être l'amour n'était-il qu'un aspect d'un monde compliqué. Mais c'est la plus belle de vos œuvres, et c'est devenu la seule chose au monde qui mérite d'être sauvée. Cette guerre n'est pas juste. Elle n'est pas bonne. L'amour est la seule cause qui vaille que l'on se batte pour elle.

Le silence s'abattit sur la Prairie après ces paroles. La plupart des anges en restèrent médusés, comme s'ils ne comprenaient pas ce que Daniel voulait dire.

Le tour de Lucinda n'était pas arrivé. Les anges étaient appelés selon leur rang par les secrétaires célestes, et elle faisait partie de la poignée de ceux dont le rang était plus élevé que celui de Daniel. Mais peu lui importait. Ils étaient liés l'un à l'autre. Alors, elle se plaça à côté de lui dans la Prairie.

– On n'aurait jamais dû nous imposer de choisir entre l'amour et vous, déclara-t-elle au Trône. Peut-être trouverez-vous un jour un moyen de réconcilier l'adoration et le grand amour que vous nous avez permis d'éprouver. Mais si je suis obligée de choisir, je choisis Daniel et je le choisirai toujours.

Il lui fallait encore faire une dernière chose, la plus difficile de son existence. Luce se remémora la scène.

Elle se tourna vers Lucifer, envers lequel elle se devait d'être sincère, car autrement rien n'aurait de valeur.

– Tu m'as montré le pouvoir de l'amour, et de cela, je te serai toujours reconnaissante. Mais pour toi, l'amour vient loin derrière la fierté et la rage. Tu as déclenché un combat dont tu ne pourras jamais sortir vainqueur.

– C'est pour toi que je fais tout cela ! hurla Lucifer.

Au bras de Daniel, Lucinda avait fait le seul choix possible. Elle avait peur, mais ce sentiment s'effaçait devant la puissance de son amour.

Pourtant, jamais elle n'aurait imaginé qu'ils pourraient être frappés de pareille malédiction. La punition était venue des deux côtés, ce qui la rendait d'autant plus implacable. Le Trône et Lucifer – par jalousie, méchanceté, ou à cause d'une vision froide et sans compassion de la justice – avaient scellé le destin de Daniel et Lucinda pour plusieurs milliers d'années.

Il se passa ensuite une chose étrange : *un autre Daniel* surgit à côté d'eux. C'était un Anachronisme – le Daniel qu'elle avait rencontré à Shoreline, l'ange que Lucinda Price connaissait et aimait.

– Je viens ici implorer votre clémence, prononça le jumeau de Daniel. Si nous devons être châtiés – et je n'aurai pas le front de remettre en cause votre décision –, accordez-moi la grâce de vous rappeler que l'une des grandes œuvres de votre puissance est votre miséricorde, qui est mystérieuse, immense, et nous rend tous humbles.

À l'époque, Lucinda n'avait pas compris, mais tout s'expliquait : Daniel avait offert à Luce une porte de sortie, afin qu'un jour lointain elle puisse rompre la malédiction et rendre la liberté à leur amour.

La dernière chose dont elle se souvint fut de s'être cramponnée à Daniel quand la brume, sous leurs pieds, se mit à bouillonner et noircir. Le sol s'ouvrit et les anges entamèrent leur chute. Daniel lui échappa. Elle le perdit. Et avec lui, tous ses souvenirs. Elle se perdit elle-même.

Quand Luce rouvrit les yeux, il faisait nuit, et si froid qu'elle tremblait. Ses compagnons étaient regroupés autour d'elle, dans un silence tel qu'elle entendait leur respiration. Elle détourna le regard, puis murmura :

– Pendant tout ce temps, je pensais que c'était toi qui étais puni, Daniel, mais ce châtiment était le mien... Est-ce aussi à cause de moi que Lucifer s'est révolté ?

– Non, Luce, répondit Cam avec un sourire triste. Tu as peut-être été la raison pour laquelle il l'a faite. Mais il cherchait de toute façon une entrée vers le mal.

– Pourtant, je l'ai trahi.

— Non, la rassura Daniel. C'est lui qui t'a trahie. Il nous a tous trahis.

— Sans sa rébellion, serions-nous tombés amoureux ?

Daniel sourit.

— J'en suis certain. Nous avons enfin une chance de réparer tout cela. Si nous arrêtons Lucifer, la malédiction sera rompue et nous pourrons nous aimer comme nous l'avons toujours voulu. Alors toutes ces années de souffrance seront récompensées.

— Regardez ! s'exclama Steven en désignant le ciel.

Une multitude d'étoiles s'étaient allumées dans le firmament. L'une d'elles, très éloignée, brillait d'un éclat particulièrement vif, jetant une lumière tremblotante. Elle parut s'éteindre, puis réapparut, encore plus resplendissante.

— On dirait qu'ils arrivent, chuchota Luce. C'est la Chute ?

— Oui, confirma Francesca. Cela se passe exactement comme l'ont prédit les textes anciens.

— Le problème, souffla Luce en plissant les yeux, c'est que je ne la vois que quand je...

— Concentre-toi, lui enjoignit Cam.

— Pourquoi clignote-t-elle ainsi ?

— Parce que leur existence est en train de prendre forme dans ce monde, expliqua Daniel. Ce n'est pas le voyage physique du Paradis à la Terre qui a pris neuf jours. C'est le déplacement d'un royaume céleste à un royaume terrestre. Quand nous avons atterri ici, nos corps étaient... différents. Notre transformation a pris du temps.

— Le temps presse, intervint Roland, en consultant la montre à gousset que Dee avait dû lui donner avant sa mort.

– C'est le moment pour nous de partir, dit Daniel à Luce.

– Là-haut?

– Oui, nous allons voler à leur rencontre. Nous irons jusqu'aux limites de la Chute, et ensuite, tu...

– Je devrai l'arrêter?

– Oui.

Elle ferma les yeux, repensa à la manière dont Lucifer l'avait regardée dans la Prairie, comme s'il avait voulu anéantir toute tendresse, jusqu'à la dernière miette.

– Je pense savoir comment m'y prendre.

– Je vous l'avais bien dit! se réjouit Arriane.

Daniel attira Luce à lui.

– Tu en es sûre?

Elle l'embrassa. Jamais elle n'avait été plus sûre d'elle.

– Je viens de retrouver mes ailes, Daniel, affirma-t-elle. Je ne vais pas laisser Lucifer me les enlever.

Luce et Daniel firent leurs adieux à leurs amis, se prirent par la main et s'envolèrent dans la nuit, à la rencontre de l'infini. Ils traversèrent la couche extérieure de l'atmosphère puis atteignirent la limite de l'espace. La lune devint énorme et brilla comme un soleil de midi. Ils franchirent des galaxies nuageuses, et d'autres lunes aux faces creusées de cratères, et d'étranges planètes enturbannées de gaz rouge et d'anneaux de lumière.

Luce ne ressentait aucune fatigue. Comme Daniel, elle était désormais capable de voyager pendant des jours entiers sans se reposer; elle n'avait pas faim, ni soif, ni froid.

Enfin, au fin fond de l'univers, ils atteignirent le périmètre qu'ils cherchaient, au bord du néant. Ils virent la toile noire de l'Annonciateur de Lucifer qui oscillait entre les dimensions. À l'intérieur, il y avait la Chute.

Daniel caressa les ailes de Luce pour lui transmettre de la force.

— Il faudra d'abord que tu traverses l'Annonciateur. Fais bien attention de ne pas te laisser prendre dedans. Avance jusqu'à ce que tu trouves Lucifer dans la Chute.

— Je suis obligée d'y aller seule, n'est-ce pas?

— Si je pouvais, je te suivrais absolument n'importe où. Mais tu es la seule à pouvoir accomplir cette mission...

Daniel lui prit la main et baisa ses doigts, ses paumes. Il tremblait.

— Je serai là, affirma-t-il.

Leurs lèvres se rencontrèrent une dernière fois.

— Je t'aime, Luce. Je t'aimerai toujours, que Lucifer réussisse ou non...

— Non, ne dis pas ça. Il ne réussira pas, c'est impossible.

— Mais s'il réussissait, poursuivit Daniel, je veux que tu saches que s'il fallait tout recommencer, c'est toi que je choisirais chaque fois.

Un grand calme envahit Luce. Elle ne manquerait ni à ses engagements envers lui, ni envers elle-même.

— Je ne serai pas longue, promit-elle.

Elle lui donna une pression de la main, se détourna et plongea dans les ténèbres, au cœur de l'Annonciateur de Lucifer.

XVIII

DES ANGES QUI TOMBENT

C'était le noir total.

Luce n'avait jamais voyagé qu'à travers ses propres Annonciateurs, froids, humides, voire assez paisibles. Mais lorsqu'elle entra dans celui de Lucifer, elle fut assaillie par la puanteur, la chaleur, la fumée et une cacophonie de supplications et de sanglots déchirants.

Elle sentit ses ailes se hérisser quand elle comprit que les Annonciateurs du Malin étaient des avant-postes de l'Enfer.

« Ce n'est qu'un passage, se dit-elle pour se rassurer. Comme pour tous les Annonciateurs, c'est un portique vers un autre lieu et une autre époque. »

Elle continua d'avancer. La fumée lui soulevait le cœur. Le sol était jonché de tessons de verre.

« Fais bien attention à ne pas te laisser prendre, avait dit Daniel. Avance jusqu'à ce que tu trouves Lucifer. »

Elle prit une profonde inspiration, se redressa en se rappelant qu'elle était un ange. Elle écarta les ailes et l'Annonciateur fut baigné de lumière. Le spectacle qui s'offrait à elle était horrible. Au milieu de la pourriture et des bouts de verre gisaient des formes semi-humaines, mortes, ou moribondes, baignant dans des flaques gluantes, dans une désolation sans nom...

Luce examina l'intérieur de ses mains. Ses paumes étaient piquetées d'éclats de verre. En un instant, ses blessures disparurent. Elle serra les dents et, s'élevant du sol, elle franchit la paroi intérieure de l'Annonciateur pour pénétrer dans le cœur même de la Chute.

Plongée dans un silence irréel, immense comme un univers, la scène l'impressionna. Les anges émettaient une lumière tellement éblouissante que Luce en était aveuglée. Ses sœurs et ses frères du Paradis étaient là, tout autour d'elle. Ils étaient plus de cent millions, accrochés au ciel comme des tableaux... suspendus, figés dans l'espace et le temps, chacun enveloppé d'un halo lumineux différent.

C'était ainsi qu'elle était tombée, elle aussi. Elle s'en souvenait, et ce souvenir était atrocement douloureux. Ces neuf jours avaient contenu neuf cents éternités.

Sans émettre un son, les anges se transformaient de façon ininterrompue, devenaient transparents, prenaient une forme rudimentaire. Çà et là, une lumière s'allumait sous des ailes. Un bras commençait à se façonner, puis redevenait indistinct. C'était sans doute ce que Daniel avait évoqué quand il avait parlé du changement qui se produisait à l'intérieur de la Chute. Les âmes se métamorphosaient. Elles quittaient l'aspect qu'elles avaient eu au royaume céleste pour prendre celui qu'elles auraient dans le royaume terrestre. Les anges se défaisaient de leur pureté angélique pour endosser leur incarnation terrestre.

Luce s'avança vers l'un d'eux, qu'elle reconnut : c'était Tzadkiel, l'ange de la Justice divine, son frère et son ami. Elle n'avait plus vu son âme depuis des millénaires. Il ne la voyait pas et n'aurait pas pu répondre s'il l'avait aperçue.

Sa lumière oscillait, faisant scintiller son essence comme un joyau au milieu d'une eau boueuse. Bientôt, elle se solidifia sous la forme d'un visage brouillé que Luce ne reconnaissait pas. Tzadkiel avait l'air grotesque, avec ses yeux grossièrement ébauchés, ses lèvres à demi dessinées. Mais dès qu'il poserait le pied sur le sol impitoyable de la Terre, ce visage, achevé, deviendrait le sien.

Elle se sentait déboussolée parmi ces âmes suspendues. Pourtant, elle les reconnut toutes : Saraquel, Alat, Muriel, Chayo. Et quand ses ailes étaient suffisamment proches, elle entendrait leurs pensées.

« Qui va prendre soin de nous ? Qui allons-nous adorer ? »

« Je ne sens pas mes ailes. »

« Mes vergers me manquent. Y aura-t-il des vergers en Enfer ? »

« Je regrette. Oh ! comme je regrette. »

Ces murmures désespérés lui fendirent le cœur. Luce avança au hasard, anéantie par ce spectacle, jusqu'à ce qu'une lumière éclatante, familière, attire son attention.

Gabbe !

Elle était magnifique, l'air paisible, même en pleine transition. Ses ailes blanches se déployaient comme des pétales de rose autour de ses traits qui se formaient.

Luce se rapprocha contre la sphère de lumière argentée qui entourait Gabbe. Elle se surprit à penser que la chute de Lucifer pourrait peut-être faire revenir son amie à la vie...

Puis la lumière autour de Gabbe baissa, et Luce l'entendit penser :

« Avance, Lucinda. Je t'en prie, avance. Rêve ce que tu sais déjà. »

Luce songea alors à Daniel qui l'attendait de l'autre côté. Elle repensa aussi à Lu Xin, la fille qu'elle avait été au temps de la dynastie Shang en Chine. Elle avait tué un roi, vêtue de la tenue de son général, et s'était préparée pour une guerre qui n'était pas la sienne... Uniquement par amour pour Daniel. Luce avait reconnu son âme en Lu Xin aussitôt qu'elle l'avait vue. Il n'y avait donc aucune raison pour qu'elle ne parvienne pas à la retrouver en ce lieu, même perdue au milieu de toutes celles qui resplendissaient alentour. Oui, elle se reconnaîtrait à l'intérieur de la Chute. Et soudain, elle sut également avec certitude que c'était aussi là qu'elle retrouverait Lucifer.

Elle ferma les yeux, battit légèrement des ailes, implorant son âme de la guider vers elle-même. Elle se lança tête baissée dans sa quête, se laissant porter par les vagues mouvantes et lumineuses de millions d'anges.

Pendant neuf jours, elle et ses amis avaient fait la course contre le temps dans l'unique but de trouver la Chute. Maintenant qu'ils l'avaient atteinte, combien de temps lui faudrait-il pour localiser l'âme qu'elle cherchait parmi ces millions d'anges ? Combien de temps restait-il ?...

Soudain, dans une galaxie d'anges figés, Luce s'arrêta.

Quelqu'un chantait.

C'était un chant d'amour si beau qu'elle en frissonna.

Elle se plaça derrière la sphère blanche et fixe d'un ange appelé Ézéchiel, et tendit l'oreille :

« Ma mer a trouvé un rivage... Mon ardeur a trouvé une flamme... »

Un souvenir enfoui depuis des millénaires dans sa mémoire refit lentement surface. Luce chercha des yeux le chanteur, contourna Ézéchiel, l'Ange des Nuages. Là, plus loin, elle le vit. Un jeune homme berçait une jeune fille dans ses bras, en fredonnant sa mélodie d'une voix douce et rassurante. Le balancement de ses bras était l'unique mouvement perceptible dans cette Chute entièrement figée. Mais ce n'était pas une simple jeune fille. C'était une sphère de lumière à demi formée entourant un ange en pleine métamorphose. C'était l'âme de Lucinda, celle d'avant.

Le chanteur leva la tête, comme s'il sentait une présence. Il avait le visage carré, des cheveux châtains bouclés, et des yeux clairs, rayonnants d'amour. Ce n'était pas un jeune homme, mais un ange d'une beauté si époustouflante qu'une étrange nostalgie étreignit Luce.

C'était Lucifer, tel qu'il était au Paradis. Mais à la différence des millions d'anges aux alentours, il était mobile, et complètement formé. Ce détail confirma à Luce qu'il s'agissait bien du démon du présent, celui qui avait jeté son Annonciateur autour de la Chute pour établir sa seconde liaison avec la Terre. L'âme de Lucifer qui tombait avec celle des anges chassés du Paradis par le Trône pouvait se trouver n'importe où à l'intérieur, aussi figée que les autres.

Luce ne s'était pas trompée. Après avoir mis la Chute en mouvement, Lucifer avait dû s'y introduire avec son propre Annonciateur.

À quoi avait-il passé les neuf jours écoulés ? À chanter des berceuses pendant que se jouait la survie du monde et que des armées d'anges cherchaient coûte que coûte à l'arrêter ?

Sans doute que oui. Il n'avait rien fait d'autre, parce qu'il l'aimait et qu'il voulait la reconquérir. Elle l'avait trompé, et ce cataclysme était la conséquence de sa trahison.

Soudain, Lucifer cria :

– Qui est là ?

Luce s'avança à sa rencontre. Elle n'allait pas se cacher après avoir franchi tous ces obstacles. À son ton contrarié, elle comprit qu'il l'avait reconnue.

– Oh, c'est toi !

Il souleva légèrement l'incarnation de Luce et la tendit dans sa direction :

– Tu connais celle que j'aime ? Je pense que tu la trouveras (Lucifer chercha le mot)... rafraîchissante.

Luce se rapprocha, attirée à la fois par l'ange fascinant qui lui avait brisé le cœur et la bizarre version, à demi formée, d'elle-même. C'était cet ange qui allait devenir la jeune fille qu'elle avait été sur la Terre. Elle vit son propre visage se dessiner à l'intérieur de la bulle de lumière que Lucifer tenait dans ses bras. Puis son incarnation disparut.

Elle réfléchit, tentée de fusionner avec cette créature. Ainsi, elle reprendrait possession de son ancien corps, comme elle l'avait déjà fait si souvent. Elle sentirait monter la nausée au moment où elle rejoindrait son passé, clignerait des yeux et se retrouverait dans les bras de Lucifer, dans l'esprit de cette Lucinda en pleine chute.

Mais ce n'était plus la peine. Quand Bill lui avait appris à fusionner, elle ne savait pas encore qui elle était vraiment ; elle n'avait pas encore eu accès à ses souvenirs. Maintenant, elle connaissait toute l'histoire.

Elle joignit les mains et pensa à Daniel, de l'autre côté de l'Annonciateur.

– Lucifer, déclara-t-elle, l'amour que tu éprouves n'est pas réciproque.

Avec un grand sourire de défi, il lui répondit :

– Sais-tu à quel point ce moment est exceptionnel ? Tes deux êtres sont là, ensemble ! Celui qui ne peut pas me quitter...

Il caressa le corps en métamorphose qu'il tenait dans ses bras, puis ajouta en relevant la tête :

– ... et l'autre qui ne sait pas comment m'éviter, compléta-t-il.

– Elle et moi n'avons qu'une seule âme, répliqua Luce. Et nous ne t'aimons plus, ni l'une ni l'autre.

– Et on clame que c'est mon cœur qui s'est durci ! riposta Lucifer, toute douceur envolée.

Puis il gronda d'une voix si profonde, si caverneuse qu'elle en était effrayante :

– Tu m'as déçu en Égypte. Tu n'aurais jamais dû faire cela, et tu ne devrais pas être ici en ce moment. Je t'ai déposée dans le royaume de l'au-delà pour que tu ne puisses pas interférer.

Tout à coup, il changea d'aspect. Son beau visage juvénile se fripa et les rides se multiplièrent sur sa peau qui se craquela. De puissantes ailes jaillirent derrière ses épaules. D'horribles griffes longues, courbes et jaunes poussèrent au bout de ses doigts. Luce eut un mouvement de recul en le voyant les enfoncer dans le corps à demi formé de son ancienne incarnation.

Puis une lueur rouge comme du cuivre incandescent jaillit des yeux bleus glacés du démon, qui se dressa devant elle, immense, gigantesque, monstrueux. Il parut remplir tout l'espace.

Mais loin de se laisser impressionner, Luce s'éleva à son niveau et affirma :

– Tu ferais bien d'arrêter là, Lucifer. Désormais, je sais qui je suis.

Pour donner plus de poids à ses paroles, elle étendit ses ailes le plus loin possible, sans pouvoir s'empêcher d'être surprise par leur envergure.

– Je sais ce que je suis capable de faire, poursuivit-elle. Nous ne sommes pas des mortels. Notre corps ne nous impose aucune limite. Moi aussi, je pourrais devenir horrible. Mais à quoi bon ?

Le démon contempla ses ailes, la tête entourée de flots de vapeur.

– Tu as toujours eu des ailes extraordinaires, dit-il. Mais mieux vaut ne pas t'y habituer. Le temps est presque écoulé... et alors...

Il scrutait son visage pour y chercher des traces de peur ou de nervosité. Il fit jouer ses muscles, et Luce vit avec angoisse la lumière de son corps déchu vaciller dans ses bras, à la fois agitée et immobile. Mais elle ne se laissa pas impressionner. Elle le connaissait trop, elle savait comment il s'y prenait, d'où il tirait son énergie et sa puissance.

– Je n'ai pas peur de toi, déclara-t-elle.

De fureur, Lucifer gronda en émettant un nuage de fumée mêlée de bave :

– Tu auras peur, comme tu avais peur, avant ! D'ailleurs, tu as peur, en ce moment. Nul ne peut faire face au diable sans trembler.

L'être hideux qui lui faisait face se transforma de nouveau. Ses yeux redevinrent bleus. Ses muscles se détendirent et lui rendirent la silhouette mince qui, autrefois, faisait de lui le plus splendide de tous les hôtes célestes. Sa peau claire avait un éclat sans pareil.

Elle se souvint. Oui, elle l'avait aimé. Il avait été son premier grand amour. Elle lui avait donné tout son cœur. Et Lucifer l'avait aimée, lui aussi.

Il posa les yeux sur elle, et leur histoire entière se refléta sur son magnifique visage : le feu des débuts, son besoin désespéré de la posséder, les tourments de l'amour qui avaient prétendument inspiré sa révolte contre le Trône... Sa raison dictait à Luce que c'était là le premier mensonge du grand imposteur ; mais son cœur sentait qu'il y avait autre chose... Lucifer n'en était-il pas arrivé à croire à son propre mensonge ? À cette tromperie au pouvoir insidieux... ?

Elle ne put s'empêcher de se radoucir. Les yeux de Lucifer exprimaient la même tendresse que ceux de Daniel quand il la regardait. Elle sentit qu'elle lui rendait son regard. Il l'aimait toujours... et chaque moment passé loin d'elle lui faisait profondément mal. Voilà pourquoi il avait passé les neuf derniers jours avec une ombre de son âme ; pourquoi il était prêt à faire repartir l'univers tout entier de zéro pour la reconquérir.

– Oh, Lucifer ! gémit-elle, je suis désolée...

– Tu vois ? dit-il en éclatant de rire. Tu as vraiment peur de moi. Tu as peur de ce que je te fais ressentir. Tu ne veux pas te souvenir...

– Non, ce n'est pas...

D'un fourreau caché derrière son dos, Lucifer sortit une longue flèche à pointe d'argent. Il la fit tourner entre ses doigts en fredonnant un air que Luce reconnut. C'était la chanson qu'il avait écrite, dans laquelle elle était Lucinda, « *son Étoile du Soir* ».

Elle observa l'arme qui brillait dans sa main.

– Tu m'aimais, reprit-il. Tu étais à moi. Ceux d'entre nous qui comprennent l'éternité savent ce que signifie le grand amour. Il ne meurt jamais. C'est pourquoi je sais que quand nous toucherons le sol, quand tout recommencera, tu feras le bon choix. C'est moi que tu choisiras au lieu de lui, et nous régnerons ensemble. Nous serons ensemble. Ou alors...

Il la dévisagea, s'approcha d'elle en pointant sa flèche.

– Oui ! s'écria-t-elle. Je t'ai aimé un jour !

Il se figea, son arme mortelle brandie au-dessus de la poitrine de Luce, dont la version passée pendait comme un chiffon au creux de son bras.

– Mais c'était avant le moment dont tu persistes à vouloir te souvenir, poursuivit-elle. Tu parles d'éternité, mais tu n'acceptes pas l'idée qu'elle puisse basculer d'un instant à l'autre. Je ne t'aimais plus quand nous sommes tombés.

– Tu racontes des histoires ! dit-il en rapprochant sa flèche. Tu m'as aimée il n'y a pas si longtemps ! Ne serait-ce que la semaine dernière, dans tes Annonciateurs, quand tu croyais aimer un autre... Nous étions extraordinairement bien ensemble. Te rappelles-tu l'arbre aux fruits de la Passion, à Tahiti ? Et les autres moments que nous avons connus avant ?

Il recula pour juger de sa réaction, puis reprit avec une lueur de souffrance mêlée de rage :

– Je t'ai appris tout ce que tu crois savoir de l'amour. Nous étions censés régner ensemble. Tu m'avais promis de me suivre. C'est toi qui m'as trompé ! Imagine à quel point j'étais seul, dans un Enfer que j'avais créé moi-même, bloqué devant l'autel, moi, le plus grand imbécile de tous les temps, obligé de supporter six mille ans de souffrance !

– Arrête, murmura-t-elle. Il faut que tu arrêtes de m'aimer. Parce que moi, je ne t'aime plus.

– À cause de *Daniel Grigori,* un ange de rang inférieur, qui ne m'arrive pas à la cheville ? C'est ridicule ! J'ai toujours été plus radieux, plus talentueux. Tu étais là quand j'ai inventé l'amour, à la place de cette... *adoration* !

Lucifer fronça les sourcils en prononçant ce mot, comme s'il lui donnait la nausée.

– Et tu ne connais que la moitié de l'histoire ! Sans toi, j'ai continué à inventer le mal, l'autre bout du spectre, l'équilibre nécessaire. J'ai inspiré Dante ! Milton ! Tu devrais voir comment fonctionne le monde souterrain. J'ai pris les idées du Trône, je les ai améliorées. On peut y faire tout ce qu'on veut ! Tu as manqué tout ça !

– Je n'ai rien manqué du tout !

– Oh, mon ange ! se radoucit-il en lui caressant la joue, tu ne peux pas croire à ce que tu dis. Je pourrais t'offrir le plus grand des royaumes... nous ferions équipe ! Le Trône lui-même t'offrait les bienfaits de la paix éternelle ! Et qu'est-ce que tu as choisi ? Daniel ! Tu peux me dire ce que ce minable a fait d'extraordinaire ?

Luce repoussa la main de sa joue et répondit d'un ton ferme :

– Il a conquis mon cœur. Il m'aime pour ce que je suis, pas pour ce que je peux lui rapporter.

Lucifer grimaça.

– Tu n'as jamais su reconnaître les choses. C'est ton talon d'Achille.

– Je pensais que ce que je ressentais pour toi, c'était bien, répliqua Luce. Je t'ai aimé jusqu'au jour où ça m'a fait du mal, jusqu'au jour où ton amour a été consumé par ta fierté et ta fureur. Ce que tu appelais l'amour m'a fait disparaître. Je n'ai pas eu d'autre solution que de cesser de t'aimer... L'adoration des anges ne diminuait pas le Trône, alors que ton amour m'a diminuée. Je n'ai jamais cherché à te blesser. J'ai seulement voulu t'empêcher de continuer à me faire souffrir.

– Alors, arrête de me faire souffrir ! l'implora-t-il en tendant ces bras qui, autrefois, l'enlaçaient, l'abritaient, la protégeaient... Tu peux réapprendre à m'aimer. C'est le seul moyen de faire cesser ma douleur. Choisis-moi. Maintenant, de nouveau, pour toujours !

– Non. C'est vraiment fini, terminé, Lucifer. (Elle désigna du geste les autres anges qui tombaient autour d'eux.) C'était déjà fini avant tout ça. Je ne t'ai jamais promis de régner avec toi hors du Paradis. Tu as projeté ton rêve sur moi. Tu n'arriveras à rien en envoyant cette Lucinda sur la Terre. Elle ne te rendra pas ton amour.

– Peut-être que si, riposta-t-il, en essayant d'embrasser l'ange qu'il tenait dans ses bras.

Mais la lumière qui entourait la version passée de Lucinda l'empêcha de toucher sa peau.

– Je suis désolée pour la peine que je t'ai causée, conclut Luce. J'étais... jeune. J'ai joué avec le feu. Je n'aurais pas dû. Je t'en prie, Lucifer, arrête tout ça.

– Oh ! fit-il en enfouissant son nez dans le corps inerte qu'il serrait contre lui. Comme je souffre !

– Tu souffrirais moins si tu acceptais de reconnaître que ce que nous avons partagé est du passé. Les choses ont changé. Si tu m'aimes, tu dois me laisser partir.

Lucifer la regarda longuement. Son expression s'assombrit, puis il réfléchit. Il détourna le regard, cligna des yeux, et revint à elle, comme s'il la voyait telle qu'elle était réellement: un ange qui était devenu une jeune fille, qui avait vécu pendant des millénaires, qui avait peu à peu découvert sa destinée, avant de retrouver son statut d'ange.

– Tu... mérites mieux, murmura-t-il.

– Mieux que Daniel? l'interrogea-t-elle en niant de la tête. C'est lui que j'aime plus que tout.

– Ce que je veux dire, c'est que tu mérites mieux que cette souffrance. Je sais parfaitement tout ce que tu as traversé. Je t'ai observée. Parfois, ta douleur me causait une sorte de joie. Enfin... tu me connais. (Il eut un sourire triste.) Mais même cette joie est teintée de culpabilité. Si je pouvais m'en débarrasser, là, tu verrais vraiment de grandes choses.

– Délivre-moi de cette souffrance, je t'en prie. Stoppe la Chute, Lucifer. C'est en ton pouvoir.

Il s'avança vers elle en chancelant, les yeux pleins de larmes. Il secoua la tête.

– Dis-moi comment faire pour...

– ASSEZ!

Au son de cette voix, tout s'arrêta: le soleil, la conscience de trois cent dix-huit millions d'anges, et même la Chute, qui cessa tout simplement d'avoir lieu.

Cette voix était celle qui avait créé l'univers. Elle résonna profondément, comme portée par des millions d'échos.

Assez.

L'ordre du Trône se propagea dans le corps de Luce. Il la consuma. La lumière l'inonda, occultant par son éclat Lucifer, son ancienne incarnation, et tout ce qui était autour. Son âme se mit à bourdonner sous l'effet d'une inexprimable électricité, et fut allégée d'un poids qui disparut dans le lointain.

La Chute.

Elle n'existait plus. Sur un simple mot, Luce fut projetée à l'extérieur d'elle-même. Seule au milieu d'un vide immense, elle se dirigeait tout droit vers une destination inconnue, à une vitesse qui dépassait celle de la lumière.

À la vitesse de Dieu.

XIX

LE PRIX DE LUCINDA PRICE

Du blanc, et rien d'autre. Luce et Lucifer étaient retournés à Troie, mais elle n'en était pas sûre. Le monde était trop incandescent. C'était de l'ivoire en feu... flamboyant dans un silence sépulcral.

La lumière, blanche et aveuglante, finit lentement par s'estomper.

Alors elle put distinguer le champ, les cyprès élancés, les chèvres qui broutaient le foin blond, et les anges qui l'entouraient. La brillance était comme la caresse d'une plume qui effleurerait sa peau. Son pouvoir la rendait humble et l'effrayait.

Lorsque la lumière disparut, presque par aspiration, l'environnement s'obscurcit, perdit ses couleurs, puis forma une sphère rayonnante, un globe minuscule, plus brillant en son centre, qui planait à trois mètres du sol. Il vacillait, battait comme un cœur, tandis que ses rayons s'étiraient, se métamorphosaient, façonnaient une tête, un torse, des jambes, des bras.

Un nez.

Une bouche.

Alors se dessina une personne.

Une femme.

Le Trône sous forme humaine.

Il y avait bien longtemps, Luce avait compté parmi les favorites du Trône, mais elle n'avait jamais vraiment *connu* le Trône. C'était impossible. C'était la nature de la divinité. La décrire était la réduire. Le Trône était le Trône... c'est-à-dire *tout*.

Le Trône était d'une beauté renversante. Ses cheveux jetaient des éclats d'or et d'argent. Ses yeux, bleus comme un océan de cristal, possédaient le pouvoir de tout voir. Alors que Dieu balayait du regard la plaine de Troie, Luce crut déceler un soupçon de sa propre expression dans son visage : elle se reconnut quand elle serrait les mâchoires avec détermination, ainsi qu'elle s'était déjà vue le faire mille fois dans un miroir. Puis, quand le Trône se tourna vers ceux qui se trouvaient là, devant elle, Luce lut sur ses traits le dévouement de Daniel, saisit la lumière particulière de ses yeux... Et la manière détendue, ouverte, dont elle tenait ses mains évoquait l'altruisme de sa mère... Puis le sourire fier qui n'appartenait qu'à Penn.

Chacune de ces traces de vie fugitives trouvait ainsi son origine dans la puissance qui trônait devant Luce. À présent, elle comprenait que le monde entier, les mortels aussi bien que les anges, avait été créé à l'image du Trône.

Un fauteuil ivoire d'une substance immatérielle apparut au bord de la plaine, de même qu'un sceptre d'argent à la pointe en spirale.

Quand le Trône s'assit, Annabelle, Arriane et Francesca se précipitèrent et tombèrent à genoux, en adoration. Le sourire du Trône déversa sa lumière sur elles, formant des arcs-en-ciel iridescents sur leurs ailes. Les anges, enivrés de bonheur céleste, chantèrent sa louange en harmonie.

Arriane leva son visage illuminé et battit des ailes pour se redresser. D'une voix qui résonna comme un chant glorieux, elle s'adressa à Dieu :

– Gabbe nous a quittés.

– Oui, fredonna le Trône en réponse.

C'était un rituel de compassion plutôt qu'un échange d'informations. Luce se souvint que c'était pour cette raison que le Trône avait créé la parole et le chant, pour offrir une autre manière d'exprimer ses sentiments.

Puis Arriane et Annabelle prirent leur envol et s'élevèrent au-dessus du Trône. Elles restèrent sur place, planant en face de Luce et de ses compagnons en regardant leur Créatrice avec adoration. Leur manière de planer était étrange, incomplète, pour ainsi dire... Alors Luce comprit que ses deux amies reprenaient leur place d'archanges.

Dans la Prairie céleste, leurs sièges en argent formaient autrefois un dôme au-dessus du Trône. Arriane se tenait juste à la droite de ses épaules, et Annabelle à quelques centimètres de la terre, à côté de la main droite de Dieu.

Des espaces vides brillaient autour du Trône. La mémoire de Luce retrouva l'endroit vers lequel se dirigeait Cam, autrefois, et le siège de Roland, et celui qui appartenait à Daniel. Elle eut des réminiscences de la place de Molly, et de celle de Steven, aussi... Enfin, sur le côté gauche du Trône, elle vit le siège de Lucifer et le sien. Elle ressentit des picotements dans les ailes. Tout était si clair !

Les autres anges déchus – Roland, Cam, Steven, Daniel et Lucifer – ne s'avancèrent pas pour adorer Dieu. Luce se sentit déchirée. Adorer Dieu était une chose naturelle. C'était pour cela que Lucinda avait été créée. Mais, curieusement, elle n'eut pas la force de bouger pour aller prendre sa place. Le Trône n'eut l'air ni déçu ni surpris, et demanda :

– Où est la Chute, Lucifer ?

Cette voix donna envie à Luce de tomber à genoux, et de prier.

– Dieu seul le sait, gronda Lucifer. Cela n'a aucune importance. Peut-être que je n'en voulais pas, après tout.

Le Trône fit tourner son sceptre d'argent dans ses mains, piqua la pointe dans le sol et remua la boue. Une guirlande de lis d'un blanc argenté en jaillit et s'enroula autour du bâton. Dieu ne sembla pas s'en apercevoir, et posa ses yeux bleus sur Lucifer.

– J'ajoute foi à tes deux premières déclarations, dit-elle, et bientôt tu seras convaincu de la dernière. Mon indulgence a des limites.

Lucifer s'apprêta à répondre, mais le Trône détourna les yeux. Le démon frappa la terre avec colère. Le sol s'ouvrit sous lui, de la lave bouillonnante en jaillit et refroidit sur place.

D'un geste imperceptible de la main, le Trône réclama l'attention de tous.

– Nous devons nous occuper de la malédiction de Lucinda et Daniel.

Luce déglutit péniblement et sentit la terreur lui serrer le ventre.

Mais ce fut avec des yeux empreints de douceur que le Trône repoussa une mèche de cheveux scintillants, se recula dans son siège et observa le groupe massé devant lui.

– Le temps est venu pour moi de vous reposer la question à tous les deux. Lucinda, nous allons commencer par toi.

Luce hocha la tête, ses ailes bien droites, le cœur battant la chamade. Elle s'approcha de Dieu, la tête basse.

– Tu as payé ta dette en souffrant ces six millénaires durant...

– Je n'ai pas seulement souffert, j'ai été amenée à découvrir beaucoup de beauté aussi, déclara Luce en regardant tous ses amis, Daniel, et même Lucifer.

Le Trône eut un sourire curieux.

– Tu es parvenue à découvrir ta vraie nature sans y être aidée – en étant fidèle à toi-même. Penses-tu connaître ton âme ?

– Oui, répondit Luce, d'un ton profondément convaincu.

– Maintenant, tu es plus complète que tu ne l'étais auparavant. Tu prends tes décisions en fonction de la connaissance qui est la tienne puisque tu es un ange, mais tu y apportes le poids de six millénaires d'expériences vécues à tous les stades de l'humanité.

– Ma responsabilité me rend humble, dit l'ange, et ses mots semblaient nés non pas de la bouche de Luce Price mais de Lucinda, sa vraie nature.

– Tu as peut-être entendu dire, dans ta vie présente, que ton âme était «bonne à prendre»?

– Oui, en effet.

– Et tu es sans doute consciente de l'équilibre qui doit être trouvé entre les anges du Paradis et les forces de Lucifer?

Luce hocha lentement la tête en signe d'acquiescement.

– Aussi la question t'est-elle posée de nouveau: choisiras-tu le Paradis, ou choisiras-tu l'Enfer? À la lumière de la sagesse que tu as acquise au cours de tes vies, tu dois déterminer où tu désires passer l'éternité. Si c'est au Paradis, tu seras la bienvenue chez toi, et nous nous efforcerons tous de te rendre la transition facile.

Alors Dieu posa les yeux sur Lucifer.

– Si tu choisis l'Enfer, je ne doute pas que Lucifer t'acceptera.

Ce dernier ne répondit pas. Luce entendit un bruissement derrière elle. Elle se retourna vivement et vit que le démon avait entortillé l'arrière de ses ailes.

Si, à l'intérieur de la Chute, elle avait eu du mal à signifier à Lucifer qu'elle ne l'aimait pas, cette fois, il paraissait impossible de dire la même chose au Trône. Elle se tenait devant la puissance qui l'avait créée !

– Lucinda, déclara Dieu solennellement en la transperçant du regard, c'est à toi qu'il revient de faire pencher la balance.

La conversation qu'elle avait eue avec Arriane à Las Vegas lui revint en mémoire : à la fin, un ange isolé aurait le pouvoir de choisir, et ce choix ferait pencher la balance d'un côté ou de l'autre.

– À moi ?

Le Trône hocha la tête.

– Oui, à toi. La dernière fois, tu as refusé de choisir.

– Non, ce n'est pas vrai, répliqua Luce. J'ai choisi l'amour ! Vous venez à l'instant de me demander si je connaissais mon âme, et je vous ai répondu par l'affirmative. Je dois rester fidèle à qui je suis, et je place l'amour au-dessus de tout.

Daniel lui prit la main et déclara :

– Nous avons choisi l'amour la première fois, et nous faisons le même choix aujourd'hui.

– Si vous nous maudissez aujourd'hui encore, le résultat sera le même, ajouta Luce. Nous nous sommes trouvés et retrouvés six millénaires durant. Vous en êtes tous témoins. Et s'il le faut, nous recommencerons.

– Lucifer, demanda le Trône, que dis-tu de cela ?

Le démon dévisagea Luce avec des yeux brûlants, exprimant une douleur qui n'échappa à personne.

– Nous regretterons ce moment jusqu'à la fin des temps. C'est le mauvais choix, un choix égoïste.

Dieu lui répondit d'une voix égale :

– C'est toujours avec regret que nous nous rendons à l'évidence, quand l'amour nous a tourné le dos. Mais je prends ta réponse pour une légère manifestation de clémence et d'assentiment, ce qui offrira un peu d'espoir à l'univers. Lucinda et Daniel ont exprimé clairement leur choix et nous nous en tiendrons tous deux aux serments que nous avons faits durant l'Appel. Leur amour n'est plus entre nos mains. Qu'il en soit ainsi. Mais cela aura un prix. Êtes-vous prêts à faire un ultime sacrifice pour le prix de votre amour ?

Daniel secoua la tête.

– Tant que je suis avec Lucinda et tant que Lucinda est avec moi, aucun sacrifice ne nous effraie.

Lucifer ricana et, s'élevant dans les airs, vint planer au-dessus du couple.

– Nous pourrions donc tout vous enlever : vos ailes, votre force, votre *immortalité* ? Et vous continueriez à choisir l'amour ?

Du coin de l'œil, Luce vit qu'Arriane, les ailes repliées et les mains enfouies dans les poches de sa salopette, hochait la tête. Un léger sourire de satisfaction flottait sur son visage, comme pour dire : « Oui, bien sûr qu'ils le feraient ! »

– Oui, répondirent Luce et Daniel d'une même voix.

– Bien, répondit Dieu. Vous serez tout l'un pour l'autre. Seulement, il y a un prix à payer. Si vous choisissez l'amour une fois pour toutes, vous devrez renoncer à votre nature angélique. Vous renaîtrez, mais en tant que mortels.

Au cours de toutes les dernières nuits, Luce était restée éveillée de longs moments en se demandant ce qu'il adviendrait de leur amour à la fin de ces neuf jours. À présent, la décision du Trône lui rappelait le jour où Bill, en Égypte, lui avait conseillé de tuer son âme réincarnée.

Même à cette époque, elle avait envisagé de continuer sa vie de mortelle et de laisser Daniel vivre la sienne, songeant qu'elle n'aurait plus à subir cette sempiternelle disparition de son amour. Elle avait été sur le point de le faire. Mais elle ne voulait pas perdre Daniel. C'était ce qui l'avait arrêtée. Or, désormais, elle pourrait le garder auprès d'elle, vraiment, et pendant longtemps. Tout serait différent. Il serait à ses côtés.

La voix de Dieu s'éleva, surmontant le ricanement rauque de Lucifer :

– Si tu acceptes, tu ne conserveras aucun souvenir de ce que tu as été, et je ne peux pas garantir que vous vous rencontrerez durant votre vie terrestre. Vous vivrez et vous mourrez comme n'importe quel autre mortel. Les pouvoirs célestes du Paradis qui vous ont toujours poussés l'un vers l'autre n'y pourront rien.

Avec un regard d'avertissement aux amis des deux amoureux, Dieu précisa :

– Plus aucun ange ne croisera votre chemin. Plus aucune main secourable n'apparaîtra au cœur de la nuit pour vous guider. Vous ne pourrez plus compter que sur vous-mêmes.

Daniel laissa échapper un son étouffé. Luce serra sa main. Ils seraient donc mortels et parcourraient la Terre à la recherche de leur moitié, comme tout un chacun. La proposition leur parut magnifique.

Cam, qui était derrière eux, approuva:

– La mortalité est la plus romantique des histoires. On ne vous offre qu'une seule chance de vivre votre vie. Et vous, comme par magie, vous vous lancez.

Daniel parut soucieux.

– Qu'est-ce qui se passe? chuchota Luce.

– Mais tu viens juste de retrouver tes ailes!...

– C'est exactement pour ça que je sais que je peux très bien être heureuse sans! Du moment que tu es là... C'est toi qui vas devoir y renoncer. Tu es sûr que c'est ce que tu veux, toi?

Daniel se pencha vers elle, et prononça sans presque bouger les lèvres:

– Oui.

Luce sentit les larmes lui monter aux yeux. Daniel se tourna vers le Trône.

– Nous acceptons, annonça-t-il.

Autour d'eux, les ailes se mirent à briller encore plus fort, et bientôt, la plaine entière baigna dans une lumière surnaturelle. Pourtant, après ce moment de tension, Luce sentit que ses chers, ses précieux amis, accusaient le choc.

– Très bien, murmura Dieu avec une expression indéchiffrable.

– Attendez! s'écria Luce, qui venait de penser à un dernier détail. Nous... nous acceptons à une condition!

Daniel eut un mouvement de surprise et la regarda du coin de l'œil. Mais il ne fit rien pour l'interrompre.

– Quelle est votre condition ? s'enquit Dieu d'une voix retentissante, car il n'avait pas pour habitude de négocier.

– J'aimerais que vous repreniez les Bannis dans le giron du Paradis. Ils ont prouvé leur valeur. S'il y avait assez de place pour me reprendre au sein de la Prairie, il doit y en avoir assez pour eux.

Le Trône observa les Bannis, qui attendaient sa réponse en jetant une faible lueur.

– Ta requête est altruiste. Qu'elle te soit accordée.

Lentement, elle étendit le bras.

– Bannis, approchez, si vous désirez rentrer au Paradis.

Les quatre Bannis s'exécutèrent, avec un élan dont personne ne les aurait crus capables. Puis, d'un simple signe de tête, le Trône leur rendit leurs belles ailes, qui s'allongèrent en prenant du volume. Leur couleur terne se transforma en un blanc éclatant.

Les Bannis sourirent. Aucun d'eux n'avait jamais souri avant et ainsi, ils étaient très beaux. Leurs yeux jaillirent, leurs iris réapparurent. Ils avaient retrouvé la vue.

Lucifer, impressionné, marmonna :

– Il n'y avait que Lucinda pour réussir un coup pareil...

– C'est un miracle ! s'écria Olianna en s'enveloppant de ses ailes pour s'admirer.

– C'est l'œuvre de Dieu ! fit observer Luce.

Les anges réintégrés reprirent leurs anciens postes autour du Trône.

– Oui, murmura Dieu en fermant les yeux pour accueillir leur adoration, c'est mieux ainsi.

Enfin, il leva son sceptre et le pointa vers les deux amoureux.

– Le moment est venu de nous dire au revoir.

– Déjà ? ne put s'empêcher de lâcher Luce.

– Faites vos adieux.

Les anciens Bannis remercièrent Luce et l'embrassèrent sans oublier d'étreindre Daniel. Puis les deux futurs mortels se retrouvèrent face à Francesca et Steven qui les attendaient, bras dessus, bras dessous, magnifiques, et rayonnants.

– Nous avons toujours su que tu y arriverais, affirma Steven avec un clin d'œil à Luce. N'est-ce pas, Francesca ?

Celle-ci confirma d'un signe de tête et déclara :

– J'ai été très dure avec toi, mais tu t'es révélée l'une de mes élèves les plus impressionnantes. Tu es une énigme, Luce. Reste comme tu es.

Steven serra la main de Daniel et Francesca les embrassa sur les deux joues.

– Merci, dit Luce. Prenez soin de vous. Et prenez soin de Shelby et Miles aussi.

Puis ce fut au tour des anges de les entourer, ceux de l'ancienne équipe de Sword & Cross et d'une centaine d'autres endroits avant cela... Arriane, Roland, Cam et Annabelle qui avaient sauvé Luce tellement de fois qu'elle ne pouvait les compter.

– C'est dur, dit la jeune fille en se blottissant dans les bras de Roland.

– Allez, dit-il en riant. Tu as déjà sauvé le monde !

– Ne nous quitte pas ! cria Arriane d'une voix aiguë.

Elle essayait de rire, mais sans succès. Les larmes ruisse-lèrent sur son visage. Elle ne fit rien pour les essuyer. Elle se contenta de se cramponner à la main d'Annabelle.

– Allez, vas-y! finit-elle par soupirer.

– Nous penserons à toi, assura Annabelle. Toujours.

– Moi aussi, je penserai à vous, répondit Luce.

Elle était forcée d'y croire. Autrement, comment aurait-elle pu partir? Mais les anges lui répondirent par un sou-rire triste. Elle devrait les effacer de sa mémoire.

Il ne restait plus que Cam. Daniel et lui se disaient adieu en se tenant par les épaules.

– Tu as réussi, mon frère, souffla Cam.

– Évidemment! fit Daniel, jouant les fiers-à-bras, mais d'un ton plein d'affection. Merci à toi.

Cam saisit la main de Luce. Ses yeux brillaient d'un vert magique, cette couleur qui l'avait tout de suite frappée pendant les jours gris de Sword & Cross.

Il pencha la tête et déglutit, pesant soigneusement les mots qu'il allait prononcer.

Il l'attira à lui, et, le cœur battant, elle pensa qu'il allait l'embrasser. Mais ses lèvres glissèrent sur sa joue et s'arrê-tèrent près de son oreille:

– La prochaine fois, empêche-le de te laisser tomber!

– Bien sûr! Tu peux compter sur moi! répondit-elle en riant.

– Daniel est quelqu'un de bien... Et tu mérites ce qu'il y a de mieux au monde.

Pour une fois, elle n'avait pas envie de se libérer de ses bras.

– Et toi, qu'est-ce que tu vas faire ?

– Quand on n'a plus rien à perdre, le choix est vaste. Tout est ouvert.

Avec un regard au loin, vers les nuages suspendus au-dessus du désert, il ajouta :

– Je vais jouer mon rôle. Je le connais bien. Je sais ce que c'est que les adieux.

Après un clin d'œil à Luce, un dernier signe à Daniel, il déploya ses gigantesques ailes dorées et disparut dans le ciel agité.

Tous le suivirent des yeux, jusqu'au moment où ses ailes ne furent plus qu'un minuscule point doré dans les nuages. Puis Luce baissa la tête, et son regard croisa celui de Lucifer. Son expression était glaciale. Il ne dit rien. Il se contenta de la fixer obstinément, si bien qu'elle se détourna très vite.

Elle avait fait tout ce qu'elle pouvait pour lui. Son chagrin n'était plus son problème désormais.

Elle entendit alors résonner la voix du Trône :

– Et maintenant, un dernier au revoir.

Luce et Daniel se tournèrent vers lui avec ensemble, quand l'imposante figure s'illumina d'un blanc incandescent, aveuglant. Ils durent se protéger les yeux. Elle était redevenue indiscernable au cœur de cette lumière trop brillante pour des anges.

– Il est temps que vous vous disiez au revoir, tous les deux, leur signala Arriane en reniflant.

– Oh ! s'exclama Luce en se tournant vers Daniel, prise de panique. Maintenant ?

Il lui prit la main. Ses ailes caressèrent les siennes. Il l'embrassa sur les joues.

– J'ai peur, murmura-t-elle.

– Qu'est-ce que je t'ai dit?

Elle passa en revue les milliers de conversations qu'ils avaient eues... Et dans le désordre de ses émotions, elle se le rappela en tremblant:

– Que tu me retrouverais toujours.

– Oui. Toujours. Dans n'importe quelles circonstances.

– Daniel...

– J'ai hâte que tu deviennes mon amour mortel.

– Mais tu ne me reconnaîtras pas. Tu ne te souviendras pas de moi. Tout sera différent! protesta-t-elle.

Il essuya ses larmes.

– Rien ne m'arrêtera.

Elle ferma les yeux en murmurant:

– Je t'aime trop pour te quitter.

– Tu ne me quittes pas.

Il lui donna un dernier baiser angélique et la serra contre lui, si fort qu'elle entendit les battements réguliers de son cœur, qui recouvraient les siens.

– Nous allons nous retrouver bientôt.

XX

DEUX PARFAITS ÉTRANGERS
Dix-huit ans plus tard

Luce avait les mains pleines. La carte de sa chambre serrée entre les dents, elle se tordit le cou pour la passer dans la fente, attendit le déclic et ouvrit la porte d'un coup de hanche.

Son panier à linge débordait de vêtements. Comme c'était la première fois qu'elle se servait de la machine, la plupart de ses habits avaient rétréci pendant le séchage. Elle posa son fardeau sur l'étroite couchette du bas, en se demandant comment elle avait réussi à se changer aussi souvent en un temps aussi court. Elle avait vécu cette semaine d'orientation en première année au Emerald College comme dans un brouillard.

Nora, la première personne en dehors de sa famille à la voir porter son appareil dentaire – heureusement Nora en avait un aussi –, était assise sur le rebord de la fenêtre. Elle se mettait du vernis à ongles tout en téléphonant. Comme d'habitude ! Sa camarade de chambre passait son temps à ça. Elle utilisait une étagère complète pour poser ses flacons pour les ongles, et Luce avait déjà bénéficié de deux séances de pédicure en une semaine.

– Je t'assure, disait Nora, ce n'est pas le genre de Luce.

Elle agita plusieurs fois la main pour faire signe à son amie, qui s'appuya contre le montant du lit, tout ouïe.

– Elle n'a jamais embrassé de garçon, poursuivit-elle. OK, une seule fois – il s'appelait comment, déjà, ce maigrichon dont tu m'as parlé... Tu sais, celui du camp de vacances ?

– Jeremy ?

– Oui, Jeremy, mais c'était pour un jeu style «Action ou vérité», donc...

– Nora, s'insurgea Luce, est-ce que tu as vraiment besoin de raconter ça à... à qui, au fait ?

– Jordan et Hailey... On est sur haut-parleur. Fais coucou !

La bavarde désigna l'autre côté de la fenêtre plongé dans le crépuscule automnal. Leur chambre se trouvait dans un joli bâtiment blanc en U, entourant une petite cour où tout le monde se retrouvait. Juste en face, des jambes bronzées pendaient hors d'une fenêtre semblable à la leur, au troisième étage, et deux bras s'agitèrent pour la saluer.

– Salut, Luce !

C'étaient Jordan, une fille aux cheveux blond vénitien, et Hailey, une petite brune toujours en train de rire. Elles étaient sympas, toutes les deux, mais on se demandait franchement quel était l'intérêt de cette discussion.

Luce n'était pas encore habituée à cette nouvelle vie.

Une semaine plus tôt, elle avait accompli trois mille huit cents kilomètres avec ses parents pour rejoindre Emerald College. Jusqu'alors, elle était à peine sortie du Texas : une fois seulement, pour des vacances en famille à Pikes Peak dans le Colorado, deux fois pour des championnats de natation régionaux dans le Tennessee et en Oklahoma (la deuxième année, elle avait battu son propre record en nage libre et rapporté un ruban bleu à l'équipe), et chaque année, pour la visite traditionnelle à ses grands-parents, à Baltimore.

Quitter sa famille et ses amis pour entrer à la fac dans le Connecticut n'était pas une mince affaire. Presque tous ses copains de lycée étaient restés dans le Texas. Mais Luce avait toujours eu le sentiment que quelque chose l'attendait ailleurs, et qu'elle devait quitter la maison pour le découvrir. Ses parents étaient d'accord, d'autant plus qu'elle avait droit à une bourse pour son entraînement à la brasse papillon.

Elle avait emballé toute sa vie dans un énorme sac de toile et rempli quelques cartons avec des objets dont elle ne pouvait pas se séparer : la statue de la Liberté que son père lui avait rapportée de New York, et qui lui servait de presse-papiers ; une photo de sa mère à son âge, avec une coiffure affreuse ; le chien en peluche qui lui rappelait Mozart, le carlin familial... Ensuite, ils avaient pris la route. Les sièges élimés de leur vieille Jeep sentaient la glace à la cerise, et cela l'avait réconfortée pendant le voyage. Pendant les quatre longs jours qui les séparaient de la côte est, son père avait conduit lentement, en respectant les vitesses limitées, et en s'arrêtant de temps en temps pour leur proposer quelques visites de sites intéressants.

À un moment, Luce avait eu envie de faire demi-tour. Ils roulaient déjà depuis deux jours et se trouvaient quelque part en Géorgie. Les «raccourcis» qu'avait pris le conducteur pour éviter l'autoroute les avaient amenés le long de la côte, où la route pavée sentait la vase et les algues. Ils n'avaient guère accompli que le tiers du trajet et, déjà, la maison de son enfance lui manquait. Elle était triste de quitter son chien, la cuisine fleurant bon les petits pains cuits par sa mère, et les rosiers de son père qui fleurissaient le bord de sa fenêtre, en été, emplissant sa chambre de leur doux parfum.

Un peu plus tard, ils étaient passés devant une longue allée sinueuse terminée par une haute grille de mauvais augure, qui semblait électrifiée. Un panneau annonçait en grandes lettres noires : «SWORD & CROSS REFORM SCHOOL». Un centre de rééducation, en somme !

– Elle est sinistre, cette école, avait fait remarquer sa mère, qui avait abandonné un instant son magazine de décoration. Je suis contente que ce ne soit pas ta fac, Luce !

– Oh oui, c'est sûr ! avait approuvé l'intéressée.

Elle s'était retournée et avait longuement regardé cette grille.

Ensuite, très vite, ils avaient atteint la Caroline du Sud, se rapprochant peu à peu du Connecticut et de sa nouvelle vie.

Enfin, elle avait découvert cette résidence universitaire, la chambre où elle dormait ; puis ses parents étaient retournés à la maison, très loin, au Texas. Luce n'allait pas l'avouer à sa mère pour ne pas l'inquiéter, mais, au fond, elle avait vraiment le mal du pays.

Pourtant, Nora était une fille bien. Elles avaient sympathisé dès le moment où elle était entrée dans la pièce et avait vu sa camarade de chambre fixer au mur un poster d'Albert Finney et Audrey Hepburn dans *Voyage à deux*. Leur amitié s'était scellée dans la nuit : à deux heures du matin, elles avaient décidé de faire du pop-corn dans la cuisine de leur bâtiment. L'expérience avait eu pour seul résultat de déclencher l'alarme et de jeter tout le monde dehors en pyjama.

Pendant la semaine d'orientation, Nora s'était décarcassée pour l'inclure dans tous ses plans, et ils étaient nombreux. Elle était déjà habituée à la vie en résidence, car elle avait passé sa terminale en internat. Ici, les garçons habitaient à côté des filles, les étudiants considéraient que la station de radio du campus était la *seule* façon acceptable d'écouter de la musique, tout, absolument tout, fonctionnait par carte, et les professeurs exigeaient que les sujets à rendre fassent au minimum quatre pages : Nora connaissait déjà tout par cœur.

Elle avait retrouvé à la fac ses amis de terminale, et elle semblait s'en faire une dizaine de plus par jour, comme

Jordan et Hailey, qui passaient leur temps assises au bord de la fenêtre à faire signe à tout le monde. Luce essayait de suivre le rythme, mais ce n'était pas facile pour elle qui arrivait d'un trou perdu du Texas. Là-bas, tout allait moins vite, et à présent, elle s'apercevait qu'en définitive elle préférait son ancien mode de vie. Elle se languissait de choses qu'elle disait détester avant, comme la musique country, et les brochettes de poulet rôti des stations-service.

Mais elle avait choisi de venir dans le Connecticut pour se trouver, pour que sa vie commence enfin... Elle devait garder cela bien en tête.

– Jordan était en train de dire que le gars d'à côté de sa chambre te trouve mignonne, dit Nora en tirant sur une longue mèche des cheveux noirs de Luce. Mais c'est un gros dragueur, alors j'étais en train de lui expliquer que toi, ma chère, tu es une dame. On pourrait aller les retrouver en face avant la fête de ce soir, d'accord?

– Bien sûr, répondit Luce en ôtant le bouchon de la bouteille de soda qu'elle avait achetée à l'automate de la laverie.

– Je croyais que tu devais me rapporter un light?

– Attends, je vais te le donner.

Luce fouilla dans son panier à linge, mais ne retrouva pas la canette qu'elle avait achetée pour son amie.

– Excuse-moi, j'ai dû l'oublier en bas. Je descends la chercher.

– *Pas de problème*, répondit Nora, en français, histoire de s'exercer. Mais dépêche-toi. Hailey dit qu'il y a une invasion de footballeurs dans leur bâtiment. Tu sais que les footballeurs sont de sacrés fêtards. Il n'y a pas de temps à perdre !

Puis elle continua au téléphone :

– On arrive ! Non, j'ai mis ma chemise noire. Luce est en jaune – et toi, tu te changes ?...

Luce se précipita hors de la chambre, dévala les marches deux par deux et, arrivée au sous-sol, fit une halte devant la fenêtre qui donnait sur la cour. Une voiture remplie de garçons était arrêtée dans l'allée circulaire. Elle regarda les passagers sortir et vit qu'ils portaient tous un T-shirt de l'équipe de la fac, les Emerald Varsity Soccer. Luce reconnut l'un d'eux. Il s'appelait Max et elle l'avait vu deux fois en cours. Il était très mignon – cheveux blonds, grand sourire, dents blanches, look typique de l'étudiant de première année. Elle le savait, car Nora lui avait fait un dessin pour lui expliquer comment les reconnaître. Elle n'avait jamais parlé à ce garçon. Mais il serait peut-être à la soirée...

D'ailleurs, c'était intimidant. Tous ces étudiants étaient vraiment mignons. Mais les filles qui seraient chez Jordan et Hailey ne seraient pas timides, elles... Et comme elle avait envie d'aller à cette soirée, elle était bien obligée de se jeter à l'eau. Elle n'allait tout de même pas se cacher dans sa chambre parce qu'elle avait peur des garçons ! Non, non, elle irait.

Au bout d'une dernière volée de marches, elle pénétra dans la laverie. La nuit était proche, et la pièce plongée dans une atmosphère crépusculaire était presque vide. Seule une fille en chaussettes, qui lui arrivaient à mi-cuisses, était là, en train de frotter frénétiquement une tache sur un jean. Ainsi qu'un garçon, assis sur un sèche-linge en marche qui fonctionnait à grand bruit.

Le garçon s'amusait à jeter une pièce en l'air et à la rattraper dans sa main.

— Pile ou face ? lui demanda-t-il quand elle entra.

Il avait le visage carré, des cheveux châtains bouclés, de grands yeux bleus, et une fine chaîne en or autour du cou.

— Pile, répondit-elle avec un petit rire.

Il lança la pièce, la rattrapa et la retourna dans sa paume. Luce vit que ce n'était pas une pièce de vingt-cinq cents. C'était une monnaie très ancienne, d'une couleur dorée poussiéreuse, avec des inscriptions en langue étrangère à peine visibles.

Le garçon leva un sourcil et annonça :

— Tu as gagné. Je ne sais pas encore quoi, mais c'est sans doute à toi de choisir.

Elle tourna les talons, à la recherche de la canette qu'elle avait laissée là. Elle la vit, posée juste à côté de l'inconnu.

— Ce n'est pas à toi, ça, non ? s'enquit-elle.

Il ne lui répondit pas. Il se contenta de la regarder avec des yeux bleu glacier, tristes, si tristes que cela semblait impossible pour quelqu'un de son âge.

— Je l'ai oubliée ici. C'est... c'est pour mon amie Nora, ma colloc..., balbutia-t-elle, mal à l'aise devant le regard intense de cet étrange garçon. Euh... à tout à l'heure.

— On réessaie ? proposa-t-il.

Elle se retourna sur le seuil, décontenancée.

— Euh... oui ! Pile.

Il lança la pièce, qui plana une seconde en l'air. Il la rattrapa sans regarder, la retourna et ouvrit sa main.

– Encore gagné, chantonna-t-il d'une voix étrange, qui lui rappela celle d'un vieux chanteur que son père adorait.

De retour dans la chambre, Luce remit sa boisson à Nora.

– Tu connais cette espèce de fou qui s'amuse à jouer à pile ou face à la laverie ? lui demanda-t-elle.

– Luce, répliqua Nora en plissant les yeux, quand je n'ai plus de sous-vêtements, j'en achète d'autres. J'espère tenir jusqu'à Thanksgiving sans avoir à descendre à la laverie... Tu es prête ? Les footballeurs attendent, et ils espèrent marquer. Leur but, c'est nous. Il faut juste qu'on leur rappelle qu'ils ne peuvent pas utiliser leurs mains.

Elle attrapa Luce par le coude et l'attira hors de la pièce.

– Je te préviens, dit-elle, si tu fais connaissance d'un type qui s'appelle Max, je te conseille de l'éviter. J'étais à Dover avec lui, et je suis sûre qu'il sera là. Tu le trouveras beau gosse et sympa. Mais il a une copine, une vraie peste. Enfin... elle se prend pour sa copine. Elle n'a pas été admise à Emerald, et ça l'a rendue absolument furieuse. Fais attention, elle a des espions partout.

– OK, OK, j'ai compris ! dit Luce en riant. Je ne m'approcherai pas de Max !

– Au fait, c'est quoi, ton style ? Enfin... tu as évolué depuis ce fameux Jeremy ?

– Nora, protesta Luce en lui donnant une petite tape, arrête avec cette histoire. Je t'ai raconté ça, mais c'était en privé ! Ne le crie pas sur tous les toits.

– Tu as tout à fait raison, approuva Nora en levant les mains en signe de reddition. Ça fait partie des choses sacrées. OK, d'accord ! Si tu devais décrire le baiser de tes rêves en cinq mots ou moins...

Elles s'approchaient de la chambre de leurs voisines d'en face. Luce s'appuya contre le mur et soupira.

– Je n'ai aucune expérience, mais ça ne me pose pas de problème, dit-elle à voix basse, car les parois étaient minces. C'est simplement que... j'ai l'impression qu'il ne m'arrive jamais rien. Je sais qu'il va se passer des choses, mais, pour l'instant, on ne peut pas dire que ma vie soit palpitante. J'ai envie que ça change. J'ai envie de sentir que ça commence. J'attends *ce* baiser. Mais parfois j'ai peur de devoir attendre éternellement, sans que rien ne bouge.

– Moi aussi, je suis pressée, avoua Nora, un peu troublée. Je comprends ce que tu veux dire. Mais tu vas voir, tu vas pouvoir faire avancer les choses. Surtout avec moi comme amie ! Ça ne va pas traîner. N'oublie pas qu'on n'est là que depuis huit jours !

Ce que Luce attendait allait bien au-delà d'une simple fête. Elle parlait de son destin, au sujet duquel elle avait le sentiment d'avoir aussi peu d'influence que sur le résultat d'un jeu de pile ou face : il était entre ses mains, tout en ne l'étant pas vraiment.

– Ça va ? demanda Nora en baissant la tête, une boucle de cheveux sur l'œil.

– Oui, affirma Luce d'un ton désinvolte. Ça va.

Les participants à la soirée n'étaient qu'une poignée de gens qui entraient et sortaient des différentes chambres, munis de verres en plastique remplis d'un punch rouge trop sucré. Jordan jouait au DJ depuis son iPod en hurlant: «Olé!» de temps en temps. La musique était bonne. Son gentil voisin David Franklin demanda de la pizza que Hailey améliora en ajoutant de l'origan frais cueilli parmi les herbes qu'elle avait plantées dans un bac posé près de sa fenêtre. C'était des gens cool. Luce était contente d'être avec eux.

Elle fit la connaissance de vingt étudiants en une demi-heure. La plupart étaient des garçons qui se penchaient sur elle en lui mettant la main dans le dos quand elle se présentait, comme si le fait de la toucher rendait sa voix plus audible. Elle s'aperçut qu'elle cherchait du regard le drôle de gars à la pièce de monnaie, celui de la laverie.

Trois verres de punch et deux tranches de pizza plus tard, Luce, officiellement présentée, passa les dix minutes suivantes à essayer d'éviter Max. Son amie avait raison: il était beau, mais trop dragueur pour quelqu'un qui avait une copine folle de jalousie. Elle s'installa avec Nora et Jordan sur le lit de cette dernière, et toutes trois s'amusèrent à distribuer des notes aux garçons entre deux crises de rire. Puis Luce décida qu'elle avait bu un peu trop de punch. Elle sortit prendre l'air dehors.

La nuit était froide et sèche, pas comme au Texas. La brise la rafraîchit. Il y avait quelques étudiants dans la cour, mais Luce n'en connaissait aucun. Elle s'assit sur un banc de pierre entre deux buissons de pivoines. C'étaient ses fleurs préférées. Elle avait remarqué qu'elles s'épanouissaient encore autour de son bâtiment, alors que c'était la fin du mois d'août. C'était un bon présage. Elle caressa la corolle d'une fleur magnifique et se pencha pour en respirer le doux parfum.

– Bonsoir !

Elle sursauta. Le visage plongé dans une pivoine, elle ne l'avait pas vu approcher. Une paire de baskets usées était arrêtée juste sous son nez. Elle leva les yeux sur un jean décoloré, un T-shirt noir, un mince foulard rouge négligemment noué autour du cou... Son cœur se mit à battre, et pourtant, elle n'avait pas encore vu ce visage : des cheveux dorés, coupés court... des lèvres qui paraissaient incroyablement douces... des yeux si beaux qu'elle en eut le souffle coupé.

– Excuse-moi, dit-il. Je ne voulais pas te faire peur.

Ces yeux... de quelle couleur étaient-ils ?

– Ce n'est pas ça. Je veux dire...

Elle laissa retomber la fleur, et trois pétales tombèrent sur les chaussures de l'inconnu.

« Dis quelque chose. »

« Il m'aime. Il ne m'aime pas. Il m'aime. »

« Non, pas ça ! »

Elle était absolument incapable de produire un son. Non seulement ce garçon était incroyablement beau, mais il était venu vers elle ! Et il lui adressait la parole ! Et il la regardait comme s'il n'y avait personne d'autre autour d'eux. Comme si elle était la seule fille au monde.

Instinctivement, elle toucha son médaillon mais constata que son cou était nu. C'était curieux. Elle portait toujours la chaîne en argent que sa mère lui avait offerte pour ses dix-huit ans. C'était un bijou de famille, qui contenait une vieille photo de sa grand-mère, à laquelle elle ressemblait énormément, prise au moment où elle avait rencontré l'homme qui devait devenir son grand-père. Avait-elle oublié de le mettre le matin ?

Le garçon pencha la tête avec une sorte de sourire aux lèvres.

Oh non... ! Quelle horreur ! Elle le dévorait des yeux depuis qu'il était là ! Il leva la main comme pour faire un petit signe. Mais non. Ses doigts restèrent en l'air. Et le cœur de Luce se mit à battre à tout rompre, parce que, soudain, elle se demanda ce que cet inconnu allait faire. Un geste amical, ou alors, l'envoyer promener. C'était d'ailleurs ce qu'elle méritait sans doute, pour le fixer avec un tel sans-gêne. Elle était ridicule.

Il agita la main, comme pour dire : « Salut ! » et déclara :

– Je m'appelle Daniel.

Il lui sourit, et elle vit que ses yeux étaient d'un gris magnifique, avec juste une touche de... était-ce du violet ? Oh mon Dieu ! Elle allait tomber amoureuse d'un garçon aux yeux violets ! Que dirait Nora ?

– Luce, réussit-elle enfin à articuler. Lucinda.

– Super, dit-il avec un nouveau sourire. Comme Lucinda Williams. La chanteuse.

– Oui, mes parents se sont rencontrés à un concert de Lucinda Williams à Austin, au Texas. Je suis de là-bas.

– Mon album préféré, c'est *Essence.* J'arrive de Californie, et je l'ai écouté pendant presque tout le trajet. Alors comme ça, tu viens du Texas. Emerald doit te changer.

– C'est clair! Le choc culturel total!

C'étaient ses paroles les plus sincères depuis le début de la semaine.

– Tu vas t'y habituer. Moi, au bout de deux ans, ça y est, je m'y suis fait.

À la vue de son expression paniquée, il lui toucha l'épaule :

– Je plaisante! Tu as l'air de t'adapter beaucoup plus vite que moi. Je suis sûr que si je te revois la semaine prochaine, je te trouverai complètement à l'aise, avec un grand « E » écrit sur ton sweat-shirt.

Elle regarda sa main posée sur son bras. Ce contact avait déclenché en elle un millier de minuscules explosions. Un véritable feu d'artifice. Il rit et elle aussi, sans savoir pourquoi.

– Est-ce que...

Elle avait du mal à croire ce qu'elle s'apprêtait à proposer à ce garçon, en avance de deux ans sur elle, et beau comme un acteur de cinéma.

– ... Est-ce que tu veux t'asseoir?

– Oui, accepta-t-il sans hésiter.

Il leva les yeux vers la fenêtre éclairée derrière laquelle se déroulait la soirée.

– Tu n'as pas envie d'aller rejoindre les gens, là-haut?

Luce répondit, un peu déçue :

– J'en viens, justement.

– Et alors? Tu ne t'amusais pas?

– Si, mais... J'ai juste...

– ... Pensé que tu avais besoin de prendre l'air ? compléta-t-il.

Elle acquiesça d'un signe de tête.

– Je devais rejoindre quelqu'un, dit-il avec un haussement d'épaules en regardant la fenêtre, où Nora flirtait avec un garçon qu'ils ne voyaient pas. Mais c'est peut-être déjà fait.

Il la regarda en plissant les yeux et elle se demanda avec horreur si elle n'était pas en train de lui parler avec une tache de pollen sur le nez. C'était tout à fait possible !

– Tu vas prendre biologie cellulaire, ce trimestre ? s'enquit-il.

– Sûrement pas. J'ai cru ne pas en sortir vivante au lycée. Pourquoi ?

Elle le regarda, et vit ses yeux où – effectivement – le violet dominait. Ils brillaient.

Daniel secoua la tête, comme s'il pensait à une chose qu'il n'avait pas envie de dire à voix haute.

– C'est que... j'ai l'impression de te connaître. Je suis sûr que nous nous sommes déjà rencontrés avant.

ÉPILOGUE

Des étoiles filantes

– J'adore cette scène ! s'écria Arriane de sa voix haut perchée.

Trois anges et deux Néphilim étaient assis sur le bord d'un nuage gris et bas, juste au-dessus d'une résidence universitaire située au centre du Connecticut.

Roland sourit :

– Ne me dis pas que tu l'as déjà vu jouer ?

Il avait déployé ses ailes de marbre doré bien à plat, afin de permettre à Miles et Shelby de s'y asseoir. Ils s'y étaient installés comme sur une couverture de pique-nique étalée en plein ciel.

Les Néphilim n'avaient pas revu les anges depuis plus de douze ans. Contrairement à Roland, Arriane et Annabelle qui ne portaient aucun signe physique de la fuite du temps, ils avaient pris de l'âge. Leurs alliances, et les coins de leurs yeux marqués de fines rides témoignaient de leur bonheur conjugal. Sous sa casquette de base-ball vraiment usée, les cheveux de Miles étaient striés de quelques cheveux gris. Il avait posé la main sur le ventre de sa femme, arrondi par le bébé qui devait arriver le mois suivant.

Shelby se frotta la tête, comme si elle avait reçu un choc.

– Mais Luce ne mange pas de poivrons farcis ! Elle est végétarienne !

– C'est tout l'effet que ça te fait ? s'exclama Annabelle en levant les yeux au ciel. Luce n'est plus comme avant, maintenant. C'est la même fille, mais avec des variantes. Elle ne voit pas d'Annonciateurs, et elle n'est pas allée consulter tous les psys de la côte est. Elle est beaucoup plus « normale », ce qui l'ennuie à mort, mais je crois qu'au bout du compte elle sera vraiment heureuse.

– Tu ne trouves pas que ce pop-corn a un goût de brûlé ? demanda Miles en mastiquant bruyamment.

– Arrête de manger ça, intervint Roland en lui arrachant les graines des mains. Arriane l'a sorti de la poubelle la nuit où Luce a mis le feu à la cuisine de la résidence.

Miles se mit à cracher, penché par-dessus le bord de son siège de plumes.

– C'était ma manière à moi de me connecter avec Luce, expliqua Arriane avec un haussement d'épaules. Mais tiens, si tu as faim, voilà des bonbons au caramel.

– Vous ne trouvez pas ça bizarre? dit Shelby. On est en train de les regarder comme au cinéma, alors qu'on les imaginerait plutôt dans un roman, ou un poème, ou une chanson. Moi, parfois, ça m'étouffe, de voir à quoi les films réduisent les belles histoires!

– Eh dis donc, la Néphilim! protesta Arriane. Roland n'était pas *obligé* de vous amener ici! Alors ne fais pas ta snob et regarde le spectacle comme tout le monde. Oh! Vous avez vu? Il est grave dingue de ses cheveux! Je parie que dès qu'il sera rentré, il fera son portrait. C'est trooop mignon!

– Oh, Arriane, tu fais trooop bien l'ado! plaisanta Roland. Bien... on va rester combien de temps? Vous ne trouvez pas qu'on pourrait leur laisser un peu d'intimité?

– C'est vrai, ça, acquiesça Arriane, nous avons du pain sur la planche, là-haut, dans nos Prairies célestes. Par exemple...

Son sourire s'effaça, car elle ne trouva aucun exemple.

– Vous vous revoyez toujours, vous autres? demanda Miles. Depuis que Roland... enfin...

– Évidemment, que nous le voyons! répondit Annabelle en souriant à ce dernier. Nous continuons à travailler à son retour. Même après toutes ces années. Le Trône a inventé le pardon, tu sais.

Roland secoua la tête.

– Je ne crois pas que la rédemption céleste fasse bientôt partie de mon programme. Tout est tellement blanc, là-haut...

– On ne sait jamais, intervint Arriane. Il nous arrive d'être extrêmement larges d'esprit. Passe donc dire bonjour, un de ces quatre. N'oublie pas que c'est le Trône qui a permis que Daniel et Luce se retrouvent.

La mine de Roland se fit grave. Il dirigea son regard vers les nuages sombres et lointains.

– L'équilibre entre le Paradis et l'Enfer était parfait la dernière fois que j'ai vérifié. Pas la peine que je fasse pencher le balancier.

– Il y a toujours un espoir pour que nous soyons tous réunis un jour, dit Annabelle. Luce et Daniel en sont l'exemple. Aucun châtiment n'est éternel. Peut-être même pas celui de Lucifer.

– Quelqu'un a eu des nouvelles de Cam ? s'enquit Shelby.

Pendant quelques instants, un silence pesant s'installa. Puis elle s'éclaircit la voix et se tourna vers son mari :

– Euh, à propos de choses qui ne sont pas éternelles... Il ne faut pas oublier l'heure, la baby-sitter nous attend. La dernière fois, quand les Dodgers ont joué les prolongations, elle nous a pris un supplément.

– Vous voulez qu'on vous fasse signe dès que Luce et Daniel auront leur premier rendez-vous ? proposa Annabelle.

Miles désigna la Terre d'un geste du menton :

– On n'a pas dit qu'on les laisserait tranquilles ?

– Nous viendrons, le contredit sa femme. Ne l'écoute pas ! Et toi, tais-toi, ordonna-t-elle à Miles.

Roland prit un Néphilim sous chaque bras et se prépara à partir.

Puis les anges, le démon et les Néphilim s'envolèrent dans des directions différentes en laissant derrière eux, pour un court moment, une brillante traînée lumineuse, tandis que, sur la Terre, Luce et Daniel tombaient amoureux pour la première... et la dernière fois.

REMERCIEMENTS

C'est une chose merveilleuse que de voir la liste des remerciements s'allonger à chaque livre. Je suis reconnaissante à Michael Stearns et Ted Malawer d'avoir cru en moi, de m'avoir témoigné tant d'indulgence, de m'avoir fait travailler si dur. À Wendy Loggia, Beverly Horowitz, Krista Vitola, et à l'excellente équipe de Delacorte Press – vous avez permis à *Damnés* de s'envoler, du début à la fin. À Angelina Carlino, Barbara Perris, Chip Gibson, Judith Haut, Noreen Herits (vous me manquez déjà !), Roshan Nozari et Dominique Cimina pour la compétence avec laquelle vous avez transformé mon histoire en livre.

À Sandra Van Mook et mes amis en Hollande ; à Gabriella Ambrosini et Béatrice Masini en Italie ; à Shirley Ng et à l'équipe de MPH à Kuala Lumpur ; à Rino Balatbat, Karla, Chad, à la merveilleuse famille Ramos, et mes extraordinaires fans philippins ; à Dorothy Tonkin, Justin Ractliffe, et au génial groupe de Random House en Australie ; à Rebecca Simpson en Nouvelle-Zélande ; à Ana Lima et Cecilia Brandi et à Record pour ce beau séjour au Brésil ; à Lauren Kate Bennett et l'adorable équipe de chez RHUK ; à Amy Fisher et Iris Barazani pour m'avoir inspirée à Jérusalem. Quelle merveilleuse année j'ai passée avec vous tous ! Je souhaite qu'il y en ait encore beaucoup d'autres !

À mes lecteurs, qui, chaque jour que Dieu fait, me montrent le bon côté de la vie. Merci.

À ma famille, pour sa patience, sa confiance et son sens de l'humour. À mes amis, qui réussissent à me faire sortir de ma tanière. Et, toujours, à Jason, qui affronte la tanière quand il n'arrive pas à m'en sortir. Je suis heureuse de vous avoir tous dans ma vie.

TABLE DES MATIÈRES

Retrouvez toute l'actualité
de Damnés sur
www.damnes-lelivre.fr

Le dernier tome de *Damnés*
paraîtra en juin 2013

Cet ouvrage a été mis en pages
par DV Arts Graphiques à La Rochelle

Impression réalisée par
ROTOLITO LOMBARDA SPA

Imprimé en Italie
N° d'impression :